SOMS GAAT HET ANDERS

Ria van der Ven-Rijken

Soms gaat het anders

VCL-serie

ISBN 90 5977 131 1
NUR 344

© 2006, VCL-serie, Kampen
Omslagillustratie: Kees van Scherpenzeel
Omslagbelettering: Van Soelen, Zwaag
www.vclserie.nl
ISSN 0923-134X

1

Ellis van Zwieten had geen al te hoge verwachtingen van haar sollicitatie. In de advertentie stond namelijk dat kinderdagverblijf De Regenboog dringend verlegen zat om een gediplomeerde kinderleidster. Het ontbrak Ellis echter aan de vereiste papieren. Ze had enkele jaren geleden wel haar diploma verpleegkunde gehaald, inclusief kinderaantekening, aangevuld met een certificaat voor afdelingsmanagement, zodat ze eveneens een leidinggevende taak op zich kon nemen. Maar op de kinderafdeling van het plaatselijke ziekenhuis was na haar examen geen openstaande vacature geweest, terwijl ze dol was op werk met kleine kinderen. Ze had ook navraag gedaan bij diverse kleuterbureaus in de omgeving van haar woonplaats Culemborg. Dat was eveneens geen succes geweest, ze hadden daar ook niemand nodig. Nu was haar hoop helemaal gevestigd op dat ene baantje bij De Regenboog. Mevrouw Klomp, locatiemanager van het kinderdagverblijf, had haar uitgenodigd voor een gesprek.

Op een dinsdagmiddag in maart, klokslag drie uur, parkeerde Ellis haar wagen in de Seringenlaan voor een modern, vrijstaand gebouw met twee royale etages. Ze keek er enkele seconden steels naar door het zijraampje van haar auto. De voortuin lag er goed onderhouden bij. Gele narcissen, rode tulpen en blauwe druifjes maakten het tot een bont gekleurd geheel. Een reclamebord halverwege de tuin, met een regenboog erop geschilderd en daaronder de naam: Kinderdagverblijf De Regenboog, vertelde haar dat ze op het goede adres gearriveerd was. Voor het benedenraam hingen half opgeschoven lamellen en op het raamwerk waren vrolijke Walt Disney afbeeldingen geplakt. De allereerste indruk die Ellis kreeg was positief. In zo'n aantrekkelijk gebouw, dat eruit zag als een gezellige woning, zouden kleine kinderen zich vast snel thuis voelen. Ze kon nauwelijks geloven dat dit mooie baantje nu binnen haar handbereik lag. Ellis stapte uit, nam haar tas onder de arm, rechtte haar rug en liep langzaam naar de deur. Ze had voor deze gelegenheid een donkere ribbroek aangetrokken met daarop een fuchsiakleurig jasje. Niet al te chic, maar toch smaakvol en elegant. Het zwarte lange haar had ze met een speld bijeen gebonden in een staart, die een sportief tintje aan haar uitstraling gaf. Haar opvallende donkerbruine ogen lieten het gebouw De Regenboog geen moment los, ze nam alle details in zich op. Ze hoefde niet lang te wachten nadat ze aangebeld had.

Carola Klomp, zoals de vrouw van middelbare leeftijd zich voorstelde, opende de deur en liep voor haar uit naar een klein kantoortje. Het gesprek verliep spontaan en hartelijk. Ellis voelde zich meteen op haar gemak bij deze locatiemanager. Carola maakte duidelijk wat er van een nieuwe collega verwacht werd en vroeg na een poosje naar het arbeidsverleden van Ellis. Had ze soms al enige ervaring opgedaan in het kinderwerk?

Ellis vertelde alles over haar verpleegkundige opleiding die ze in het ziekenhuis had gevolgd en de ervaring die ze daarbij had opgedaan. Dat ze heel graag met kleine kinderen wilde werken, benadrukte ze meerdere malen.

Carola luisterde aandachtig, maar werd tijdens het geestdriftige betoog van Ellis wat ernstiger.

„Vind je een baan als kinderleidster geen achteruitgang in je positie als verpleegkundige, Ellis? Ik weet haast zeker dat je met je diploma's en capaciteiten in een ziekenhuis vast veel meer mogelijkheden hebt om je te ontplooien op allerlei gebied. Kleine kinderen in een kinderdagverblijf kunnen soms knap lastig zijn, hoor." Carola lachte zacht, ze keek Ellis onderwijl afwachtend aan. Maar Ellis fronste haar wenkbrauwen bij die opmerking. „Het is in een ziekenhuis vaak niet anders. Patiënten kunnen ook lastig zijn. Met kinderen werken is voor mij heus geen achteruitgang in positie. Als ik mijn studiekeuze nog eens opnieuw mocht doen, zou ik nu vast voor een speciale kinderopleiding kiezen. Pedagogie bijvoorbeeld, reuze interessant. Ik ben namelijk dol op kinderen."

„Je bent jong, je kunt het alsnog proberen," adviseerde Carola.

„Ik wil voorlopig niet aan een nieuwe studie beginnen." Ellis woorden klonken zelfverzekerd. „Met mijn verpleegkundige achtergrond kom ik ook al een heel eind in de goede richting." Ellis begon haar kans op dit felbegeerde baantje ineens in twijfel te trekken. Waarom stuurde Carola het gesprek nu deze kant op. Zou ze toch niet voldoen aan de eisen? Zochten ze echt naar een gediplomeerd kinderleidster? Maar ze had in haar sollicitatiebrief met curriculum vitae toch duidelijk aangegeven dat het haar aan die vereiste papieren ontbrak!

„Wat mij betreft kun je maandag al beginnen, schikt je dat?" Ellis schrok even van die woorden, ze kwamen zo onverwacht. Maar Carola Klomp leek volkomen zeker van haar zaak. De ernstige blik op haar gezicht verdween en een gulle glimlach brak door.

„Oooh... nou, graag," stotterde Ellis, enigszins verward. „Ik dacht zojuist nog, dat... dat..." Ze wuifde met haar hand en schaamde zich voor haar opgewonden gehakkel. Ze kon opeens niet zo goed uit haar woorden komen.

„Dat ik misschien niet akkoord zou gaan met jouw vooropleiding?" maakte Carola de zin voor haar af.

Ellis knikte, ze was opgelucht dat Carola de woorden die zij had willen zeggen zo duidelijk aanvoelde. Een blijde glimlach gleed nu ook over haar gezicht.

„O nee, met zo'n vooropleiding ben ik juist erg blij. En je kinderaantekening is ook een enorm pluspunt!" gaf Carola ruimhartig toe. „Dat is voor ons op deze werkvloer namelijk een groot voordeel. Er gebeuren hier in huis wel eens kleine huis-, tuin- en keukenongelukjes. Dan kunnen we meteen gebruik maken van je medische kennis. Hoewel de collega's en ik ook in het bezit zijn van een geldig EHBO-diploma, hoor. Ik heb de goedkeuring van het bestuur gekregen om je deze baan aan te bieden, mits ik je geschikt acht voor deze functie. En dat doe ik. Ik heb er alle vertrouwen in!"

Meteen na het gesprek kreeg Ellis een rondleiding door het kindvriendelijke gebouw. Op de eerste etage bevonden zich enkele slaapkamertjes met bedjes en ledikantjes, waar de allerkleinsten op tijd hun dutje konden doen. De muren waren met zachte tinten geverfd, sommige wanden vertoonden muurtekeningen en er hingen hier en daar vrolijk gekleurde mobielen. Het sanitair zag er schoon en modern uit. Op de begane grond waren twee ruime speelkamers met kleine tafeltjes en stoeltjes en daaromheen lag volop speelgoed om mee te spelen. Twintig levenslustige kinderen keken haar even nieuwsgierig aan, maar speelden meteen weer verder. Ellis maakte daar kennis met haar toekomstige collega's, Jenny Somers en Miranda Westerman.

Wat later gaf ze enkele nieuwsgierige kindertjes die bij haar kwamen staan ook wat aandacht. Ze aaide over diverse hoofdjes, gaf links en rechts handjes en kreeg een tekening in haar handen gedrukt van een duimend jongetje. Vertederd keek ze naar de gekleurde krassen op het vel en besloot om de tekening straks op haar kamer te hangen. Voordat ze weer wegging, vertelde Carola haar nog dat het kinderdagverblijf onderdeel uitmaakte van een stichting met meerdere vestigingen in naburige plaatsen. „Er is zelfs een medezeggenschapsraad waarin de ouders van de kinderen kans hebben om invloed uit te oefenen over de gang van zaken. Het bestuur en ook wij als personeelsleden beschouwen dit allemaal als een stukje meerwaarde binnen ons werk. Het is fijn als ouders met ons meedenken."

Met een tevreden gevoel reed Ellis een halfuur later weg uit de Seringenlaan. Morgen zou ze het uitzendbureau, waarvoor ze zo nu en dan werkte, inlichten over haar nieuwe vaste baan. Maar nu wilde ze naar Tim, haar vriend, ze wilde hem meteen het goede nieuws gaan vertellen.

Tim en zijn vader hadden samen op het plaatselijke industrieterrein een goedlopend bedrijfje: Duister en Zn. Reclame- en adviesbureau. Tim bracht zijn dagen meestal op kantoor door. Hij boog zich dan over brochures, folders, logo's, tekstborden en veel meer van die zaken waar Ellis absoluut geen verstand van had. En Tim's vader, Arno Duister, hield zich voornamelijk bezig met klantenwerving en klantenbinding. Hij was vaak weg en niet dagelijks op de zaak aanwezig.

Ellis parkeerde haar auto vlak bij de ingang. Ze holde op een drafje naar binnen, klopte niet eens op Tims kantoordeur en zag tot haar grote vreugde dat hij aangenaam verrast opkeek toen ze de deur opende.

„Ellis, schat!" Hij stond op van zijn bureaustoel, liep op haar toe en kuste haar. „Dat is een verrassing! Volgens mij heb je goed nieuws."

Ellis knikte. Ze was nog net zo verliefd op Tim als een jaar geleden toen ze hem voor het eerst ontmoet had. Tim was een lange rijzige jongeman van dertig jaar oud met donkerblond haar. In zijn blauwe ogen lag altijd een zachte glans, daar hield Ellis van. Er was niemand die zulke mooie ogen had als Tim.

„Ja, ik heb inderdaad goed nieuws! Ik ben aangenomen als kinderleidster bij kinderdagverblijf De Regenboog. Ik mag maandag al beginnen."

„Fantastisch, meisje. Daar kijk ik van op." Tim aaide liefkozend langs haar rode wangen. „Nu is je grote wens eindelijk in vervulling gegaan." Hij troonde haar naar zijn bureau. „Ga zitten, geluksvogel. Dan haal ik een kopje thee voor je."

Ellis nam plaats op Tims bureaustoel en lachte schalks bij het woordje geluksvogel. Maar zo voelde ze zich zelf ook wel een beetje. Ze had geluk gehad met zo'n mooie baan. En natuurlijk was het geluk ook aan haar zijde met zo'n lieve vriend als Tim. Haar toekomst zag er in ieder geval veelbelovend uit. Toen Tim het kantoor weer binnenkwam met twee dampende theeglazen bood hij haar aan om vanavond samen uit eten te gaan.

„Ik trakteer om het te vieren," zei hij gul. „Er is pas geleden een nieuwe bistro geopend aan de Marktstraat, misschien dat ik daar nog een tafeltje voor twee kan reserveren."

Ellis keek hem met glinsterende ogen aan terwijl hij snel en behendig zijn werkstukken van het bureaublad oppakte en geordend in de kast legde. Daarna reserveerde hij telefonisch een tafeltje bij de nieuwe bistro.

„Geregeld," kondigde hij op zakelijke toon aan en dronk daarna van zijn thee.

Ellis besefte voor de zoveelste keer dat ze vreselijk veel van hem hield. Ze kon zich een leven zonder Tim niet meer voorstellen. Gelukkig hoefde dat ook niet. De liefde die ze voor hem voelde was immers wederzijds en Tim droeg haar op handen. Hij was haar steun, bij hem voelde ze zich volkomen op haar gemak.

„Goed, dan bel ik mijn ouders even op om door te geven dat ze vanavond niet met het eten op me hoeven te rekenen. Dan kan ik hen ook meteen het goede nieuws vertellen van mijn nieuwe baan." Ellis glimlachte bij het heerlijke vooruitzicht om samen uit te gaan. Tim reikte haar de bedrijfstelefoon aan. „Groet je ouders ook namens mij," voegde hij er vriendelijk aan toe.

Elke zondagmorgen na de de kerkdienst kwamen Bella en Karin, de oudere zussen van Ellis, samen met hun echtgenoten en kroost een kopje koffie drinken in het ouderlijk huis. Dat gaf altijd een gezellige drukte, vond moeder Rika van Zwieten, die dan druk in de weer was met versgezette koffie en zelfgebakken boterkoek. Vader Henri ging dan steevast in debat met zijn schoonzonen over de prediking van de ochtenddienst.

Henri was nogal bijbelvast en dikwijls erg kritisch gestemd.

Hij ging een stevige discussie met Gert, de man van Bella en Paul, de man van Karin, dan ook niet uit de weg. Rika verdeelde haar aandacht tijdens dat koffieuurtje tussen haar beide dochters. Ellis ontfermde zich zoals gewoonlijk weer met plezier over haar nichtjes en neefjes. De vier kleinkinderen brachten genoeg leven in de brouwerij en het was leuk om te zien hoe dol ze op tante Ellis waren. Rika vond het alleen jammer dat Tim, de man die op een dag in de nabije toekomst vast wel hun schoonzoon zou worden, nooit op zondagochtend aanwezig kon zijn. Tim kerkte namelijk bij een ander kerkgenootschap en had geen behoefte aan napraten over de zondagmorgenprediking met Henri en zijn toekomstige zwagers. Hij was slechts één keer op een zondagmorgen met hen mee naar de kerk geweest, alweer een half jaar geleden. Maar hij vond dat ze als gezin te vrijelijk met hun geloof omgingen. Dat had Rika naderhand van Ellis begrepen toen hij niet nog eens een keer wilde komen. Tim was van thuis uit namelijk streng gelovig opgevoed. Hij wilde graag in de voetsporen van zijn ouders verder gaan en daar blijven kerken waar hij nu naartoe ging. Ach, Rika begreep het wel. Sommige mensen hielden nu eenmaal van strakke kerkelijke tradities en daar was niets mis mee.

Maar de kerkdiensten die zij als gezin bezochten, weken daar toch enigszins vanaf. Die diensten verliepen inderdaad erg vrij en gemoedelijk, maar het Woord van God werd er verkondigd op een wijze die hen allen aansprak. Je had er ook iets aan in de praktijk van alledag. Het was radicaal en leerzaam aan de ene kant, maar o zo bemoedigend aan de andere kant. Rika sneed de boterkoek in gelijke stukken en riep haar oudste kleindochter bij zich. „Kijk Irma, jij mag de koek vandaag ronddelen. Wil je dat voor oma doen? Je bent een lieverdje, hoor!" Parmantig stapte het zesjarige dochtertje van Bella met de schaal boterkoek de woonkamer in. Rika keek haar na. Wat ging de tijd toch snel voorbij. Het was als de dag van gisteren dat haar oudste dochter, de kleine Bella, slechts zes lentes jong was. Maar Bella was inmiddels opgegroeid tot een jonge vrouw van drieëndertig jaar met een bijzonder schildertalent. Ze maakte mooie aquarellen, die ze vaak op exposities te koop aanbood. Ze kreeg ook wel eens een opdracht. Het donkerharige kapsel van Bella, dat er sinds enkele weken uitgesproken excentriek uitzag, verafschuwde Rika. Korte stekeltjes, die met behulp van een vette crème omhoog bleven staan. Het kapsel deed haar denken aan de vele hongerige onverzorgde mensen uit de trieste oorlogsjaren. Bella had haar argumenten lachend van tafel geveegd en iets over de mode van dit moment gezegd. Rika had zich erbij neergelegd, in Bella's ogen kon haar mening alleen maar ouderwets zijn als ze over de oorlogsjaren sprak.

Na Bella kwam Karin, de middelste van haar drie dochters, ze was onlangs dertig jaar geworden. Een echt huismoedertje, in wie ze het meest van haar eigen karakter terug kon vinden. Er gleed een warme glimlach om Rika's mond. Ellis sloot de rij met haar achtentwintig jaren. Haar twee oudste meisjes waren al geruime tijd het huis uit en rijkelijk jong getrouwd. Over de ongehuwde status van Ellis begon Rika zich drie jaar geleden toch wel wat bezorgd te maken. Het kind was altijd zo dol op kinderen geweest. Ze hadden allemaal verwacht dat Ellis op veel jongere leeftijd aan de man zou raken om daarna snel een groot gezin te stichten. Maar dat gebeurde niet. Ellis vlinderde door het leven, volgde een opleiding in het ziekenhuis en ontmoette Tim Duister pas een jaar geleden. Dat Tim momenteel een serieuze huwelijkskandidaat was voor hun jongste, wisten ze inmiddels wel. Beide jongelui spaarden geld en een uitzet bij elkaar alsof hun leven ervan afhing. Maar met een definitieve trouwdatum waren ze nog niet gekomen. Rika besloot om nog snel een volle pot koffie bij te zetten, want als iedereen vandaag op z'n praatstoel zat kwam ze vast tekort. Daarna ging ze bij Bella en Karin aan tafel zitten. Zelfs Ellis liet de kleintjes even aan hun lot over om haar koffie op te drinken.

„Dus morgen begin je bij De Regenboog?" informeerde Bella belangstellend, terwijl ze zich met een brede glimlach op haar gezicht naar Ellis boog. „Dat is overigens een goed georganiseerd kinderdagverblijf, hoor. En ik kan het weten. Je hebt het werkelijk getroffen met dat baantje, Carola Klomp is een aardige betrouwbare locatiemanager. Ze heeft veel mensenkennis en er ontgaat haar niets."

„Ken je haar dan?" vroeg Ellis verbaasd. Ze had er niet eerder bij stilgestaan, maar Bella kende heel veel mensen in deze plaats en omgeving vanwege haar aquarellen en de daaruit voortvloeiende contacten. Bella schudde haar hoofd en trok haar wenkbrauwen op. „Ik ken Carola Klomp niet persoonlijk. Een goede relatie van me, die in haar woonkamer drie fantastische werken van mij aan de muur heeft hangen, brengt haar oudste dochtertje elke dag naar dat kinderdagverblijf. Ze is er erg over te spreken. Niks dan lof!"

„Leuk om te horen," antwoordde Ellis met opwinding in haar stem, „ik ben namelijk reuze benieuwd en uuuhm... ook al een beetje zenuwachtig."

„Niet nodig, hoor," wuifde Bella met haar hand. „Dat komt allemaal dik in orde, jij bent een echte kindervriend. Onze kinderen zijn ook dol op je, dat weet je."

„Hoe heet die goede relatie van je, wiens dochtertje dagelijks naar De Regenboog gaat?" wilde Karin nu weten. „Je hoort namelijk niet zo vaak dat mensen hun kinderen elke dag naar zo'n dagverblijf brengen. Het zijn zeker mensen met drukke banen?"

„Ja, dat klopt," bekende Bella. „Dicky en Jochem Kleinveld hebben een eigen meubelbedrijf. Dicky werkt daar nog steeds fulltime mee op de administratieve afdeling en hun dochtertje Erica is drie jaar. Het is een rustig, lief meisje." Bella boog zich voorover naar Ellis. „Binnenkort krijgen jullie er bij De Regenboog trouwens weer een nieuwe baby bij. Dicky loopt op het laatst van haar zwangerschap. Ze vertelde me onlangs nog dat ze toch fulltime wil blijven werken na haar verlof."

„Daar begrijp ik nu geen snars van," reageerde Karin verontwaardigd. „Ik snap niet dat zulke mensen een gezin willen stichten. Ze kunnen wat mij betreft maar beter gewoon voor een carrière in de maatschappij kiezen en niet voor een gezin. Het is voor die kindertjes toch ook niets om elke dag naar een opvangadres te worden gebracht. Ik ben blij dat Paul en ik altijd zelf voor onze jongens hebben gezorgd."

Rika knikte geestdriftig, ze was het duidelijk eens met de mening van Karin die haar taak als moeder plichtsgetrouw vervulde. En zo hoorde het ook, ze had het zelf ook altijd zo gedaan. Net als haar eigen moeder en grootmoeder.

„Dat ben ik niet helemaal met je eens, Karin. Je kunt ook voor de gulden middenweg kiezen. Het is goed voor een vrouw om zich naast het huishouden en gezinsleven verder te ontplooien…" antwoordde Bella vol vuur. Om Ellis' mond speelde een glimlach. Over dit onderwerp konden haar twee zussen eindeloos discussiëren. Ze keek opzij naar Joost en Harrie, de jongens van Karin die probeerden om op haar schoot te klimmen. Het gesprek waarin haar moeder zich nu ook mengde ging enigszins aan haar voorbij. Ze zag uit naar de dag van morgen. Het was leuk dat Bella haar iets meer over het gezinnetje Kleinveld had verteld. Mensen, die erg tevreden waren over kinderdagverblijf De Regenboog. Ze had het goed getroffen met deze baan.

2

De harde voorjaarswind waaide om een oud, monumentaal huis in de binnenstad van Culemborg, dat sinds enkele jaren onder de Rijksdienst Monumentenzorg viel. In de tuin achter het huis bogen de bomen gewillig met de stevige wind mee. Donkergrijze wolken brachten fikse regenbuien over het Betuwse land waaruit grote regendruppels vielen, die tegen het slaapkamerraam van het huis plensden. Maar de bewoners sloegen er geen acht op. Achter het slaapkamerraam werd op dat moment namelijk nieuw leven geboren. De bevalling verliep voorspoedig en met de laatste wee perste Dicky Kleinveld haar kind met kracht de wereld in. Alle aanwezigen haalden opgelucht adem, toen het kleintje meteen van zich liet horen door luidkeels de huilen.

Dikke tranen van blijdschap rolden over Dicky's wangen. De woorden van de verloskundige galmden nog na door de ruime slaapkamer. „Dicky, het is een jongentje. Een mooi gaaf kereltje!" Meteen na die woorden kreeg Dicky de huilende baby voorzichtig in haar armen geduwd. Het kind voelde glibberig aan. Door haar tranen heen keek ze naar de blonde vochtige haartjes, die plat op het hoofdje gedrukt zaten. Haar handen aaiden liefdevol het kleine lijfje. De bevalling had gelukkig niet al te lang geduurd. Met Erica had ze drie jaar geleden veel meer tijd nodig gehad. Dat was een zware pijnlijke bevalling geweest. Met die herinnering had ze de laatste weken enorm opgezien tegen de geboorte van dit kind. Jochem, haar man, boog zich over haar heen. Ze voelde een warme zoen op haar lippen. „Een zoon, Dicky! Geweldig gedaan, lieverd." Zijn gezicht straalde van pure blijdschap. „We hebben een stamhouder. En als het meezit meteen een opvolger in de zaak als wij later de pensioengerechtigde leeftijd zullen bereiken."

Dicky sloot haar ogen. Ze wilde aan alles denken, maar niet aan de meubelzaak die Jochem enkele jaren geleden van zijn vader had overgenomen. Nu even niet! Deze intieme momenten wilde ze alleen maar samen met Jochem en hun nieuwe kindje beleven.

Een kleine baby, die ze zojuist kerngezond ter wereld had gebracht. Jochems tijdrovende baan in de meubelzaak was op deze dag heel even niet het belangrijkste aspect in haar leven. Dat was op dit moment haar krijsende kleintje, waar ze samen maandenlang naar hadden uitgekeken.

„Hoe gaat de baby heten?" vroeg de verloskundige nieuwsgierig, terwijl ze de navelstreng afbond en Jochem de eer gaf om deze met een schaar door te knippen.

„Harm," antwoordde Jochem resoluut. Hij keek vol trots naar de boreling. „We noemen onze zoon Harm, naar mijn vader. Die heet Harmen Johannes."

„Harm…" Dicky fluisterde de naam van haar kleine zoon zachtjes voor zich uit. Ze was ook zo dankbaar en blij met dit kind. „Je moet Erica straks maar even bij mijn ouders ophalen, Jochem. Ze is vast reuze benieuwd naar haar broertje. En pa en ma moeten Harm ook maar snel komen bewonderen."

Dicky voelde tranen branden toen ze aan haar ouders en schoonouders dacht. Ze keek naar Jochems stralende gezicht. Hij knikte haar blij toe.

„Natuurlijk ga ik ze halen, lieverd. Dan rijd ik meteen even langs het Meubelpaleis om onze collega's ook het goede nieuws te vertellen."

Dicky sputterde niet tegen. Het was voor Jochem blijkbaar heel moeilijk om op deze bijzondere dag afstand van zijn werk te nemen. Als hij zijn werknemers vanmiddag nog op de hoogte bracht van Harms geboorte, kon hij ook meteen informeren naar de stand van zaken. Het was zaterdag, vandaag! De drukste dag van de week. En alles draaide net als op alle andere zaterdagen, om de behaalde weekomzet. Daar was Jochem heel benieuwd naar. Dicky wist wel wat er in het hoofd van Jochem omging. Ze kende ook zijn frustratie als de gewenste weekomzet veel lager uitviel dan zijn verwachting was. Dat waren de grote nadelen van een eigen bedrijf, dat op dit moment alle zeilen bij moest zetten om te overleven en niet failliet te gaan. De concurrentie in de meubelbranche was nu eenmaal moordend. Jochem stond er elke morgen mee op en ging er elke avond mee naar bed. Alles draai-

de altijd om de meubelzaak, alle andere belangrijke dingen moesten er voor wijken. Zoals nu. Jochem gunde zich geen rust om
even wat langer thuis te blijven en samen met haar van Harm te
genieten. Ze kon zelf wel uren naar dit pasgeboren baby'tje blijven kijken, zo mooi vond ze hem. Maar Jochem stond op en ging
doen wat hij wilde doen.

Dicky accepteerde het gelaten. Tegen het bedrijf viel nu eenmaal niet op te boksen. Ze glimlachte vertederd naar Harm, die
door de kraamverzorgster uit haar armen werd getild. „Ik ga dit
mannetje even wassen en netjes aankleden. Rust maar even uit,
Dicky. Dan nemen we zo meteen samen een beschuit met muisjes,
om het te vieren." Ze knikte instemmend, maar van rusten kwam
op dit moment niet veel terecht. Ze verlangde naar Erica. Ze wilde
haar zo graag het nieuwe broertje laten zien.

Na enkele dagen was Dicky alweer op de been, er brak een
drukke tijd aan. De eerste week kreeg ze nog hulp van een kraamverzorgster. Maar daarna stond ze er helemaal alleen voor, want
Jochem maakte meteen na Harms geboorte weer lange dagen op
de zaak. Familieleden, waaronder hun wederzijdse ouders, broers,
zussen, vrienden, kennissen en collega's, kwamen in de weken na
Harms geboorte allemaal op bezoek. Dicky onthaalde ze vriendelijk en gastvrij. Ze smeerde grote hoeveelheden beschuiten met
blauw-witte muisjes en liet kleine Harm door iedereen met gepaste trots bewonderen. De tijd verstreek daarom snel. Dicky's eerste
werkdag naderde met rasse schreden en brak uiteindelijk aan.
Erica, die tijdens het zwangerschapsverlof van Dicky gewoon op
alle doordeweekse dagen naar het kinderdagverblijf was geweest,
vond het geweldig dat haar broertje nu voortaan ook mee mocht.
Met gemengde gevoelens bracht Dicky haar tweetal die bewuste
maandagmorgen naar De Regenboog. Harm was nog wel erg
klein om hem nu al elke dag weg te brengen, dacht ze teleurgesteld. Ze betreurde het dat ze zo'n drukke fulltime baan had, ze
was veel liever wat langer thuisgebleven om zelf nog een poosje
voor Harm te zorgen. Zeker de eerste maanden, want die waren
erg belangrijk in een nieuw mensenleven. De binding tussen moeder en kind vond dan plaats, daar las ze onlangs nog een boeiend

artikel over in een blad voor hedendaagse ouders. En voor Erica zou ze ook vaker thuis willen zijn. Dicky besefte maar al te goed dat ze de belangrijkste ontwikkelingen in het leven van haar beide kinderen voor een groot deel miste. Maar de plicht riep! Jochem wilde nu eenmaal dat zij haar steentje evengoed bij zou dragen in hun zakelijke onderneming. En er lag volgens hem al een flinke stapel werk op haar te wachten. Belangrijke administratieve klussen die de afgelopen maanden waren blijven liggen.

Toen Dicky haar kinderen bij De Regenboog naar binnen bracht, zag ze het onderwerp van Erica's enthousiaste verhalen meteen zitten. Jochem had haar er enkele weken geleden ook al op geattendeerd dat Carola Klomp tijdens haar zwangerschapsverlof een nieuwe leidster in dienst had genomen. Tussen de aanwezige kinderen zag ze nu een vrolijke jonge vrouw zitten die ze hier nog niet eerder had gezien, met wel drie kleine peutertjes op haar schoot gepropt. Het donkere haar zat bijeen op een speelse staart en verder was ze smaakvol gekleed. Ze had ook een aanstekelijk lachje dat zo nu en dan vrolijk door de speelkamer klaterde. Het viel Dicky meteen op dat de andere kinderen eveneens dol op haar waren. Erica wrong haar handje snel los uit de greep van Dicky's hand en stoof op de donkerharige leidster af. „Juf... juf Ellis," hijgde ze opgewonden, „kom snel naar mijn babybroertje kijken. Harm blijft vandaag ook hier."

De nieuwe juf reageerde meteen op Erica's mededeling. Ze schoof de drie peutertjes voorzichtig van haar schoot. Erica pakte juf Ellis meteen bij haar hand en trok haar naar de reiswieg die Dicky nog in haar handen hield.

Carola kwam nu ook vanuit een andere speelkamer aangesneld, net als de andere collega's, Miranda en Jenny.

„Ach Dicky, wat fijn om je weer te zien," begroette Carola haar enthousiast. „Tja, dit is Ellis van Zwieten, onze nieuwe collega. Jochem heeft haar al eerder ontmoet toen hij Erica de afgelopen weken bij ons bracht. Maar, mogen we misschien eerst je baby even zien?" Dicky zette de reiswieg voorzichtig op tafel. Terwijl Carola zich over de reiswieg heen boog, schudde Dicky de uitgestoken hand van Ellis.

„Ellis van Zwieten? Mmm…je naam klinkt me erg bekend in de oren."

Ellis knikte slechts, ze wilde niet meteen verraden dat ze een zusje was van Bella, wiens aquarellen in het huis van de familie Kleinveld hingen. Voorzichtig boog Ellis daarna ook voorover om een glimp van Harm op te vangen. Het was leuk om hier voor zo'n kleine baby te mogen zorgen, want Harm was de jongste. De andere kinderen waren allemaal groter en op een enkeling na, het eerste levensjaar al gepasseerd. Harm sliep rustig door, hij was er zich niet van bewust dat zijn moeder de zorg voor hem nu tijdelijk aan anderen overdroeg. „Ik heb alle voedingstijden op een briefje genoteerd…" vertelde Dicky met een brok in haar keel. „Harms voedingen zitten in deze tas en zijn pampertjes ook…" Dicky inspecteerde de luiertas voor de zoveelste keer die ochtend. Haar handen trilden licht, het viel niet mee om Harm hier achter te laten. Maar ze moest nu toch echt haast maken. Jochem stond vast al vol ongeduld in het kantoor van de meubelzaak op haar te wachten.

„We zullen ons nauwgezet aan dat schema houden, Dicky. Maak je maar geen zorgen. En als er iets is, nemen wij meteen contact op," beloofde Carola, die wel aanvoelde dat dit moment erg moeilijk was voor Dicky. Er kroop een rilling langs Dicky's rug, ze slikte dapper enkele opkomende tranen weg. Ze zou Harm nu een lange dag moeten missen. Vanmiddag, net na zessen, dan zou ze Erica en Harm hier weer ophalen. Het kon helaas niet anders, het moest. Ze mocht Jochem niet alleen laten opdraaien voor alle zakelijke besognes. Als hij haar werkzaamheden door een andere arbeidskracht moest laten invullen, was hij handenvol geld kwijt. Geld dat hij kon besparen als zij, Dicky, op haar plaats in de zaak zou blijven. Dat was het eerst verdiend, wist ze van Jochem. De personeelskosten van de andere werknemers rezen toch al de pan uit.

„Mama, kom jij ons straks weer ophalen?" jengelde Erica, die vond dat haar moeder nu wel wat meer aandacht aan haar kon besteden in plaats van steeds maar naar het broertje te kijken. Dicky tilde Erica op en kuste haar oudste op de beide wangetjes.

„Natuurlijk, schatje! Ik haal jullie vanavond allebei weer op. Wil jij mama soms even uitzwaaien? Dan ga ik nu." Dicky draaide zich abrupt om, ze moest niet langer blijven. Dat maakte het afscheid alleen maar moeilijker. Harm was immers in vertrouwde handen en Erica kwam hier ook al vanaf haar babytijd. Dit was nu al bijna vier jaar haar tweede thuis. Carola liet Dicky door de voordeur uit en begroette meteen enkele andere binnenkomende moeders met hun kinderen. Dicky stapte in haar auto. Ze probeerde nog via de opengeschoven lamellen de speelkamer in te kijken en een glimp van de reiswieg die ze op de tafel had gezet, op te vangen. Maar de afstand verhinderde dat. Ze hoopte wel dat Carola haar baby snel in een kinderbedje zou leggen, dat op een apart slaapkamertje in gereedheid was gebracht. Al die binnenkomende moeders wilden Harm natuurlijk ook eerst bewonderen. Als ze hem nu maar lieten slapen! Tijdens haar rit naar de zaak verlieten de zorgelijke muizenissen vanzelf haar hoofd. En eenmaal op het kantoor aangekomen, leek alles weer als vanouds. De collega's begroetten haar vriendelijk en informeerden belangstellend naar Harm. Dat deed Dicky zichtbaar goed. Om elf uur die ochtend nam ze nog een keer telefonisch contact op met het kinderdagverblijf om naar hem te informeren. De nieuwe leidster stond haar te woord en vertelde dat Harm juist zonder problemen zijn flesje leeggedronken had.

„Geen zorgen, mevrouw Kleinveld. Harm doet het fantastisch," zei Ellis van Zwieten en stelde Dicky met die woorden helemaal gerust.

Al vanaf haar eerste werkdag had Ellis het erg naar haar zin als nieuw teamlid van De Regenboog. Carola en de andere twee collega's waren erg vriendelijk en behulpzaam. En sneller dan verwacht was Ellis helemaal ingeburgerd en vertrouwd met het werk. Ze deed alles met veel plezier en de kinderen voelden zich stuk voor stuk tot haar aangetrokken. Sommige kindertjes kwamen twee dagen per week over de vloer, andere weer drie. Enkele peuters werden alleen maar tijdens de ochtenduren gebracht. Alleen de kindertjes Kleinveld werden vijf hele werkdagen aan hun zorg toevertrouwd. Een keer in de drie weken kwam Dicky halverwege de middag opdraven om met kleine Harm naar het plaatselijke consultatiebureau te gaan voor een controleconsult. Dat was iets wat ze absoluut niet uit handen wilde geven. Zo bleef ze toch nauw betrokken bij zijn groei en verdere ontwikkeling en werd de hoeveelheid flesvoeding keer op keer weer aangepast. Nadien bracht ze Harm dan altijd snel terug om de resterende uurtjes weer op de zaak door te brengen. De ouders van Erica en Harm waren hardwerkende mensen, dat had Ellis al eerder van Bella begrepen. Op haar eerste werkdag had ze Erica leren kennen. Die eerste ochtend werd het meisje om acht uur door vader Jochem bij De Regenboog afgezet, met een tas vol beschuitrollen en pakjes blauw-witte muisjes. Bij Erica thuis was namelijk een baby geboren. Een klein broertje. En dat moest door iedereen gevierd worden met een traditionele traktatie. Anderhalve maand later, toen Ellis helemaal ingewerkt was, maakte ze voor het eerst kennis met Dicky Kleinveld. Een kleine, zelfbewuste blondine, die haar pasgeboren babytje zomaar aan hen toevertrouwde voor vijf lange werkdagen per week. Ellis en haar andere collega's waren dolblij met baby Harm, hoe kon het ook anders. Maar Ellis had zich op dat moment al voorgenomen om haar eigen kinderen, die zij en Tim eens hoopten te krijgen, nooit zoveel dagen achter elkaar naar een kinderdagverblijf te brengen. Niet dat de kindertjes er iets tekort kwamen, want de zorg was goed. Maar Dicky Kleinveld moest toch wel het een en ander missen in de ontwikkelings van beide kinderen, vond ze. Harms eerste bewuste lachje was voor haar geweest en Miranda ontdekte de doorbraak van een vroegtijdig tandje. Van al deze dingen werd Dicky aan het eind van de dag uiteraard op de hoogte gesteld, maar ze moest het nieuwtje altijd uit de mond van een ander horen. Naarmate de weken verstreken zag Ellis duidelijk dat de moeder van de kindertjes Kleinveld er steeds smaller en witter uit ging zien. Vermoeidheid begon zijn tol te eisen. Een fulltime baan en daarbij de zorg voor een gezinnetje waren een rijkelijk zware belasting voor het jonge ondernemersechtpaar, met name voor Dicky. Ellis begreep uit Dicky's verhalen dat Harm 's nachts ook nogal eens huilde, zodat

Jochem en zij er vaak om beurten uitmoesten om het kereltje te verschonen of te troosten. Ellis was blij dat zij niet in Dicky's schoenen stond.

„Dat doen wij later ook heel anders, Ellis," zei Tim, toen ze hem op een avond iets vertelde over de situatie van de familie Kleinveld. „Het is in de plaatselijke zakenwereld bekend dat de Kleinvelds momenteel een moeilijke tijd doormaken. Maar ze doen het niet slecht, ze redden het wel. Enkele weken geleden kreeg ik nog een opdracht van ze. Ze willen dat ik een nieuw logo ontwerp voor hun briefpapier. Er staan wat kleine vernieuwingen op stapel, vertelde Jochem me."

„Ik wist niet dat jij Jochem en Dicky kende, Tim."

„Tja, ik ken Jochem alleen maar vanwege zakelijke betrekkingen. Misschien kunnen wij later onze meubelen bij de meubelzaak van de Kleinvelds kopen. Dan dragen wij ook ons steentje bij, zodat de meubelzaak in de toekomst kan blijven voortbestaan."

Tims glanzende ogen keken haar liefdevol aan.

„Goed idee," grijnsde Ellis. „Nog even sparen, dan kunnen we alles kopen wat ons hartje begeert."

„Misschien lukt het ons wel om volgend jaar een huis te kopen. Mijn ouders willen graag financieel bijspringen, als dat nodig is, wat denk je daarvan, meisje?" Tim trok haar in zijn armen en Ellis sloot haar ogen.

„Dat is een aardig aanbod, Tim. Maar worden we dan niet te afhankelijk van je ouders?"

„Tja... dat is natuurlijk de bedoeling niet. We wachten voorlopig maar even. Volgend jaar is nog zo ver weg."

Ellis slikte een teleurstelling weg, ze had zo graag even met Tim over een gezamenlijke toekomst door willen praten.

Fantaseren en hardop dromen over hóe het eens zou worden! Maar daar was Tim te nuchter voor, het feit dat hij over 'een huis kopen' sprak, was al heel wat. Tim liep nooit vooruit op die dingen. Hij had haar nog niet eens officieel gevraagd of ze wel met hem wilde trouwen. Ze ging er gemakshalve vanuit dat hij het graag wilde, want hij hield veel van haar. En zij van hem. Maar een gezamenlijke toekomst leek nog steeds vaag en erg ver weg.

Hij zou in die vage toekomst vast een fantastische vader worden, die het allemaal heel anders zou regelen met zijn kinderen dan Jochem en Dicky Kleinveld deden. Dat had hij met zijn eerdere uitspraak door laten schemeren en daar was Ellis blij om. Zo dacht ze er zelf namelijk ook over. De volgende dag bracht een opgetogen Dicky Kleinveld haar kinderen weer gewoontegetrouw naar De Regenboog.

„Ik ben er gisteravond achtergekomen dat jij een zusje bent van Bella Aalbers," zei ze welgemutst toen Ellis de luiertas van haar overnam. „Ik ontmoette Bella op een expositie in het cultureel centrum. Daar vertelde ze me dat jij hier werkte. Dat vond ik reuzeleuk, want toen ik je na mijn zwangerschapsverlof hier voor het eerst ontmoette, kwam je naam me al zo bekend voor. Weet je dat nog? Bella laat zich altijd wel met de naam van haar echtgenoot aanspreken. Aalbers! Maar, op haar schilderwerken lees je in het hoekje altijd 'B.van Zwieten'. O Ellis, ze had een paar nieuwe werken meegenomen naar de expositie. Ik ben werkelijk dól op haar schilderijen! Je moet eens in mijn huis komen kijken. Ik heb er al een paar van haar aan de muur hangen. Trouwens, ik heb haar nieuwste aquarel ook meteen gekocht. Vanavond komt ze het schilderij afleveren, heb je soms zin om ook met Bella mee te komen?" Het smalle gezicht van Dicky glunderde vergenoegd toen ze over haar nieuwste aanwinst sprak. Er brak zelfs een rode blos van opwinding door op haar witte wangen.

Ellis schokschouderde onzeker. Bella had haar nog nooit eerder betrokken bij de verkoop en aflevering van enig schilderwerk. Misschien stelde ze dat nu ook niet op prijs. Ellis wilde zich niet ongevraagd met Bella's zaken bemoeien. „Tja, ik weet het niet, Dicky. Bella regelt haar zaakjes doorgaans veel liever zelf, ik wil me niet opdringen."

„Dat doe je toch niet! Het is mijn voorstel, hoor! En Bella weet er al van. Ze reageerde erg positief. Ze zou je vóór vanavond nog bellen om een tijd af te spreken, zei ze." Dicky schoof de reiswieg, waarin Harm met grote ogen lag rond te kijken, op tafel. „Zo kereltje, jij bent vandaag weer op de plaats van bestemming," kirde Dicky verder tegen Harm, zonder een antwoord van Ellis af te wachten. Harm hoestte af en toe een benauwd hoestje waarbij Ellis, meteen afgeleid, haar wenkbrauwen even bedenkelijk optrok.

„Oooh, het is niets bijzonders, hoor. Hij is waarschijnlijk een beetje verkouden," antwoordde Dicky meteen toen ze merkte dat Ellis aandachtig naar de baby bleef kijken. „Erica buldert ook al, luister maar..." Het klopte. Erica hoestte al net zo heftig. En er liepen meer verkouden kindertjes rond. Het zomerse weer had nogal wat mensen ertoe bewogen om zonder jas naar buiten te gaan. Dat waren heerlijke dagen geweest. Maar de vorige dag had het weer een omslag gemaakt en nu was het buiten veel te koud voor de tijd van het jaar. Van die drastische omschakeling moest een mens wel verkouden worden, dat kon niet anders.

„Ik zal Harm meteen in zijn ledikantje leggen en hem lekker instoppen," stelde Ellis voor, terwijl Dicky haar dochtertje nog eens knuffelde voordat ze vertrok.

„Tot vanavond, Ellis," groette ze daarna op weg naar de voordeur. „Ik verwacht je samen met Bella, hoor!"

Met de baby in haar arm en Erica achter zich aan liep Ellis naar het slaapkamertje. Ze probeerde zich te herinneren of ze al een afspraak met Tim had staan. Als dat het geval was moest ze die verzetten. Daar zou Tim vast van opkijken, dacht ze met gemengde gevoelens. Ze had nog nooit eerder een afspraak met hem afgezegd. Maar een beetje nieuwsgierig naar het huis en de omgeving waarin Erica en Harm Kleinveld opgroeiden was ze wel.

Carola Klomp zag Dicky Kleinveld naar buiten lopen. Ze voelde plotseling een pijnlijke steek in haar maagstreek. Ze was nu al bijna vier jaar lang de enige vertrouwenspersoon van Dicky geweest. Maar sinds de komst van Ellis van Zwieten was daar de laatste tijd een opmerkelijke verandering in gekomen. Dicky sprak Ellis de laatste weken elke morgen het eerst aan. Ze vertrouwde Erica en Harm ook het liefst aan haar zorgzaamheid toe. Zij, Carola, werd gewoon overgeslagen. Genegeerd! En ook Jenny en Miranda werden nauwelijks meer aangekeken. Alsof zij er als leidsters niet meer toe deden en lucht waren. Dat zat Carola al een tijdje behoorlijk dwars. Maar er was meer! De andere kinderen voelden zich ook al vanaf het begin als magneten tot Ellis aangetrokken. Ellis wist altijd weer de leukste spelletjes te bedenken om de kleine kinderhartjes voor zich te winnen. In het begin had Carola verwacht dat deze spontane persoonsverheerlijking wel over zou gaan, Ellis was immers pas 'nieuw' in het team. Het was nu eenmaal een bekend verschijnsel dat kleine kinderen een nieuwe juf altijd uitprobeerden, om te kijken hoever ze konden gaan en waar haar grenzen lagen. Maar Ellis werd nóg meer geliefd naarmate ze langer in dienst bleef, ook de andere ouders mochten haar bijzonder graag. Zojuist had Carola ongewild de laatste woorden van Dicky gehoord voordat ze naar de meubelzaak vertrok. Uitnodigende woorden, alleen bestemd voor Ellis van Zwieten. Aan het gezicht van Ellis kon Carola duidelijk zien dat ze over Dicky's vraag nadacht. Nadat Ellis baby Harm in zijn bedje had gelegd en met Erica terug kwam in de speelkamer, kon Carola het niet nalaten om Ellis hierover aan te spreken.

„Sorry, maar ik was net ongewild getuige van Dicky's vraag. Ik stond vlak bij jullie in de buurt." Haar ogen schitterden fel. „Je hoeft heus niet op haar uitnodiging in te gaan, Ellis. Het lijkt me zelfs beter als je je werk en je privé-leven gescheiden weet te houden. Dat voorkomt moeilijkheden. Ouders, zoals Dicky en Jochem, hebben soms hele andere verwachtingen van ons. Misschien gaan hun gedachten uit naar een betrouwbare oppas voor de avonduren en denken ze daarbij aan jou." Carola bedoelde het niet zo, maar haar stem klonk wrevelig en de woorden afgemeten.

Ellis fronste haar wenkbrauwen en haalde haar schouders op. „Ik denk niet dat Dicky daarop uit is, Carola. Ze wil me vanavond graag iets laten zien." En alsof het haar niet deerde, liep Ellis naar een groepje van acht kinderen, die al gehoorzaam aan een tafeltje op haar zaten te wachten. Het ochtendprogramma zou ze zo meteen opstarten, net als Jenny en Miranda dat aan de andere tafels deden. Er ontsnapte een diepe zucht uit Carola's mond, maar het bracht haar geen opluchting. Het beklemmende gevoel van afgunst en jaloezie bleef haar maar achtervolgen. Ze realiseerde zich, dat als het zo door bleef gaan met de groeiende populariteit van Ellis van Zwieten, háár functie als locatiemanager in de toekomst misschien wel eens in gevaar zou kunnen komen. De medezeggenschapsraad had enkele maanden geleden een nieuw voorstel ingediend. Er moest nodig een afdeling 'buitenschoolse opvang' gerealiseerd worden in een leegstaand schoolgebouw, dat naast dit aangepaste gebouw voor kinderopvang stond. Het moest een dependance worden van De Regenboog. Men keek zelfs al uit naar een geschikte leidinggevende als manager. Namen waren er nog niet gevallen, maar Carola had natuurlijk in de eerste plaats aan zichzelf gedacht. Ze had het bestuur al op de hoogte gesteld van haar heimelijke wens.

Haar huidige positie bij De Regenboog, dat alleen maar opvang aanbood voor de allerkleinsten tot vier jaar, zou dan misschien wel overgenomen kunnen worden door Jenny Somers. Die was na haar aanstelling tien jaar geleden, het langst in dienst en dat was volgens Carola ook de meest geschikte kandidaat om haar op te volgen. Of Miranda Westerman, die draaide ook al heel wat jaartjes mee. Daar mocht Ellis niet tussen komen, dat zou beslist niet eerlijk zijn. Maar met de populaire Ellis van Zwieten in haar team begon Carola toch ernstig te twijfelen aan het toekomstige advies van de medezeggenschapsraad. Het bestuur was heel gevoelig voor dergelijke adviezen. Misschien hadden Dicky en Jochem Kleinveld, die samen als echtpaar in de medezeggenschapsraad zaten, al een slim plannetje klaar liggen en wilden ze dát vanavond aan Ellis laten zien!

Carola beet haar tanden op elkaar terwijl ze naar haar kantoortje liep. Diep vanbinnen wist ze dat deze achterdochtige gedachten niet terecht waren. De Kleinveldjes zouden zoiets nooit doen, dat waren eerlijke oprechte mensen. Maar als Carola in een depressieve stemming verkeerde, zag ze alles anders en wat ze voelde was ook altijd negatief. Hè, waarom was ze nu zo jaloers op Ellis? Dat nare gevoel kwam altijd opzetten als anderen kans zagen om haar voorbij te streven, want daar had Carola een grondige hekel aan. Nu leek het er haast op alsof Ellis haar voorbij streefde in populariteit, ze voelde het intuïtief aan. Niet dat Ellis zich daarvan bewust was, maar het maakte alles wel een stuk moeilijker. En het zag ernaar uit dat de kansen voor een snelle promotie van haar nieuwste teamlid met de dag groeiden. Ze moest nodig iets bedenken om die groeiende populariteit van Ellis van Zwieten af te remmen. Maar wat?

Carola piekerde zich suf. Het was lang geleden dat ze last had van zo'n slecht humeur. Ze nam daarom het besluit om haar werkdag zo lang mogelijk in de beslotenheid van haar kantoortje door te brengen, dan had niemand last van haar. Er moesten toch nog werklijsten voor de wekelijkse activiteiten worden gemaakt en ze wilde nieuw speelgoed bestellen bij de fabrikant. Ze hadden haar vorige week een nieuwe brochure toegestuurd, met leerzame spelmaterialen. Carola kon zich echter niet concentreren, haar gedachten dwaalden steeds af naar Dicky, die elke dag opnieuw haar voorkeur voor Ellis zo demonstratief liet zien als ze haar kindertjes kwam brengen. In voorgaande jaren had Carola zelf ook zo'n vriendschappelijk contact met Dicky gehad. Ze waren samen altijd heel vertrouwelijk geweest in de omgang met elkaar. Gewéést! Ja, dat was nu voorbij. Ellis had haar plaats maar al te snel ingenomen. Ze had zich vast met haar aanstellerige charme aan Dicky opgedrongen. En ook aan de andere ouders. Bah! Alle belangrijke nieuwtjes vertrouwde Dicky nu aan Ellis toe. En zij, Carola… was niet in staat er iets aan doen.

Ze kon alleen maar handenwringend toezien hoe de sympathieke Ellis van Zwieten met de ouders en hun kinderen aan de haal ging en ze stuk voor stuk inpalmde. Ze waren állemaal weg van Ellis! Carola voelde zich achtergesteld en minderwaardig, net zoals ze dat vroeger had ondervonden als oudste zus van vijf broertjes in een gezin waar ze weinig erkenning kreeg van haar ouders. Ze herinnerde zich dat ze altijd moest vechten voor wat haar toekwam, ze kon nooit iets goed doen in hun ogen. Vader zag haar niet staan en moeder gaf altijd op haar af. Er was altijd commentaar. De broers deden het ook áltijd beter, ze streefden haar op jonge leeftijd al voorbij. Alle vijf gingen ze op aandringen van haar ouders een hogere beroepsopleiding volgen en kregen goedbetaalde banen. En haar, Carola, háár hadden ze voor het gemak naar het lagerberoepsonderwijs gestuurd, de huishoudschool, zoals ze die opleiding toen noemden. Zij was toch niet in staat om veel te bereiken, vond moeder. Een meisje werd immers geboren om huisvrouw te worden, wat moest je dan met al die diploma's achter het fornuis?

Later, toen ze in de fabriek werkte en achter de lopende band stond, had ze uiteindelijk gebroken met haar ouders en familie. Ze was toch nergens goed voor, dan alleen voor de afwas en allerlei huishoudelijke karweitjes. Nadat ze zich gesetteld had in een verouderd flatgebouw vanwege de lage woonlasten, besloot Carola een avondschool te gaan volgen. Vriendschappen met andere meisjes van haar leeftijd liepen ook altijd op niets uit. Ze streefden haar altijd voorbij, keken op haar neer, net als haar broers deden. En de jongens waar ze verliefd op werd waren te opdringerig, te veeleisend. Ze had ook geen zin om in de toekomst de rol van huisvrouw op zich te nemen en achter het aanrecht te verdwijnen.

Nee, ze was absoluut niet in de wieg gelegd om te trouwen en ze wilde ook geen kinderen krijgen. Het gezinsleven, zoals ze dat had gekend, was niets voor haar. Het trok haar niet. Carola had de vriendschap van anderen helemaal niet nodig. Vrijgezel blijven en verder geen verplichtingen aan dominante familieleden en zogenaamde vriendinnen, had ze zich stellig voorgenomen. Ze wilde zich door niets en niemand meer laten kwetsen. Ze was heel goed in staat om voor zichzelf te zorgen. Na een lange weg van avondscholen en een schriftelijke opleiding, nam ze uiteindelijk het besluit om met kleine kinderen te gaan werken. Géén eigen kinderen, maar andermans kinderen. Die kon ze de baas, de kleintjes luisterden tenminste naar haar. In de ogen van die peutertjes was ze 'iemand'. Een belangrijke juf! Dat was ze ook in de ogen van hun ouders. Die erkenning deed haar goed. Ze bereikte zelfs de functie van locatiemanager bij De Regenboog. Ze was er ook al heel wat jaren in dienst. Maar nu? Nú voelde ze zich opeens weer kind in het gezin, waar ze de minderwaardige zus was en altijd moest knokken voor wat respect en een ondergeschikt plaatsje. Ze was altijd jaloers geweest op haar broers die door haar ouders op handen werden gedragen en nu was ze opnieuw jaloers. Op Ellis van Zwieten. Ellis, die door alle ouders en hun kroost op handen werd gedragen, Ellis was erin geslaagd om het slechtste in haar naar boven te halen. Bittere jaloezie! Carola voelde tranen van woede en onmacht over haar wangen rollen en boende ze driftig af.

3

Tim draaide de deuren van het reclamebedrijf 'Duister en Zn. B.V.' zorgvuldig met zijn sleutel op slot. Daarna schakelde hij de alarminstallatie in waarmee het pand was beveiligd, als afschrikmiddel tegen onaangekondigde bezoekers en jeugdige criminelen. Deze voorzorgsmaatregel, die zijn vader enkele weken geleden door een erkend bedrijf aan had laten brengen, gaf hem een veilig gevoel. Alsof hij het pand in goede handen achter liet. Tim duwde de sleutels in zijn jaszak en liep vervolgens fluitend naar de auto. Hij was blij dat deze drukke werkdag erop zat en hij verheugde zich op vanavond. Hij had met Ellis afgesproken om samen met haar een lange wandeling te maken. Het lopen van lange afstanden was nu eenmaal zijn grote liefhebberij. Als het maar even kon, trok hij zijn wandelschoenen aan en verdween vervolgens enkele uren het huis uit, de buitenlucht in. De kilometers gleden altijd met veel gemak onder zijn schoenen door. Op de plaatselijke wandelvereniging, waarvan hij lid was, stond hij sinds enkele bekend jaren als 'fanatiek wandelaar'. Tim had die woorden eens in de wandelgangen gehoord toen anderen er met elkaar over spraken en daarbij zijn naam lieten vallen. Hij was niet eens beledigd geweest toen hij tot de ontdekking kwam dat ze over hem hadden gekletst. Het gefluister had eerder zijn ego gestreeld omdat ze tegen hem opkeken en het woorden van oprechte bewondering waren geweest. Er was niets anders dat hem zoveel ontspanning en voldoening schonk dan het afleggen van lange wandeltochten. De buitenlucht verkwikte hem iedere keer weer opnieuw en hij had daarbij oog voor de natuur. Vaak liep hij die afstanden alleen, soms met een ander verenigingslid of in groepsverband, maar deze avond had hij Ellis weten te strikken. „Als het niet al te ver is, ga ik met je mee," had ze hem vorige week beloofd. Vanavond zou Tim zich inhouden, zich aanpassen aan haar snelheid en niet meer dan tien kilometer lopen, nam hij zich voor. Hij wilde niets liever dan zijn passie voor het wandelen met haar delen. Misschien dat ze in de toekomst dan wel vaker met hem op pad wilde gaan. Tim parkeerde zijn auto op de oprit van zijn ouderlijk huis. Een vrijstaande woning, met een behoorlijke voortuin waarin de meeste bloemen al uitbundig bloeiden. Hij hield van dit goed onderhouden huis en had nooit de behoefte gehad om zelfstandig te gaan wonen. Broers of zussen had hij niet, als enig kind was hij ook nooit iets tekort gekomen. Zijn ouders zorgden nog steeds met veel toewijding voor hem. Ze hadden hem zelfs aangeboden om financieel bij te springen als hij met Ellis wilde trouwen. Maar zover was het nog niet. Ellis zou zich bij zo'n schenking veel te afhankelijk van zijn ouders voelen, had ze hem een tijdje geleden toevertrouwd en dat wilde hij niet. Hij voelde zelf ook wel aan dat hij dan aan handen en voeten gebonden zou zijn. Zijn ouders hadden wel respect en bewondering voor Ellis, maar ze waren er in het begin van hun verkering al duidelijk voor uitgekomen dat ze het erg spijtig vonden dat Ellis niet aangesloten was bij hun eigen kerkgemeenschap.

„Ze stapt vast nog wel over, als jullie straks trouwen," had zijn moeder getracht hem gerust te stellen. Tim was daar nog niet zo zeker van. Om Ellis tegemoet te komen was hij enkele maanden geleden een zondagmorgen als gast meegegaan naar hun 'samenkomst', zoals ze die diensten in haar kerk noemden. De liturgie van die samenkomst sprak hem wel aan, maar hij wist bij voorbaat al dat zijn ouders deze diensten verwerpelijk zouden vinden. De predikant maakte zelfs een grapje tijdens de prediking, iets wat volgens zijn ouders absoluut niet door de beugel kon. Tim had tijdens die zondagmorgen de hele dienst voornamelijk door de kritische ogen van zijn ouders zitten bekijken en meteen het besluit genomen om er geen voet meer over de drempel te zetten. Er was teveel vrijheid. Men sprak te gemakkelijk over God, alsof het een vriendelijke bovenbuurman betrof en er waren nogal wat vrouwelijke kerkgangers die zelfs ongepaste kleding droegen. Nee, dit kon hij zijn ouders niet aandoen, daar móest Ellis maar begrip voor opbrengen. Een huwelijksinzegening in zijn kerk bleef voor hem de enige overgebleven optie. Maar of hij Ellis ook zover zou kunnen krijgen, betwijfelde hij. Dat was ook de reden waarom hij liever nog niet over een huwelijk wilde praten. Hij durfde de confrontatie over de invulling van hun kerkelijke huwelijksinzegening niet aan. Nog niet! „Dag jongen," groette zijn moeder, Lien Duister, toen hij via de achterdeur binnenkwam. „Hoe was je werkdag?"

„Dag moe," antwoordde Tim, zoals hij dat elke dag deed, terwijl hij zijn diplomatenkoffertje naast de tafel neerzette. „Het was behoorlijk druk op kantoor. Is pa er al? Ik heb wat papieren van de zaak meegenomen, die moet hij zo snel mogelijk ondertekenen."

„Nee, pa is er nog niet. Ik verwacht hem wel elk moment. Maar Ellis heeft zojuist opgebeld, ze dacht dat je al thuis zou zijn."

„Ach, ze is waarschijnlijk het tijdstip van onze afspraak vergeten, ik zal haar meteen terugbellen?" Tims ogen zochten naar de draadloze telefoon die op de salontafel lag en maakte onmiddellijk aanstalten om het apparaat op te pakken. „Dat hoeft niet, jongen," haastte Lien zich te zeggen. „Ik moest je vertellen dat ze vanavond niet met je mee kan wandelen. Er is plotseling iets tussengekomen." Tim draaide zich om en keek verbaasd naar zijn moeder die nu de eettafel voor het avondeten in gereedheid bracht. „Iets tussen gekomen?" Tim fronste zijn wenkbrauwen. „Wat dan?" De vraag kwam korzelig oven zijn lippen. Lien plaatste drie borden op een smetteloos wit geborduurd tafelkleed en keek hem daarna aan. „Ellis moet vanavond onverwacht met haar zus Bella op stap. Ze had het over een aquarel die naar een klant van Bella gebracht moest worden. En verder weet ik je daar niets meer over te vertellen. Ze belt je vanavond rond de klok van tien uur nog op." Tim slaakte een diepe zucht. Dit bericht stelde hem teleur. Hij had nooit gedacht dat Ellis een schilderwerk van haar zus belangrijker zou vinden dan een afspraak met hem. Ze wist toch dat hij uitkeek naar deze wandelavond! „Wat vervelend! We zouden samen gaan wandelen…" mopperde hij en liet zich zuchtend in een stoel zakken. Zijn humeur daalde naar een dieptepunt bij het vooruitzicht dat hij vanavond alleen op stap moest. Hij had zich zo op deze avond verheugd, om samen met Ellis te wandelen en samen met haar over allerlei onderwerpen te praten. En nu belde ze af! „Trek het je niet aan, Tim. Misschien had Ellis achteraf gezien toch geen zin in een lange wandeltocht," merkte Lien insinuerend op. Ze schoof het bestek kaarsrecht naast elk bord en keek hem daarna onderzoekend aan. „Ellis en jij hebben niet zoveel raakvlakken, jongen. Je zult eraan moeten wennen dat haar belangstelling voornamelijk uitgaat naar andere dingen, Tim. Haar familie heeft ook een behoorlijke invloed op haar, hoor. En volgens mij heeft ze daarnaast alleen maar oog voor haar werk met die kindertjes van dat kinderdagverblijf. Je vader en ik vinden trouwens dat ze genoeg capaciteiten bezit om als verpleegkundige aan de slag te gaan. Een baan in de gezondheidszorg is veel boeiender, ze kan volgens mij best wel wat meer verantwoordelijkheid aan. Ze heeft toch niet voor niets een opleiding in het ziekenhuis gevolgd! Hoe staat het trouwens met de zaak? Is ze ook al een beetje zakelijk geïnteresseerd? Ik mag het wel hopen. Als pa over enkele jaren met pensioen gaat willen we graag dat jij het bedrijf voortzet. Daar heb je de steun van een daadkrachtige vrouw hard bij nodig." Tim haalde zijn schouders geagiteerd op en wuifde zijn moeders waarschuwende woorden van de hand

„Niet zo overdrijven, moe. U weet toch dat Ellis en ik van elkaar houden. En die raakvlakken waar u op doelt, die... nou ja, dat probleem lost zich vanzelf wel op." Tim wist precies wat zijn moeder met die 'raakvlakken' bedoelde. Ze doelde op de kerkelijke betrokkenheid van Ellis bij een ander kerkgenootschap. Datgene waar hij zojuist nog aan had gedacht. Een pijnlijk detail, dat zijn ouders absoluut niet zinde. „Dat hoop ik dan maar," antwoordde Lien nadrukkelijk. „Je moet maar niet al te lang meer wachten om je toekomst zeker te stellen. Je wordt volgende maand al eenendertig jaar. Of ben je nog niet zo zeker van je keuze om de toekomst met Ellis te delen?"

Tim hapte een moment naar adem. Zijn moeder kon altijd vreselijk doordraven en hem het gevoel geven dat Ellis geen serieuze huwelijkskandidaat voor hem was.

„Moe, ik wil voorlopig nog geen gevoeligheden forceren, dat weet u. En Ellis en ik hebben geen haast. U moet nog éven een poosje geduld hebben."

„Tja, dat móet dan maar!" Lien's stem klonk teleurgesteld.

„Heeft Ellis in die vrije kerk ook al haar belijdenis gedaan?"
waagde ze het hem alsnog te vragen. „Dat moet onze dominee wel
weten hoor, als hij jullie huwelijk straks inzegent." Tim fronste
zijn wenkbrauwen en keek zijn moeder boos aan.
„Wie zegt dat onze dominee..."
„Je vader... en ik óók! Tim, luister! Je kunt het ons niet aandoen
om in háár kerk te trouwen."
„Ik vind uw opmerkingen ongehoord. Als ik op een dag met
Ellis wil trouwen dan mag u zich daar niet op deze wijze mee
bemoeien." Tim stond boos op uit zijn stoel en wilde naar zijn
kamer lopen. Hij was haar commentaar zat. Het ontnam hem zelfs
zijn eetlust.
„*Als* ik met Ellis wil trouwen..." herhaalde Lien verbaasd zijn
woorden en keek hem daarbij met vragende ogen aan. „Als...
áls?... weet je dát dan nog niet zeker?" Er gloorde een sprankje
hoop in haar woorden, Tim hoorde het aan de klank van haar
stem. De dochter van koster Verhoeven was ook nog steeds vrijgezel en in zijn moeders ogen nog altijd een mogelijke huwelijkskandidaat. Maar hij hield niet van Marjet Verhoeven, zijn liefde
ging naar Ellis uit. Hij kon zich een leven zonder haar niet meer
voorstellen. Tim zuchtte diep en draaide zich om naar de deur.
Hoofdschuddend liet hij die achter zich in het slot vallen en sloot
zich daarna op in zijn kamer. In zijn binnenste vocht het gevoel
van loyaliteit voor zijn ouders met zijn liefde voor Ellis. Hij durfde zich op dit moment nog geen vast beeld te vormen van zijn
trouwdag, want in beide gevallen moest hij een partij teleurstellen. En dat wilde hij niet. Tim nam zich voor om hier de komende weken eens ernstig over na te denken. Hij moest zo snel mogelijk een goede oplossing zien te vinden waarbij hij niemand hoefde te kwetsen.

Hoewel ze net deed alsof het haar niet opgevallen was, bleef Ellis
de hele dag aan Carola's advies denken om werk en privé toch
vooral gescheiden te houden. Er was iets in Carola's stem geweest
dat haar enigszins alarmeerde. Het was nog niet eerder voorgeko-
men dat Carola haar, of een van de andere collega's, op zo'n vin-

nige toon had toegesproken. Ellis vroeg zich vertwijfeld af of ze misschien iets verkeerd had gedaan? Maar halverwege de ochtend herinnerde ze zich plotseling dat de leidsters beurtelings wel twee maal per jaar 's avonds op huisbezoek gingen, om met de ouders over de dagelijkse handel en wandel van hun kindertjes bij De Regenboog te praten! In dat opzicht kon je werk en privé toch ook niet helemaal gescheiden houden. Huisbezoeken hoorden er gewoon bij, dat deden ze in het onderwijs ook. Er was toch niets mis mee om vanavond even met Bella naar de Kleinveldjes te gaan en daar een schilderij af te leveren! Dat was eigenlijk evengoed een soortgelijk huisbezoek en in dat kader wilde ze het zelf ook graag zien. Carola maakte een hoop drukte om niets! Ellis merkte aan zichzelf dat ze erg onzeker werd naarmate de dag vorderde. Ze was soms wat afwezig en de kinderen merkten dat meteen aan haar, ze werden er rumoeriger door. Misschien moest ze Carola nog maar eens aanspreken op haar vinnige opmerking. Carola was dan wel getuige geweest van hun gesprek, maar waarschijnlijk had ze Dicky's vraag niet goed begrepen en moest Ellis haar meer duidelijkheid verschaffen. Ze ging niet op eigen initiatief naar de Kleinveldjes, Dicky had haar uitgenodigd. Maar Carola bleef die middag tot zes uur onafgebroken in haar kantoortje werken en vertrok daarna meteen naar huis zodat Ellis haar niet meer onder vier ogen te spreken kreeg. Ze zou tot morgen moeten wachten. Toen Ellis niet veel later thuis kwam keek ze meteen in haar kleine zakagenda en zag tot haar spijt dat ze zich voorgenomen had om vanavond met Tim te gaan wandelen. Ze zuchtte diep en twijfelde aan haar beslissing om die afspraak af te zeggen. Daarna ging de telefoon over. De enthousiaste stem van Bella klonk in haar oor. „Je gaat toch wel mee, hè El? Dicky rekent erop. Ze wil je ook graag mijn andere schilderijen laten zien en even gezellig een kopje koffie met ons drinken. En Erica mag vanavond zelfs een uurtje langer opblijven als jij mee komt." Ellis aarzelde even. Ze zag er tegen op om haar afspraak met Tim af te zeggen, maar een gezellig onderonsje met Dicky rondom Bella's nieuwste schilderij leek haar op dit moment net iets aantrekkelijker dan een lange wandeling. „Goed dan, maar ik moet eerst mijn afspraak met Tim verzetten," gaf ze uiteindelijk toe. Met een schuldgevoel toetste ze het nummer van Tims ouderlijk huis in. Hij zou vast al wel thuis zijn, dacht ze met haar ogen op de klok gericht. Lien Duister nam op en vertelde haar dat Tim er nog niet was. „Het is erg druk op de zaak, Ellis. Daarom is Tim er nog niet. Mijn Arno is ook nog steeds niet thuis. Tja kind, dat heb je met een eigen bedrijfje, hè! Daar gaat heel wat kostbare tijd inzitten. Kan ik de boodschap soms aannemen, of moet ik Tim zo meteen even terug laten bellen?" Ellis zuchtte en beet op haar lip. Tims late thuiskomst ontnam hem misschien ook de animo in een lange avondwandeling, bedacht Ellis in een flits. Ze vertelde Lien dat ze haar afspraak met Tim voor vanavond graag wilde verzetten naar een andere avond. „Ik bel Tim rond de klok van tien uur nog wel op, ik moet vanavond onverwacht met Bella op stap. Ze heeft mijn hulp nodig bij de aflevering van haar schilderij en rekent op me."

„Ik zal het aan Tim doorgeven, dag Ellis!" Ellis verbrak de verbinding en hoopte dat ze Tim niet al te zeer zou teleurstellen. Ze wist dat hij graag lange wandelingen maakte, hoewel hij na een vermoeiende dag op kantoor soms ook wel eens de voorkeur gaf aan een rustig avondje thuis. En het was vandaag een drukke dag geweest, volgens zijn moeder. Nee, Tim zou zich vast niet vervelen. Na de avondmaaltijd met haar ouders te hebben gebruikt, nam Ellis snel een douche, verkleedde zich en stond nog maar net klaar toen Bella haar bestelbusje al voor de deur reed. „Tja, ik ben nogal vroeg, hè? Maar ik handel dit liever op tijd af, El. Het is laat voor je er erg in hebt. Kom op... stap in, meid!" Bella wuifde vanuit haar auto naar haar ouders die voor het raam stonden te kijken toen ze wegreed. Achterin het busje stond Bella's kunstwerk netjes tegen een wand aan, met een oud kleed er omheen gebonden. „Leuk, dat je mee gaat. Dat zal Dicky erg op prijs stellen." Bella was duidelijk in haar sas met de keuze van haar zusje om mee te gaan. Ellis' gedachten dwaalden nog een moment naar Carola's scherpe uitspraak van deze ochtend. Ze vroeg zich af of ze er morgen alsnog op terug moest komen, maar toch twijfelde ze daaraan. Terwijl Bella het bestelbusje met een pittige vaart door de straten stuurde bedacht Ellis dat Carola vandaag waarschijnlijk gewoon haar beste dag niet had gehad. Misschien was er iets naars in de privé-sfeer voorgevallen dat haar gedrag verklaarde. Normaliter zat ze ook nooit een hele dag in het kantoortje over de administratieve rompslomp heen gebogen. Ellis zuchtte en keek door het autoraampje naar buiten. Hè, wat zat ze weer te tobben! Ze was ook zo gevoelig, zo lichtgeraakt. Ze nam zich voor om het hier maar bij te laten, morgen zou alles vast wel weer bij het oude zijn. In de binnenstad parkeerde Bella haar auto aan de zijkant van een oud, karakteristiek woonhuis. Ellis keek er even vol bewondering naar om vervolgens Bella mee te helpen met het schilderstuk, dat ze samen voorzichtig uit het busje tilden. De voordeur werd al geopend en Dicky verscheen met een brede glimlach in de opening. Ze droeg Erica die al in pyjama gekleed was op haar arm. Erica's haartjes waren nog vochtig van een wasbeurt. Het kind hoestte benauwd, maar haar oogjes glinsterden verrast toen ze juf Ellis bij de auto ontdekte. „Juf…juf…" riep ze blij, terwijl ze zich van Dicky's arm liet glijden. Ze holde op haar slofjes in haar dunne pyjamaatje door de frisse buitenlucht naar Ellis, die haar even liefdevol over haar klamme haren streek. „Kom meiske, snel naar binnen, hoor! Het is buiten fris en je hoest ook al zó erg." Het verbaasde Ellis dat Dicky de hoestbuien van Erica niet wat serieuzer opnam. Het kind kon zomaar een hardnekkige verkoudheid oplopen met die kille wind. Dicky hield de deur wijd open terwijl ze gezamelijk met het schilderstuk door de voordeur liepen.

„Welkom, dames! Kijk niet naar de rommel, want de pannen en borden met onze etensrestjes staan nog op tafel. Jochem is een halfuur geleden even naar de zaak gegaan en ik heb zojuist Harm op bed gelegd en Erica in bad gedaan. Ik verdien nu dus even een kleine rustpauze na mijn drukke werkdag. Ach Bella, ik ben reuze benieuwd! Aan welke wand denk je dat ik je nieuwste aquarel moet hangen? Wat is volgens jou het mooiste plekkie?" ratelde Dicky opgewonden terwijl ze de voordeur achter hen dicht deed. „Ik heb zelf al een idee, hoor!" Binnen in de woonkamer, waar een klein openhaardvuurtje de nare kilte verdreef, haalde Bella de aquarel behoedzaam onder het kleed vandaan. Terwijl Bella en

Dicky zich over het werk bogen ging Ellis op een stoel zitten en trok Erica voorzichtig op haar schoot. Het kind huiverde nog van de koude buitenlucht, maar liet zich gewillig aanhalen door Ellis. Ze stak haar duim tevreden in haar mond en legde haar hoofdje tegen de schouder van haar juf. Ellis vroeg zich af hoe het zou zijn als ze later zelf kinderen mocht krijgen. Kinderen van Tim en haar. Dat moest toch geweldig zijn! mijmerde ze. Maar haar mijmeringen werden snel onderbroken. Bella wilde haar iets laten zien. „Kijk El, daar hangen mijn andere werken. Wat vind je ervan?" Ellis' ogen gleden langs de lange witte gegranolde muren, waartegen op gelijke hoogten drie aquarellen hingen die ze meteen als Bella's werk herkende. De scherpe accenten die ze op speelse wijze in haar schilderwerken aanbracht hadden Bella van meet af aan al populair gemaakt. Elk schilderstuk liet een onderdeel van het bijbelboek Genesis, de schepping, zien. Een boeiend tafereel van land, zee en luchtgezichten. Gods Almacht sprong eruit!

„Mooi!" antwoordde ze en bekeek de kleurige schilderstukken vanuit haar stoel. „Je werk komt tegen die wand bijzonder goed tot z'n recht." Ze voelde de bewondering voor het talent van haar zus groeien. Het moest voor Bella verschrikkelijk leuk zijn om zo gewaardeerd te worden door haar klanten.

„Ik wil je nieuwste aquarel graag tegen die zijwand bij de eettafel hangen, een plekje waar jij me zojuist ook al op attendeerde," besloot Dicky weloverwogen. „Jochem zal vandaag of morgen wel even tijd vrijmaken om het stuk op te hangen. Dat moet secuur gebeuren." Terwijl Dicky en Bella naar de uitgekozen plaats aan de muur liepen en de voor- en nadelen ervan bespraken, bedelde Erica om een verhaaltje. Ellis liet zich maar al te graag overhalen en vertelde een eigen verzonnen verhaaltje over pratende dieren. „Juf Ellis moet mij naar bed brengen, mam," dwong Erica er bij haar moeder op aan toen die aanstalten maakte om haar een uurtje later naar bed te brengen. En zo gebeurde het, terwijl Dicky en Bella samen hun kopje koffie dronken legde Ellis het slaperige meisje op bed.

„Ze gaat de laatste tijd zo graag naar De Regenboog, ze is werkelijk dol op je, Ellis," vertelde Dicky toen Ellis weer beneden kwam om haar kopje koffie te drinken. „Jammer, dat we voor Erica na de grote vakantie een ander opvangadres moeten zoeken. Ze wordt binnenkort vier jaar en de De Regenboog is er nu eenmaal maar voor kindertjes van nul tot vier. Zodra de kleuters naar het basisonderwijs gaan, verandert er best veel. Dan komt het probleem 'buitenschoolse opvang' om de hoek kijken. De Regenboog verleent helaas geen buitenschoolse opvang. Die mogelijkheid hebben ze op dit moment nog niet."

„Tja, dat zal voor Erica vast een hele omschakeling zijn. Voor het eerst naar een vreemde school en na schooltijd weer naar een ander opvangadres. Dat is niet niks! Heb je haar al ergens ingeschreven?" informeerde Ellis belangstellend. Ze kon zich goed voorstellen dat het voor Dicky en Jochem een hele zorg was om Erica bij een ander adres onder te brengen. Het meisje was zo gewend bij De Regenboog.

„Nee, Jochem en ik denken voorlopig aan een tijdelijke oplossing. Een oppasmoeder, die Erica na schooltijd een paar uurtjes wil opvangen. We hopen namelijk dat De Regenboog over een tijdje wel de mogelijkheid zal gaan bieden voor buitenschoolse opvang. Het bestuur is momenteel bezig met de aankoop van het leegstaande schooltje náást De Regenboog. Dat gebouw ken je toch wel?"

Ellis knikte verbaasd. Ze had eerder gehoord dat het schooltje al twee jaar leeg stond en dat er tot op heden geen bestemming voor was gevonden. „Ja, ik weet precies welk gebouw je bedoelt! Maar dit is een nieuwtje voor me. Ik wist niet dat het bestuur van De Regenboog daarmee bezig was."

„Voor aanvang van de zomervakantie moet er in ieder geval duidelijkheid komen. Misschien heeft Carola daarom nog niets verteld over die grootse plannen. Ze wil natuurlijk eerst zekerheid hebben over de gang van zaken. Maar Jochem en ik maken samen met andere ouders deel uit van de medezeggenschapsraad, daarom zijn wij ook op de hoogte van al deze ontwikkelingen. We wachten voorlopig nog even rustig af. Het zal voor ons een hele geruststelling zijn als Erica daar dan ook naar toe kan. Als het plan doorgaat wordt de buitenschoolse opvang heel professioneel opgezet met een strak pedagogisch beleid en een parttime leerkracht in dienst voor huiswerkbegeleiding. En alsof dat allemaal nog niet genoeg is worden de kinderen na schooltijd door het eigen personeel met een busje van de Stichting opgehaald uit school. Carola is al een hele tijd druk bezig met enkele voorbereidingen. Zij verwacht dat het schoolgebouw wel aangekocht zal worden door het bestuur. Er is vanuit de plaatselijke samenleving best veel belangstelling voor buitenschoolse opvang in deze regio." Ellis knikte opgewonden bij dit vooruitzicht. Ze keek ervan op dat er zoveel ontwikkelingen waren zonder dat zij er iets vanaf wist. Carola had tot op deze dag nog niets door laten schemeren. En de andere ouders die bij de medezeggenschapsraad betrokken waren, hadden er ook met geen woord over gerept. Zouden Miranda en Jenny al iets weten? Of had Dicky deze avond misschien haar mond voorbij gepraat? „Het zal me benieuwen wanneer wij als personeelsleden dit nieuwtje officieel te horen krijgen," antwoordde Ellis. „De zomervakantie begint namelijk al over drie weken. Ik kan nauwelijks wachten!" Haar hoofd zat ineens vol met allerlei gedachten over de ontwikkelingen voor de buitenschoolse opvang. Dáár was Carola vandaag natuurlijk ook druk mee bezig geweest op haar kantoor. "We zullen het binnenkort allemaal wel officieel te horen krijgen," zei Dicky, terwijl ze Bella een envelop aanreikte. „Hier zit het afgesproken geldbedrag in voor je aquarel, ik ben er werkelijk héél gelukkig mee!" Niet veel later liet Dicky haar gasten uit. Terwijl Bella het busje de straat uitdraaide zagen ze Jochem in zijn auto naderen. Hij herkende hen in het voorbijgaan en stak vriendelijk zijn hand op.

Dicky ruimde zuchtend van vermoeidheid de eettafel af. Een blik op de klok vertelde haar dat het al over negenen was. Alweer zo laat! En waar bleef Jochem nu? Die werkte soms de klok rond om zijn zaak draaiende te houden. Neem nu vanavond! Dicky had er heimelijk op gehoopt dat Jochem ook aanwezig zou zijn bij de overhandiging van Bella's aquarel, want hij was eveneens een groot bewonderaar van haar werk. Maar een kort telefoontje, dat hij tijdens de avondmaaltijd van zijn magazijnmeester kreeg, gooide onverwachts roet in het eten. Hij moest opeens dringend naar de zaak. Het kon niet wachten tot morgen, had hij gezegd en was meteen gegaan. Erica zette bij zijn haastige vertrek meteen een luide keel op. Jochem had haar voor de maaltijd namelijk beloofd om een verhaaltje voor te lezen. Zo klein als Erica was, voelde ze haarfijn aan dat Jochem daar nu niet meer aan toe zou komen. Ze zou hem die avond niet meer zien, zoals wel vaker gebeurde. Dicky had na Jochems vertrek zelf ook een gevoel van teleurstelling weg moeten slikken toen ze Erica troostte met het nieuws dat juf Ellis vanavond misschien wel bij hen op bezoek zou komen. En nu had ze juist Bella en Ellis uitgezwaaid. Twee alleraardigste zussen! Ze kende Bella ook al heel wat jaren. Dat was een heel ander type dan Ellis. Ondernemend en een tikje excentriek, zoals sommige andere kunstenaars ook waren. Ze vond Ellis daarentegen een lieve, zorgzame kinderleidster, precies geknipt voor het werk met kleine kinderen. Maar het meest geschikt om voor háár kinderen te zorgen! Erica en Harm. Ze vertrouwde ze elke dag opnieuw het liefst aan Ellis toe. Hoe dat zo kwam, kon ze zelf ook niet verklaren. Niet dat ze Carola en de andere leidsters tekort wilde doen, want dat waren ook bijzonder aardige leidsters. Maar Ellis gaf haar een gevoel van absolute betrouwbaarheid. Ze was een veilige factor in het leven van haar beide kinderen. En natuurlijk ook in dat van haar. Het verlichtte de druk en de grote hoeveelheid stress op zakelijk gebied enigszins omdat Ellis de zorg voor haar kinderen helemaal op zich nam. Dicky hoorde de achterdeur opengaan en keek om het hoekje van de keuken. „Jochem, fijn dat je er weer bent. Kom eens snel naar Bella's nieuwste werk kijken. Het is werkelijk fantastisch! Ik vind het een meesterwerk, zelfs beter dan haar vorige stukken.” Jochems haar zag er verwaaid uit door de wind, zijn ogen keken Dicky zorgelijk aan. „Ja, ja, ik kom zo kijken. Maar eerst even iets anders… Dicky, jij moet morgenvroeg twee nare telefoontjes plegen als je op kantoor komt. De bestelde meubelen voor de families Kievits en Donders zijn ook deze keer niet met de grote meubelvracht meegekomen. Daar belde Koen me tijdens de maaltijd over op. Dit is echt een ramp, meisje. Ik ben bang dat we die klanten zullen verliezen, het is namelijk niet de eerste keer dat we hen dit nare nieuws moeten vertellen. Die mensen wachten nu al ruim vier maanden op hun meubelen. Hun geduld is tot het uiterste op de proef gesteld." Dicky ging langzaam op een stoel zitten. Ze wist wat dit bericht voor de weekomzet zou betekenen. Jochem had deze week vanzelfsprekend op een afrekening van die meubelen gerekend, maar de klanten zouden pas betalen bij aflevering van hun bestelde goederen. En het Meubelpaleis kon deze week niets afleveren bij de familie Kievits en Donders. De verwachte weekomzet zou dus een flink eind naar beneden kelderen. „Ik heb je al eens eerder gezegd dat je uit moet kijken naar een andere leverancier, Jochem. Vorig jaar zaten we ook al twee keer in datzelfde schuitje. Deze handelwijze is beslist geen reclame voor onze zaak, hoor." Dicky was lichtelijk geïrriteerd en uit haar doen. Het was ook altijd hetzelfde liedje met de zaak. Ze zouden vanavond allebei weer met een bezwaard hart naar bed gaan en zich zorgen maken. Dicky zuchtte opnieuw. Soms was ze het leven dat ze leidde spuugzat! „Alsof ik dat niet weet," mopperde Jochem. „Maar een andere leverancier van deze geliefde meubelstijl is véél te prijzig, dat weet je toch ook wel?" Dicky knikte. Ze wist het allemaal maar al te goed. „Dat is dus geen oplossing," concludeerde ze, met een gevoel van machteloosheid. „Ik bel beide families morgenvroeg wel op. Misschien kunnen ze nog een maandje extra geduld opbrengen tot de volgende levering met hun meubelen binnenkomt. Ik zal in ieder geval m'n uiterste best doen."

„Ik vrees dat ze in de toekomst naar de concurrent zullen gaan," merkte Jochem gedeprimeerd op. „Vier maanden geleden vertelde ik ze nog, dat ze met maximaal zes weken levertijd rekening moesten houden. Maar dit... dit pikken ze vast niet, let maar op!"
„Niet zo negatief, Jochem!" antwoordde Dicky. „Wacht die telefoongesprekken morgen eerst maar eens af. Misschien loopt het niet zo'n vaart." Jochem ging op een stoel voor haar zitten. Hij zag er moe en verslagen uit. „Laat me nu eerst Bella's aquarel maar eens zien," glimlachte hij daarna en slaakte een diepe zucht. Dicky sprong op van haar stoel en nam de lijst voorzichtig op. Ze draaide de voorkant naar hem toe. Ze zag Jochems ogen verrast

oplichten toen hij de aquarel nauwkeurig van dichtbij bekeek en daarna goedkeurend met zijn hoofd knikte. „De aquarel past precies in ons interieur. Hoe kríjgt ze het toch voor elkaar? Wat een talent!"

„Ja, beeldig hè? Ze beseft zelf niet half hoe goed ze is!" Dicky zette de lijst weer weg en liet Jochem beloven dat hij het werkstuk morgenavond op zou hangen. „Jochem…" ze fronste daarna haar wenkbrauwen en keek hem ernstig aan. „Ellis van Zwieten was nog niet op de hoogte van die buitenschoolse opvang in het schooltje naast De Regenboog. Wanneer denk je dat de aankoop van dat pand rond zal zijn? Het duurt nu al zó lang!"

„Deze week krijgt het bestuur bericht van de bank of ze de aangevraagde hypotheek willen verstrekken. Als die akkoord gaan wordt het schooltje onmiddellijk aangekocht. Maar…" Jochem stak zijn wijsvinger waarschuwend op, „…je had er beter aan gedaan om daar nog niet met Ellis over te praten, liefje. Je weet dat het bestuur eerst zekerheid wil hebben voordat ze het nieuws wereldkundig maken."

„Ik hoop dat Ellis straks Carola's functie bij De Regenboog over mag nemen. Carola wil zelf niets liever dan hoofdleidster van die buitenschoolse opvang worden, dat is inmiddels ook al bekend geworden en dan komt haar huidige functie vrij," opperde Dicky, haar voorkeur niet onder stoelen of banken stekend. „Daarom zwijgt ze nog steeds als het graf. Volgens mij is ze bang dat de andere collega's ook op dat baantje bij de buitenschoolse opvang willen solliciteren."

„Ach, Ellis maakt in dat opzicht nog geen schijn van kans, Dicky. Niet bij De Regenboog en ook niet bij de buitenschoolse opvang, áls dat tenminste doorgaat. Ze heeft haar proeftijd net achter de rug! Miranda en Jenny genieten volgens mij veel eerder de voorkeur bij het bestuur."

„Ach ja, het bestuur," zuchtte Dicky op laatdunkende toon. Ze keek Jochem vervolgens met felle ogen aan. „Maar wíj, als ouders van de medezeggenschapsraad, kunnen toch ook onze voorkeur aangeven en het bestuur adviseren bij de werving van personeel?" Haar stem klonk ongewoon strijdlustig. Jochem knikte. „Tja, adviseren kan wel, maar het bestuur vraagt deze keer misschien niet om het advies van de medezeggenschapsraad."

„Kunnen we verder niets ondernemen?"

„Dat hoeft ook niet, Dicky! Heeft Ellis je dit soms gevraagd?"

„O nee," antwoordde Dicky direct. „Het is mijn idee om Ellis hogerop te helpen. Ik mag haar graag en denk daarbij aan het belang van onze kinderen, Erica en Harm."

„Dat is dan duidelijk. We zullen het verloop van de ophanden zijnde sollicitatieprocedure maar geduldig afwachten, dat lijkt mij het beste," antwoordde Jochem en maakte aanstalten om de kamer uit te lopen. „O ja, Dicky... onze vakantie aan zee gaat gewoon door, hoor. Maar, ik kan niet alle dagen blijven. Zo af en toe moet ik m'n gezicht toch even op de zaak laten zien, begrijp je? Als de bestelde meubelen van de familie Kievits en Donders er bij de volgende levering alweer niet bijzitten..." Jochem zuchtte hartgrondig en trok zijn schoenen uit. Dicky wist dat hij als een berg opzag tegen de dag van morgen. Maar dat gold natuurlijk ook voor haar. Per slot van rekening moest zij de klanten telefonisch informeren en hen vertellen dat hun meubelen pas over enkele weken met de nieuwe vracht zouden komen. Een vervelende klus! Ze hoorde Jochem zachtjes op kousenvoeten de trap opsluipen om de kinderen niet wakker te maken. „Ik neem eerst een douche," had hij aangekondigd, voordat hij uit de kamer wegliep. Dicky hoopte dat die verkwikkende douche al zijn zakelijke besognes eveneens weg zou spoelen. Terwijl ze het tafelkleed van de eettafel trok, baalde ze ineens van alle drukte, stress en tegenslag. Nog vier weken werken, dan zou haar vakantie aanbreken. Of Jochem er dan wel of niet alle dagen bij zou zijn, kon haar op dit moment niet zoveel schelen. Het Meubelpaleis was toch altijd in zijn gedachten. In de keuken haalde ze Harms fles tevoorschijn en maakte zijn laatste voeding voor die dag klaar.

4

Een week voor aanvang van de zomervakantie kondigde Carola in een vergadering na werktijd aan dat het bestuur van De Regenboog het lege schoolgebouw voor de buitenschoolse opvang had aangekocht. De bank voorzag in een hypotheek en het bestuur had Carola's solicitatie als leidinggevende voor dit nieuwe project meteen positief beantwoord. Met een stralend gezicht vertelde Carola het goede nieuws aan haar collega's.

„Er moet na de vakantie nog wel het een en ander opgeknapt worden in en om het schoolgebouw. Maar met ingang van januari gaat de buitenschoolse opvang definitief draaien. Vanaf die datum komt mijn functie als locatiemanager hier vrij. Als iemand van jullie eventueel belangstelling heeft voor deze vacature, kun je na de zomervakantie een schriftelijke sollicitatie sturen naar het bestuur. Er verschijnt van tevoren een interne advertentie, die ik op het prikbord in mijn kantoor zal hangen. Jenny en Miranda, ik adviseer jullie nadrukkelijk om deze kans niet voorbij te laten gaan. Tja, Ellis… ik denk dat jouw werkervaring binnen ons vakgebied nog veel tekortschiet om nu al naar een leidinggevende functie te solliciteren. Maar goed… het staat je geheel vrij om ook mee te doen. Dat is namelijk je eigen keuze. Ik zeg je alleen maar wat ik er zelf van vindt!"

Terwijl Jenny en Miranda meteen van de gelegenheid gebruik maakten en een aantal vragen op Carola afvuurden, dwaalden Ellis' gedachten weg. Hoewel ze begreep dat ze weinig kans maakte om na haar korte dienstverband bij De Regenboog meteen al als locatiemanager te worden aangenomen, stak Carola's opmerking haar toch. Ze had een toon van minzame spot in haar woorden gehoord zodat ze zich gekwetst en afgewezen voelde, net als enkele weken geleden toen Carola duidelijk aangaf dat ze een privé-bezoek bij het gezinnetje Kleinveld niet zag zitten. Ellis was na lang wikken en wegen niet meer op Carola's standpunt teruggekomen, maar had het erbij gelaten. Het leek er toen nog op dat haar werkgeefster die dag gewoon een slecht humeur had en dat kon iedereen overkomen. Maar op dit moment vielen de schellen van Ellis' ogen. De ondertoon van Carola's woorden bevestigden het tegendeel. Het had helemaal niets met een slecht humeur te maken gehad. Er klopte iets niet in Carola's houding en de wijze waarop ze haar aansprak zorgde zelfs voor een grimmige reactie bij de andere collega's. Ellis kreeg het er spaans benauwd van. De rest van de vergadering stond in het teken van de komende veranderingen, maar de meeste woorden bleven niet in Ellis' hoofd hangen. Ze deed alsof ze luisterde, maar ze hoorde bij elke hartslag het bloed door haar hoofd suizen. Het zweet stond in haar handen. Waarom had Carola haar openlijk zo negatief te kijk gezet? Jenny en Miranda hadden haar daarna ook al zo afwijzend aangekeken. Nee, het was beter om niet deel te nemen aan die sollicitatieprocedure. Dat zou alleen maar averechts werken en misschien de werksfeer danig bederven. Dan zouden ze ook niet langer aardige collega's van elkaar zijn, maar concurrenten die om een hoofdprijs vochten. Ze zouden haar deelname aan deze komende procedure niet accepteren, dat was nu al heel duidelijk.

Diezelfde avond wandelde ze voor het eerst met Tim een afstand van tien kilometer in de omgeving van haar woonplaats. Vanwege het regenachtige weer was het er niet eerder van gekomen. Na hun eerste afspraak, die vanwege Bella's aquarel in het water was gevallen, had Tim haar niet meer gevraagd om met hem mee te gaan. Hoewel hij er met geen woord meer over had gerept, besefte Ellis toch dat ze hem teleurgesteld had door haar afspraak af te zeggen. Ze was ook niet zo'n wandelaar als Tim, die door weer en wind gewoon door bleef lopen. Maar deze avond was het zacht en onbewolkt. Ze had hem bij thuiskomst meteen opgebeld. Ze wilde iets doen om het nare gevoel van frustratie, dat ze tijdens de vergadering had opgelopen, kwijt te raken. „Zullen we vanavond samen een eind gaan wandelen?" had ze gevraagd. Een uur later stond hij al opgetogen bij haar huis, met wandelschoenen aan zijn voeten en een duur trainingspak aan zijn lijf. Ellis wierp even een kritische blik op haar eigen kleding. Een spijkerbroek met felgekleurd shirt en een bodywarmer. Haar haar in een vlecht. Nou ja, het moest zo maar! Afstanden wandelen was niet háár hobby, maar wel die van Tim. En vanzelfsprekend was zijn kleding uitstekend aangepast aan deze sport. Ze kwamen tijdens hun wandeling meerdere voetgangers tegen, maar ook veel fietsers, joggers en mannen en vrouwen die op skeelers reden. Het verbaasde Ellis dat er zoveel mensen actief op de been waren. Na een halfuurtje begon ze er zelf ook aardigheid in te krijgen. Al lopend vertelde ze Tim over de nieuwste ontwikkelingen op haar werk. Ze moest eerlijk toegeven dat het prettig was om tijdens deze wandeling over het onderwerp te praten dat zo zwaar woog en haar gedachten volledig in beslag nam. Tim was meteen een en al oor. „Waarom solliciteer jij niet naar die functie?" vroeg hij haar meteen op de man af. „Je bezit duidelijk leidinggevende capaciteiten en je hebt toch ook een managementopleiding gevolgd? Ik heb vanaf het begin al begrepen dat je goede contacten hebt met de ouders van de kinderen. Die kleintjes zijn ook allemaal dol op jou, wat wil je nu nog meer!" Zijn woorden streelden Ellis, ze kneep even zachtjes in zijn hand. „Lief van je, om dat te zeggen," antwoordde ze geroerd. „Maar het is beter om dat niet te doen, Tim. Ik ben pas enkele maanden in dienst. Jenny en Miranda werken er al veel langer. Zij hebben de nodige ervaring reeds opgedaan en maken daarom ook meer kans op dat baantje."

„Denkt het bestuur er ook zo over, liefje? En hebben Jenny en Miranda wel de nodige leidinggevende capaciteiten om Carola op te volgen? Dat heeft namelijk niet altijd met een langdurige werkervaring te maken. Zoiets moet je ook aankunnen. Kunnen zij dat wel?" Ellis haalde haar schouders op en zuchtte. Dat wist ze werkelijk niet! „Het wordt me niet in dank afgenomen als ik naar die functie solliciteer, Tim. Dat heeft Carola me vanmiddag haarfijn duidelijk gemaakt waar de anderen bij zaten. Ik mag wel zelf beslissen om mee te doen, maar ze vindt dat ik nog te weinig ervaring heb." Ze fronste haar wenkbrauwen en tuurde in de verte naar de spoorbrug over de Lek waarover juist een trein denderde. Ze wenste dat ze de ontstane situatie op haar werk naast zich neer kon leggen, maar het lag als een loodzware last op haar schouders. Het voelde zelfs aan alsof ze een slechte beoordeling had gekregen en dat ze niet langer capabel was om met kleine kinderen te werken. Tim merkte het en hield haar staande, hij keek haar aan met een onderzoekende blik in zijn blauwe ogen. „En wat vind jij er nu zelf van, meisje? Wat is je eigen mening in deze zaak?" Ellis zuchtte opnieuw. „Ach, laat maar! Uiteindelijk win ik er niets mee. Ik heb het nu reuze naar m'n zin bij De Regenboog en dat wil ik graag zo houden." Tim schudde meewarig zijn hoofd. „Ik had wat meer vechtlust van je verwacht, Ellis. Echt! Je hebt zoveel meer in je mars, je kunt een heleboel bereiken, maar dan moet je er wel voor knokken. Lap Carola's advies nu maar aan je laars en solliciteer gewoon naar die functie! Het bestuur beslist daar toch over? Zij zullen uiteindelijk de beste sollicitant eruit kiezen en misschien ben jij dat wel. In het ziekenhuis heb je tijdens je opleiding toch ook meerdere malen als plaatsvervangend verantwoordelijke op de kinderafdeling gewerkt? Je beschikt over voldoende ervaring, dunkt mij!"

Ellis gooide haar hoofd achterover en lachte luid om Tims optimisme. Daarna legde ze haar arm op zijn schouder en kuste hem op zijn wang. „Je bent een schat! En ik zal er de komende weken eens goed over nadenken. Solliciteren kan pas na de zomervakantie, als er een interne advertentie verschijnt." Tim sloeg zijn arm om haar schouders en zo liepen ze een poosje naast elkaar. Ellis voelde zich niet langer bedrukt door Carola's negatieve uitspraken, er was immers een persoon in haar leven die in haar capaciteiten geloofde en dat was Tim, haar allerliefste. Als ze er straks voor zou kiezen om alsnog deel te nemen aan de sollicitatieprocedure, zou ze het voor hem doen.

Tim inspireerde haar tot daden.

De laatste werkdag voor de vakantie van Dicky brak aan. Ze zag er met verlangen naar uit om drie weken met de kinderen op een kindvriendelijke camping in een grote stacaravan te bivakkeren. Jochem was van plan om er elke week vier dagen van de zeven door te brengen. Alleen op donderdag, vrijdag en zaterdag wilde hij op de zaak zijn om de omzetcijfers in de gaten te houden. Zakelijk gezien waren dat ook de drukste dagen van de week.

Dicky wist dat hij de touwtjes in dat opzicht niet uit handen wilde geven. Het was een geluk geweest dat de familie Kievits en Donders nog steeds geduldig op hun bestelde meubelen zaten te wachten. Die nieuwe meubelvracht verwachtte Jochem aankomende week, als zij aan zee zat met de kinderen. De nalatige leverancier had hem telefonisch met zijn hand op het hart beloofd dat de meubelen met die vracht verzonden zouden worden. Jochem nam de boodschap met een zucht van opluchting aan, Dicky had er echter nog geen vertrouwen in. Er was vorig jaar wel vaker iets misgegaan waardoor ze enkele klanten waren verloren aan de concurrent. Zoals elke ochtend moest ze zich ook deze morgen weer haasten om Erica en Harm gewassen en aangekleed te krijgen zodat ze hen klokslag kwart over acht bij De Regenboog af kon zetten. Jochem nam het ontbijt voor zijn rekening. Hij smeerde boterhammen en maakte Harms flesvoedingen voor die dag klaar. Toen Dicky met de kinderen beneden kwam stond alles al klaar, inclusief een gevulde luiertas. „Je moet zo meteen de krant even openslaan, Dicky. Er staat een advertentie in waarop we misschien wel kunnen reageren," zei Jochem toen ze gezamenlijk aanschoven en Dicky zich voorover boog om Harm in zijn wipstoeltje te leggen. „Een dame die op kleine kinderen wil passen biedt zich aan. Een oppasmoeder!" verduidelijkte hij fluisterend toen Dicky hem verbaasd aankeek. Dicky graaide onmiddellijk de krant uit de lectuurmand. Ze was verschrikkelijk nieuwsgierig. Tot op deze dag waren ze er nog niet in geslaagd om Erica na de grote vakantie ergens onder te brengen. Af en toe benauwde het haar, hoe moest het nu als er straks niemand voor Erica wilde zorgen? Ze kon het kind na de zomervakantie niet meer naar De Regenboog brengen. De buitenschoolse opvang in het nabijgelegen schoolgebouw zou pas in januari opstarten, daar had ze nu niets aan. Er moest snel een oplossing komen voor die tussenliggende maanden. „Pagina zeven," hielp Jochem, toen ze de krant haastig doorbladerde en hij Erica voorzag van een glaasje melk. „Eerst bidden, papa!" Erica keek hem met grote ogen aan. Haar ouders hadden haar geleerd aan tafel op elkaar te wachten en voor aanvang van elke maaltijd te bidden. Nu haar mama er eerst de krant nog eens op nasloeg ging het voor Erica veel te lang duren. En ze had zo'n trek in die boterham met pindakaas die papa voor haar had klaargemaakt. Dicky legde de krant meteen terzijde. „Je hebt gelijk, liefje. Eerst bidden. Ik lees het straks wel, Jochem." Ze vouwden hun handen. „Here, zegen deze spijze. Amen," bad Erica onmiddellijk en graaide meteen daarna naar haar boterham. „Juf Ellis bidt ook altijd voor het eten, hoor. Maar die verzint de woorden allemaal zelf en bidt nooit: 'Here, zegen deze spijze,' vertelde Erica met volle mond. „En ze vertelt na het eten ook altijd van die mooie verhaaltjes uit de kinderbijbel. Hebben wij ook zo'n bijbel mama, een boek met hele mooie plaatjes?" Aan de zijkant van haar mondje kleefde een klodder pindakaas terwijl ze kauwend en wiebelend met haar beentjes op antwoord wachtte. Dicky keek haar hongerige, vroegwijze dochter van opzij aan en veegde met een servet het mondje schoon. „Jazeker. Tussen al die boeken in de kast staat een mooie kinderbijbel. Papa leest er wel eens een mooi verhaal uit, dat weet je toch wel?" Dicky keek Jochem met gefronste wenkbrauwen aan. De verhalen die Ellis vertelde maakten blijkbaar heel wat meer indruk op Erica. „Onze kinderbijbel is vast van een andere uitgever, denk je ook niet, Jochem?" Jochem hield Harm in zijn arm en duwde voorzichtig de speen van de fles tegen het mondje van zijn zoon. Harm hapte gretig toe, hij slokte meteen zijn voeding naar binnen. „Dat kan. Er verschijnen regelmatig nieuwe kinderbijbels, de een nog uitgebreider en met mooiere afbeeldingen dan de andere. We zullen eens in de boekwinkel gaan kijken naar zo'n nieuwe bijbel voor onze kinderen. Dan mag Erica helpen met uitkiezen."

„Ik wil dezelfde als juf Ellis, papa." Erica's ogen keken Jochem ernstig aan. „Dan moet jij elke dag na het eten een verhaaltje voorlezen over God." Jochem grijnsde. „Beloofd! Maar dan moet mama straks eerst aan juf Ellis vragen welke kinderbijbel ze moet kopen." Erica knikte met een blije glimlach om haar mond, ze was tevreden met Jochems antwoord. Dicky had de boodschap ook begrepen. Ze zou het Ellis zo meteen al vragen. Erica zou vast geen genoegen nemen met een ander exemplaar. Nadat ze hadden gegeten legde Dicky de laatste hand aan haar make-up door een lipstick over haar lippen te halen en een pufje parfum achter haar oren te spuiten. Jochem reed haar auto alvast voor het huis, kwam daarna weer binnen en nam Harm en de luiertas op. Erica volgde hem gewoontegetrouw en kroop op de achterbank waar Jochem haar een gordel omdeed. Dicky liep achter hen aan. Ze kuste Jochem snel gedag.

„Tot zo meteen," zei ze gehaast en stapte achter het stuur. Jochem zou de ontbijttafel nog afruimen en vervolgens in zijn eigen auto naar de zaak rijden. Zo ging het nu elke doordeweekse ochtend. Bij De Regenboog aangekomen kwam Dicky tot de ontdekking dat ze helemaal niet meer naar de advertentie in de krant had gekeken. „Juf Ellis… ik krijg ook een bijbel," jubelde Erica opgetogen toen ze de hal inholde. „Papa heeft het beloofd!" Terwijl Dicky kleine Harm in Ellis armen legde informeerde ze naar de uitvoering van de kinderbijbel die ze bij De Regenboog gebruikten, het boek waar Erica zo vol van was. Ellis legde Harm voorzichtig in een box waar hij met pruttelende geluidjes naar het speelgoed graaide en haalde vervolgens de bewuste kinderbijbel uit de kast. Ze liet Dicky er even doorheen bladeren en schreef de gegevens van de uitgeverij en het ISBN-nummer op een briefje. „Het is een mooie uitgave, Dicky. Erica en ook de andere kindertjes zijn erg enthousiast over alle verhalen die erin staan."

„Goed, bedankt Ellis. Ik zal tussen de middag snel even bij een boekwinkel binnenwippen. 't Is vandaag m'n laatste werkdag voor de vakantie, dat weet je toch nog wel, hè?" Dicky ogen glinsterden blij toen ze het briefje van Ellis aannam en het in haar handtas stopte. „Ja," antwoordde Ellis, „en óf ik dat nog weet! We zullen Erica en Harm die drie weken erg missen. Er gaan trouwens meer kinderen weg. En Miranda heeft na vandaag ook al vakantie. We draaien de komende tijd ons dagverblijf met kleinere groepjes kinderen. Over zes weken is alles weer normaal." Dicky liep, nadat ze haar kinderen een afscheidszoen had gegeven, naar de voordeur. Ellis opende die voor haar. „Voor ons gaat het dagelijkse patroon over zes weken grondig veranderen," zuchtte Dicky voordat de deur uitstapte. „We hebben nog steeds geen betrouwbaar opvangadres voor Erica gevonden. Er stond wel een advertentie van een dame in het dagblad, zei Jochem vanmorgen. Maar door de drukte ben ik vergeten te kijken. Hebben jullie soms ook een krant?" Ellis knikte. „Op het kantoortje van Carola, ga maar snel even kijken."

Vijf minuten later, toen Ellis met enkele hummels aan tafel geschoven was om de dag met een liedje te beginnen, stak Dicky haar hoofd om het hoekje van de deur. „Ik heb het gevonden, Ellis. Carola heeft de advertentie voor me uitgeknipt. 't Lijkt me wel wat, ik informeer vandaag nog naar deze mevrouw, je hoort er te zijner tijd nog van." Ellis stond direct op om Dicky uit te laten, maar die wimpelde dat af. „Laat maar, ga jij maar door met je programma voor die kleintjes. Ik kom er wel uit. En uuuh… voordat ik het vergeet! Ik geef je het advies om te zijner tijd te solliciteren naar het baantje van Carola dat straks vrijkomt. Jij bent zo goed in je werk met onze kinderen. Volgens mij vinden andere ouders dat ook en maak je een hele goede kans bij het bestuur." Dicky sloeg de voordeur van De Regenboog achter zich in het slot. Ze holde op een drafje naar haar auto en zag niet meer dat ze Ellis in ernstige verlegenheid had gebracht en dat haar wangen donkerrood kleurden. Miranda en Jenny, die in dezelfde ruimte aanwezig waren, keken elkaar over de kinderhoofdjes heen eens vluchtig aan. Ze hadden elk woord duidelijk verstaan. Miranda's mond vertrok tot een verbitterde smalle streep en de misprijzende blik in Jenny's ogen sprak boekdelen. De moed om op aandringen van Tim tóch te solliciteren, zonk Ellis op dit moment volledig in de schoenen.

De drukke vakantieperiode brak aan. Ellis kreeg van Carola de ruimte om twee weken aaneengesloten vrijaf te nemen. Ze was nog niet zolang in dienst en had daardoor te weinig vrije dagen opgebouwd om al meteen drie weken met vakantie afwezig te zijn. Ellis schikte zich. Tijdens de zomervakantie moest Tim ook gewoon doorwerken, zijn ouders vertrokken voor vier weken naar Afrika en de zaak mocht van vader Arno niet gesloten worden. Dat zou 'Duister en Zn.' namelijk teveel klanten kosten. Ellis nam zich voor om tijdens haar vrije weken maar wat te luieren, te lezen, af en toe een fietstochtje te maken en haar zussen op hun vakantieadressen in de Veluwe met een bezoekje te vereren. De avonden had ze gepland om bij Tim door te brengen, in het ruime huis van zijn ouders. „Als de herfstvakantie in oktober aanbreekt," had hij Ellis tijdens een van die avonden beloofd, „dan trekken wij er samen alsnog een weekje opuit. Spanje, Frankrijk, Portugal... je zegt het maar. Ik boek wel een leuk hotel met twee kamers of zoiets. Dan draait pa ook maar een week alleen op voor alle zakelijke besognes. Ik verwacht niet dat hij dit zal toejuichen, maar ik heb ook recht op een korte vakantie. Vind je niet?" Ellis vond het allemaal best, met dat weekje vrij ging Carola gelukkig meteen akkoord toen ze erom vroeg. Het viel Ellis overigens op dat het gedrag van haar werkgeefster weer bijna als vanouds was. Aardig, opgewekt en collegiaal, maar nog steeds bemerkte ze af en toe een bepaalde afstand die ze niet kon verklaren. Misschien dat het allemaal anders zou worden ná de sollicitatieprocedure in het najaar, als Jenny of Miranda dat begerenswaardige baantje van Carola in de wacht wist te slepen. Ze durfde er zelf niet meer aan te denken om ook te solliciteren. Tims advies ten spijt. Het was voor de onderlinge vrede beter dat ze er definitief vanaf zag. Ellis wilde er in ieder geval niet langer over blijven piekeren. Gelukkig gaf het werk met de kinderen haar zoveel voldoening, dat al het andere erbij verbleekte en onbelangrijk werd. Tijdens de overige vakantieweken werkte ze met de kindertjes in kleinere groepjes. Het was immers wekenlang een komen en gaan van werkende en vakantievierende ouders met hun kroost.

Harm en Erica waren inmiddels ook alweer terug. Ellis had de kleintjes gemist. Erica was aan zee diep bruin gekleurd door de zon en Harm leek weer een stuk groter geworden. Hij was een mollige baby en lachte breed met zijn kwijlende mondje toen hij haar weer zag en duidelijk nog herkende. „Hij heeft twee moeders," lachte Dicky, toen Ellis hem op haar arm nam en knuffelde. „Daar ben jij er een van." Ellis beschouwde Dicky's uitspraak als een warm compliment. Als leidster deelde ze immers de zorg voor Harm met Dicky. Het was prettig dat de kinderen zo dol op haar waren en het contact met de ouders ook zo probleemloos verliep. Erica bleef tijdens de laatste vakantieweken ook nog naar De

Regenboog komen. Ze had inmiddels haar vierde verjaardag gevierd en keek verlangend uit naar haar eerste schooldag. De leergierige kleuter was er echt aan toe, dat merkte Ellis duidelijk. Dicky was na haar vakantie aan zee meteen met het bericht in huis gevallen dat de advertentie uit de krant niet zonder succes was gebleven. Een keurige mevrouw van begin dertig die zich als oppasmoeder had aangeboden, wilde maar al te graag tot januari voor de buitenschoolse opvang van Erica zorgen. Ze had zelf ook een dochtertje van zes op Erica's nieuwe school zitten en zocht na schooltijd een speelkameraadje voor haar meisje. Dicky was daar erg blij en opgelucht over geweest. Erica kreeg op deze manier niet alleen een aardige oppasmoeder, maar ook meteen al een nieuw vriendinnetje! Ellis had zich met spijt in haar hart gerealiseerd dat ze het meisje straks erg zou missen, dat was zeker. De allerlaatste vakantieweek brak aan. Voordat de schooldeuren zich weer openden, stond Ellis er op de werkvloer plotseling helemaal alleen voor. Jenny was met haar gezin naar het buitenland vertrokken en Carola zat voor de derde achtereenvolgende week in haar appartement en deed tijdens haar vakantie vrijwilligerswerk voor een oudere buurvrouw, waar ze volgens haar eigen zeggen al jaren heel vertrouwelijk mee omging. Ze maakte af en toe een dagtrip naar bekende plekjes in Nederland en nam het oudje regelmatig mee. Miranda, wiens vakantie er al eerder opzat, had vanwege het onverwachte overlijden van een naast familielid, alsnog een week vrijaf weten te bedingen. Ze had Carola er zelfs privé over benaderd. Als eis stelde Carola wel dat Ellis ermee akkoord moest gaan. Ellis moest namelijk wel in staat zijn om een volledige werkweek op verantwoorde wijze voor vijf kleine kinderen te zorgen. Miranda had het Ellis haast smekend gevraagd. Ellis was gepikeerd geweest vanwege het geringe vertrouwen dat Carola in haar scheen te hebben. Er zouden slechts vijf kindertje komen, waaronder baby Harm die elke ochtend en middag nog een dutje deed! Ellis had er onmiddellijk mee ingestemd. „Natuurlijk, kan ik best alleen voor vijf kindertjes zorgen. Geen enkel probleem, hoor. In het ziekenhuis heb ik wel voor hetere vuren gestaan," zei ze zelfbewust, met de klemtoon op het woordje 'ziekenhuis'. Als ze aan de drukte op de kinderafdeling dacht, was een week met vijf kinderen optrekken niet meer dan een peulenschilletje. Miranda zuchtte opgelucht. „Bedankt Ellis, erg collegiaal van je. Als ik jou ook een keer kan helpen, laat het me dan maar weten." Ellis organiseerde tijdens die laatste vakantieweek leuke spelletjes voor de kinderen in de speelkamer en de achtertuin van het gebouw. Ze at en dronk tussen de middag samen met haar hummels van een meegebracht lunchpakketje en genoot. Dit werk zou ze altijd wel willen blijven doen, het verveelde nooit.

5

Er viel een last van Tims schouders toen zijn ouders weer veilig en wel terugkeerden van hun vakantiebestemming in Afrika. Vier weken lang was hij alleen geweest en had hij voor zichzelf gezorgd. Na werktijd verrichtte hij thuis licht huishoudelijk werk, stopte zijn gebruikte kleding in de wasmachine, harkte de tuin en kookte zijn eigen maaltijden die hij met smaak verorberde. Zijn moeder was altijd heel precies met de klusjes in haar huishouding, ze had hem voor haar vertrek op het hart gedrukt, dat ze na de vakantie in een keurig opgeruimd huis terug wilde komen. Heel even had Tim de illusie gehad dat Ellis overdag wel wat karweitjes voor hem zou willen opknappen. Twee van de vier weken, die hij alleen in het grote huis van zijn ouders doorbracht, was ze vrijaf geweest van het kinderdagverblijf. Een korte zomervakantie, had ze verheugd aangekondigd. Ze had daardoor zeeën van tijd om in het huis enkele klusjes te verrichten. Maar het viel hem tegen dat ze haar vrije weken besteedde aan activiteiten die ze zelf leuk vond om te doen. Overdag nam ze haar fiets en peddelde ze naar nabijgelegen plaatsen om daar in winkeltjes rond te neuzen. Verder las ze dikke boeken, lag uren in de zon en bezocht op een dag haar beide zussen, die op een camping aan het Veluwemeer hun tenten hadden opgeslagen. Tim had zich geërgerd aan dat zinloze tijdverdrijf, hoewel hij het haar niet liet merken. Als ze hem 's avonds opzocht probeerde hij haar regelmatig duidelijk te maken dat hij een vrouwenhand wel heel erg miste nu zijn moeder er niet was. Maar Ellis maakte zich niet druk om datgene wat na zijn werk extra op hem afkwam. Ze ruimde wel trouw elke avond de vaatwasser voor hem leeg voordat ze naar huis vertrok en zette de schone vaat ook weer netjes terug in de kast. Dat was echter alles wat ze bijdroeg. Tim slikte zijn teleurstelling na enkele dagen snel weg. Hij was nu eenmaal dol op Ellis, hij hield zielsveel van haar. Hij mocht ook niet vergeten dat hij door zijn ouders altijd erg was verwend. Zijn moeder had hem voor haar vertrek nog toegefluisterd dat Ellis hem af en toe wel zou helpen nu hij er een poosje alleen voor stond. Lien had echter verkeerde verwachtingen bij hem gewekt, want dát deed Ellis niet. Ze wierp zich in het huis van zijn ouders niet op als een veredelde werkster, zo was ze niet. Ellis ging er vanuit dat hij als volwassen vent best voor zichzelf kon zorgen. En diep in zijn hart moest hij ook toegeven dat ze gelijk had. Hij kon heel goed voor zichzelf zorgen, al kostte hem dat na een drukke werkdag op kantoor wel de nodige tijd en energie. Straks, als ze eenmaal getrouwd waren, zou ze ook wel wat van hem verwachten op huishoudelijk gebied. Ellis dacht er voorlopig nog niet aan om dan te stoppen met haar werk bij De Regenboog. Daar had Tim begrip voor, maar het vervelende was dat hij nog nooit iets in de huishouding had gedaan. Het zou hem tijd kosten om zich aan te passen. Kostbare tijd! Wat zijn moeder nu van hem verwachtte was maar tijdelijk. Dat was te overzien. Hij moest er niet aan denken om jaren achtereen na werktijd allerhande klusjes in de huishouding te verrichten, dat kon Ellis nu ook weer niet van hem verwachten. Misschien moesten ze tegen die tijd maar uitzien naar een huishoudelijke hulp. Dan was dat probleem ook meteen opgelost. Ondanks zijn drukke bezigheden sloeg Tim zijn wekelijkse wandelingen niet over. Elke zaterdag liep hij afstanden van twintig kilometer, soms meer. Hij vond het spijtig dat hij, vanwege de vakantie van zijn vader, dit jaar niet mee kon doen aan de plaatselijke wandeltochten. De zaak kon op doordeweekse dagen nu eenmaal niet gesloten worden. Hij had teveel opdrachten onder handen die hij in die bewuste week klaar moest maken. Het was wel een geluk dat er in het najaar meerdere wandelmarathons op het programma stonden, hij had zich bij enkele plaatsen al in laten schrijven. Tijdens zijn zaterdagse wandelingen dacht hij vaak na over zijn toekomst met Ellis. Het werd tijd dat hij aan zichzelf ging denken. De herfstvakantie zou in dat opzicht een goede gelegenheid zijn om daar samen eens over te praten. Hij wilde het niet langer blijven uitstellen. Hun trouwdag en de indeling daarvan, hoe gevoelig ook voor zijn ouders en aanstaande schoonouders, moest georganiseerd worden. Tim wilde Ellis eerst overtuigen van zijn gelijk om hun huwelijk in te laten zegenen door de dominee van zijn kerk. Hij had er de laatste weken ernstig over nagedacht, maar een gulden middenweg had hij niet gevonden. De ceremonie moest in zijn kerk óf die van Ellis plaatsvinden. Tim koesterde goede hoop. Ellis was heel gevoelig voor zijn mening op dat gebied, ze respecteerde hem. Het lukte hem vast wel om haar over te halen, zodat ze elkaar het jawoord in zijn kerk konden geven. En als Ellis en hij er samen niet uitkwamen, dan zou hij zich neerleggen bij haar voorstel en gewoon in haar kerk trouwen. Er was altijd wel iemand die hij in dit geval teleur moest stellen, hij kon er niet omheen. Maar daar wilde Tim voorlopig nog niet aan denken.

Terwijl Lien met de auto naar de supermarkt reed om nieuwe voorraden in te slaan, bekeek Arno de binnengekomen post en bladerde door een stapel kranten van de afgelopen weken. Een goed moment voor Tim om zijn vader meteen op de hoogte te brengen van zijn geplande vakantieweek in de herfst.

„Zeg pa, ik neem in oktober een weekje vrij. Tijdens de herfstvakantieweek gaan Ellis en ik naar Spanje of Zuid-Frankrijk."

Arno Duister keek over zijn krant naar Tim en knikte aarzelend. „Kan ik je op de zaak dan wel missen, jongen? Is het er dan niet druk?"

„Het is maar een week, pa. Geen vier weken! Trouwens, het is al geregeld. Ellis krijgt een week vrij," antwoordde Tim verongelijkt bij deze aarzeling. Arno zuchtte diep. „Het is goed, hoor! Je moeder en ik zijn zelfs vier weken weggeweest! Een week is nog wel te doen, dat lukt me wel. En al het werk waar ik niet aan toekom kun jij na die week alsnog inhalen." Tim lachte opgelucht. „Fijn, Ellis en ik hebben tijdens die week namelijk veel te bepraten. Onze toekomst, ziet u…"

„Dat wordt tijd. Jullie nemen vast de juiste beslissingen aangaande jullie huwelijksceremonie én een huis dat aangeschaft moet worden. Vergeet je het aanbod van mama en mij niet? Wij hebben de mogelijkheid om jullie met een geldelijke bijdrage te helpen, zodat je jezelf een keurig huis kunt aanschaffen, jongen. Niet zomaar een rijtjeshuis, hoor! Maar een vrijstaande woning of anders een twee onder een kap met garage." Tim streek met zijn hand peinzend langs zijn kin. Vader haalde juist twee pijnlijke onderwerpen aan. De huwelijksvoltrekking én een huis. Zijn ouders wilden hem niet alleen in hun kerk zien trouwen, ze wilden hem ook financieel ondersteunen. Eveneens een heikel puntje. In dat laatste opzicht gaf hij Ellis gelijk, hij wilde niet al te afhankelijk worden van zijn ouders. Het waren mensen die op hun strepen stonden en behoorlijk veeleisend konden zijn. Hij moest oppassen en zich niet al te veel laten ringeloren door zijn ouwelui. „Ellis en ik zullen er in die week samen over nadenken, pa." Arno boog zich naar hem toe en drukte de knisperige pagina's van de krant op zijn knieën. „Ach, Ellis is een verstandig vrouwtje, Tim. Daar ga ik tenminste wel vanuit." Hij fronste zijn wenkbrauwen en keek quasi bedenkelijk. „Je moet haar ook maar eens wat meer bij onze zaak betrekken. Je moeder heeft in de achterliggende jaren ook heel wat werk verzet, dat weet je. Ellis lijkt me bijzonder geschikt om in de toekomst onze klanten te ontvangen. Het is een knappe vrouw met een positieve uitstraling. Wat denk je? Zal ze dat willen doen?" Tim nam plaats tegenover zijn vader en schudde zijn hoofd. „Nee, dat verwacht ik niet." Hij aarzelde even, hij wilde de goede indruk die Ellis op zijn vader had niet wegnemen. „Ellis wil voorlopig het liefst bij dat kinderdagverblijf blijven werken waar ze een paar maanden geleden is begonnen..."

„Jammer," Arno onderbrak hem, hij was duidelijk teleurgesteld. „Wát een verspilling van tijd, ze kan later toch nog lang genoeg op jullie eigen kindertjes passen!" De neerbuigende toon van zijn vader irriteerde Tim. Natuurlijk zou hij het ook liever anders zien en Ellis daadwerkelijk bij de zaak betrekken als ze straks getrouwd waren, maar dát moest Ellis zelf ook willen. „Ze staat momenteel op het punt om bij De Regenboog een flinke promotie te krijgen, pa. Dat is erg belangrijk voor haar."

„Promotie? Kun je bij een dergelijke instantie dan nog promotie maken?"

„Jazeker, ze mag binnenkort solliciteren naar de functie van locatiemanager. Er is een grote kans aanwezig dat het bestuur haar zal uitkiezen voor dat baantje. Iedereen is erg over haar te spreken en Ellis is geen dom meisje, hoor. Ze heeft niet voor niets haar papieren om hogerop te komen, die kans moet ze nu benutten." Arno knikte, nam zijn krant weer op en zuchtte. „Als jij het daarmee eens bent, mijn zoon, dan kan ik het niet afkraken. Ik vind het wel jammer... voor de zaak, bedoel ik!" Tim schokschouderde, hij had niets meer toe te voegen en stond op. Hij was maar wat trots op Ellis. Met haar positieverbetering zou hij immers ook kunnen pronken. Locatiemanager klonk in ieder geval al heel anders in zijn oren dan gewoon kinderleidster. Met zo'n leidinggevende functie kon ze tenminste voor de dag komen. En hij ook! Als bekende klanten straks tijdens een informeel gesprek eens informeerden naar zijn huiselijke omstandigheden, zou hij tenminste met gepaste trots kunnen zeggen dat zijn vrouw de functie van locatiemanager uitoefende. Tim zag het in zijn fantasie al voor zich, terwijl hij over andere zaken nooit zo vooruitstrevend was. Maar een promotie van Ellis streelde zijn ego. Nu moest deze droom nog werkelijkheid worden. Hij hoopte vurig dat de weerstand van die nare collega's Ellis er toch niet van zouden weerhouden om alsnog te solliciteren. Tim nam zich voor om haar nog meer aan te moedigen dan hij al eerder had gedaan. Hij zou haar zijn hulp aanbieden met het schrijven van een goede sollicitatiebrief. Het moest een perfecte brief worden, die indruk zou maken op de bestuursleden van De Regenboog. Maar voor het zover was wilde hij haar eerst verrassen met een vakantie in de zon. Tim stond op en liet zijn vader alleen in de kamer achter. „Ik ben even naar het reisbureau," zei hij, voordat hij de deur dicht trok. Arno reageerde niet, hij zat verdiept in de krant alle beursberichten van die dag door te lezen.

De septemberzon scheen nog fel toen Carola na werktijd in haar auto naar huis reed en voor het appartementencomplex parkeerde. Zo kon ze haar wagentje altijd, vanaf haar balkon op de tweede etage, zien staan. Ze wilde liever geen garage huren, dat vond ze een overbodige luxe. Ze hield haar kostbare eigendom zelf wel in de gaten. Bij onraad kon ze de politie altijd nog inschakelen en het vervoermiddel was ook nog eens goed verzekerd tegen vandalisme en diefstal. Zo liep ze weinig risico en hield ze de extreem hoge huurlasten van een garage in haar eigen knip. Voordat ze de trap opliep naar de tweede etage, opende ze beneden in de hal haar brievenbus en ook die van haar tachtigjarige buurvrouw, Alida Blom. Uit Alida's bus pakte ze de huis-aan-huis verspreide reclamefolders, die altijd op vrijdag door de schooljeugd werden bezorgd. De oude dame kreeg doorgaans geen andere poststukken. Alle betalingen had ze jaren geleden al via de bank geregeld, die rekeningen werden nu maandelijks automatisch van haar bankrekening afgeschreven. En zo nu en dan, zat er een ansichtkaart bij uit een ver vakantieoord van een nicht, die haar zelden opzocht. Carola had zich tien jaar geleden over haar oude buurvrouw ontfermd, op dit moment regelde ze praktisch alles voor het afhankelijke mensje dat niet meer mobiel was en elke ochtend door een zuster van de thuiszorg werd gewassen. „Mevrouw Blom mag zich gelukkig prijzen met zo'n buurvrouw," had de zuster onlangs nog gezegd. „Als jij er niet was geweest, Carola, dan hadden we mevrouw Blom vijf jaar geleden al op laten nemen in een zorgcentrum." Carola glom van trots na dit mooie compliment. De zuster van de thuiszorg wist wel hoe goed Carola voor haar cliënte zorgde. Alle vakantieweken en zelfs haar vakantiegeld, deelde ze met Alida Blom. En het appartementje van de oude dame bleef kraakhelder door Carola's onvermoeibare inzet. Ze kwam er dagelijks over de vloer. Vanaf het allereerste begin had Carola een goed contact gehad met Alida Blom en door de jaren heen was ze Alida meer als een naaste verwante gaan beschouwen dan als een buurvrouw. Carola was in haar leven niet veel gewend geweest aan liefdevolle aandacht van mensen. En Alida Blom was tien jaar geleden de eerste persoon geweest in Carola's leven, die een vriendschapsband met haar erg op prijs stelde. Nadat Carola enkele weken vol argwaan de kat uit de boom had gekeken, brak het ijs alsnog. Er groeide wederzijds een warme genegenheid voor elkaar en het was alsof Carola na een lange zoektocht eindelijk haar thuishaven had gevonden bij de sympathieke buurvrouw. Een moeder zoals Alida had ze zich altijd gewenst. Ze koesterde die waardevolle vriendschap. Carola graaide drie enveloppen uit haar eigen brievenbus. Een rekening van het gasbedrijf, een brief van de verzekering en daartussen lagen dezelfde reclamefolders als die ze uit het busje van Alida had gehaald. Helemaal onderop lag een aan haar geadresseerde brief van het stichtingsbestuur De Regenboog. Ze fronste haar wenkbrauwen en scheurde de envelop onmiddellijk open. Ze had geen zin om te wachten tot ze boven kwam, zo nieuwsgierig was ze naar de inhoud. Haar ogen vlogen over de regels, waarin het bestuur haar nu eindelijk de opdracht gaf om aanstaande maandag een interne advertentie uit te schrijven voor haar functie die in januari vrij zou komen. Carola voelde haar hart meteen versneld kloppen van opwinding. Eindelijk was het dan zover. Het zou wel eens een spannende tijd kunnen worden! Twee weken eerder had ze haar nieuwe arbeidscontract ondertekend en afspraken gemaakt met het bestuur over de buitenschoolse opvang. Inmiddels was een aannemer gestart met enkele verbouwingen en aanpassingen in het aangekochte schoolpand, terwijl het bestuur van De Regenboog een advertentie in het regionale dagblad liet publiceren voor enkele nieuwe werknemers die in januari beschikbaar moesten zijn. Ze hadden Carola toegezegd, dat ze haar zouden inschakelen bij die sollicitatieprocedure. Haar huidige functie bij het kinderdagverblijf zou via een interne werving worden opgelost. Het bestuur had haar naar huis gestuurd met de mededeling dat ze te zijner tijd wel bericht zouden sturen wanneer de procedure in werking kon worden gesteld. Dat bericht hield ze nu in haar handen. Carola holde de twee trappen op naar haar etage en opende de voordeur van haar appartement. Ze trok allereerst haar vestje uit, hing dat aan de kapstok en pakte de telefoon. Alida's reclamefolders legde ze in de hal op een garderobekastje neer. Ze wilde eerst bellen. Miranda en Jenny moesten als eersten op de hoogte worden gebracht van deze ontwikkeling zodat ze vandaag nog in de pen konden klimmen om te solliciteren. Carola had zich voorgenomen om haar twee collega's warm aan te bevelen bij het bestuur. Ze hoefde er alleen maar voor te zorgen, dat áls Ellis van Zwieten van deze gelegenheid gebruik zou maken en ook op haar functie wilde solliciteren, haar andere collega's de absolute voorkeur zouden genieten. Carola wilde niets aan het toeval overlaten en voelde de weerstand tegen Ellis met de dag groeien. Ze had zo gehoopt dat de laatste vakantieweek, waarbij Ellis vijf dagen lang alleen voor vijf actieve kinderen moest zorgen, op een fiasco uit zou lopen! Maar het tegenovergestelde was gebeurd. De ouders waren vol lof geweest, de kinderen onafscheidelijk van Ellis, zelfs baby Harm lachte alleen nog maar naar haar, terwijl hij huilde als de andere leidsters hem optilden. En dáárbij had Ellis ook kans gezien om tijdens die drukke week enkele nieuwe spelprogramma's voor de peutertjes uit te werken. Spelletjes, die er op papier heel leuk uitzagen, om in de praktijk eens uit te proberen en waar Miranda en Jenny nog nooit over hadden nagedacht. Zelfs Carola had heimelijk toegegeven dat Ellis bijzondere talenten bezat om met de allerkleinsten te werken. Maar dat zou ze nooit openlijk toegeven, ze kon het niet verkroppen dat Ellis op het gebied van kinderwerk blijkbaar meer creatieve kwaliteiten bezat dan zij. Dat was voor Carola een onverteerbaar feit. Onacceptabel! Zij was immers locatiemanager en als zodanig deelde zij de lakens uit en niet Ellis van Zwieten. De uitgewerkte spelprogramma's had ze een dag later aan Ellis teruggegeven. „Niet toepasbaar op onze werkvloer," had ze koeltjes gezegd. „Nieuwe ideeën zijn hier voorlopig niet welkom. Het komende half jaar krijgen we het veel te druk om iets met je plannetjes te doen. Je moet het in januari maar eens aan je nieuwe locatiemanager voorleggen. Misschien dat Miranda of Jenny er dan iets mee willen doen." Ellis had haar ogen neergeslagen en 'jammer' gemompeld. Carola had haar daarbij triomfantelijk aangekeken en zich onoverwinnelijk gevoeld. Met haar woorden had ze het enthousiasme van Ellis doelbewust om zeep geholpen. Carola hoorde aan de andere kant van de lijn dat de telefoon werd opgenomen door Jenny. In het kort sommeerde ze Jenny om een dezer dagen een sollicitatiebrief naar het bestuur te sturen. Die opdracht gaf ze even later ook aan Miranda. De procedure mocht van start gaan, er moest nu snel gehandeld worden. Beide collega's beloofden hun beste beentje voor te zetten. „Als er maar niet al te vaak van die vervelende overuren bij komen kijken. Jij werkt 's avonds ook vaak wat langer door, hè? Nou, dat kan ik mijn man en kinderen niet aandoen, hoor!" zei Jenny aarzelend, voordat ze beloofde haar best te zullen doen. Carola wist dat Jenny getrouwd was met een passieve man en zich vaak zorgen maakte over haar twee drukke tieners die ze nauwelijks de baas kon. Miranda was ook getrouwd, maar had in dat opzicht veel meer vrijheid omdat er nog geen kinderen waren. Maar Miranda plaatste weer een vervelende opmerking over iets anders. „Het moet me financieel natuurlijk wel wat extra's opleveren," redeneerde Miranda opgewonden. „Anders heeft het niet zoveel zin om te solliciteren." Carola verbrak de verbinding en realiseerde zich dat ze enigszins teleurgesteld was in de reactie van beide collega's. Het ging hier toch om positieverbetering! Dan moest je wel eens wat extra tijd investeren. En in de CAO stond toch duidelijk beschreven welke financiële beloning er gegeven werd voor een bepaalde functie. In dit geval zou het maandelijks heel wat meer opleveren dan wat Miranda nu verdiende. Met dat gegeven had Carola haar meteen gerust gesteld. Carola zuchtte hartgrondig en hoopte op een goede afloop. Ze nam zich voor om de interne advertentie voorlopig nog een weekje voor Ellis verborgen te houden. Ze pakte Alida's reclamefolders op en liep haar appartement uit. Op doordeweekse dagen at ze haar warme maaltijd elke avond samen met Alida in haar woning en tijdens de weekenden gebruikte Alida de warme maaltijd op haar beurt weer bij Carola. De sleutel van Alida's woning, die ze al tien jaar in haar bezit had, haalde ze uit haar tas. Ze opende de deur van haar buurvrouw, die in een stoel voor het raam in de sfeervolle woonkamer met eiken meubelen verveeld naar buiten zat te kijken. Een donkerblauwe rollator stond naast haar stoel geparkeerd. Alida's ogen lichtten blij op toen ze Carola zag.

„Ach Carola, fijn dat je er weer bent, kind! Het was zo'n saaie, lange dag." De laatste woorden kwamen er wat klagerig uit. Carola glimlachte naar het oudje, alle verhitte gedachten aan de komende sollicitatieprocedure gleden van haar af. Hier werd haar aanwezigheid op prijs gesteld, hier was ze tenminste een geliefd mensenkind. Ze liep naar Alida en kuste voorzichtig de gerimpelde wang van het dametje. De reclamefolders legde ze op haar knieën, zodat ze wat leesvoer had voor het komende halfuur. „De avond is weer voor ons, Alida. Ik zal zo meteen eerst wat lekkers gaan koken. Heb je honger?" Vanaf het begin had Carola haar buurvrouw getutoyeerd, Alida had erop gestaan. Alida haalde nu haar schouders op. Ze at allang geen volle borden meer leeg. Ze zat lange dagen op een stoel bij het raam naar buiten te kijken, liep af en toe met haar rollator naar het toilet en verbruikte zodoende weinig energie. Voedsel was niet zo belangrijk meer voor haar, ze werd er toch alleen maar dik van. Maar ze wilde het ook niet afslaan. Carola deed altijd zo verschrikkelijk haar best, ze kookte heerlijke gerechten. Een klein beetje van alles nam Alida altijd wel en toetjes waren haar favoriet. „Ik heb al een paar aardappeltjes voor ons geschild, ze staan in een pannetje op het gasfornuis," zei Alida, terwijl haar gezicht straalde vanwege Carola's aanwezigheid en de aandacht die ze kreeg. „Fijn!" lachte Carola dankbaar, dat scheelde immers kostbare tijd. Het was alweer laat! „Dan kunnen we over een halfuurtje aan tafel en vanavond neem ik je een poosje mee in je rolstoel. Ik wil graag een eindje gaan wandelen omdat het weer buiten nog zo lekker is, dan krijg je meteen wat meer kleur op je wangen, Alida. En daarna kijken we in mijn huis naar dat leuke televisieprogramma, onder het genot van een slaapmutsje. Ik heb je favoriete wijntje nog onder de kurk."

Terwijl Carola naar de keuken van Alida liep, hoorde ze haar buurvrouw opgelucht zuchten. „Ach Carola, als ik jóu toch niet had... Je bent een door God gezonden engel!" Neuriënd zette Carola de aardappelen op het vuur en waste de groenten. Alida's complimenten bezorgden haar elke dag weer zo'n goed humeur! Dat vrouwtje gaf tenminste glans aan haar leven. Hier hoefde Carola niet te vechten voor haar plaats. Wat een geluk dat ze Alida niet elke dag hoefde te delen met lastige kinderen en zeurderige kleinkinderen. Carola herinnerde zich nog goed hoe verwaand en vervelend haar eigen broers vroeger soms waren. Dat was achteraf gezien de schuld van haar liefdeloze ouders geweest! Ach nee, nu niet aan pijnlijke zaken uit het verleden denken. Daar werd ze alleen maar depressief van. Buurvrouw Alida was er toch! En daar draaide het in haar leven om. Alida was van háár alleen. En zij – Carola – was de belangrijkste persoon in Alida's leven.

Dicky had kennis gemaakt met Sanne van Berkel, de oppasmoeder die een advertentie in het dagblad had geplaatst. Het klikte meteen tussen Sanne en haar. En ook Erica voelde zich meteen op haar gemak toen Sanne, na een eerste ontmoeting, met haar dochtertje Nienke van zes op bezoek kwam. Sanne vertelde dat ze voor Nienke een vriendinnetje zocht. „Onze Nien blijft altijd enig kind," vertrouwde de dertigjarige Sanne haar toe. „Ik mag helaas geen kinderen meer krijgen. Doktersadvies, zie je! Het risico op een verkeerde afloop is te groot.'t Is zó jammer voor Nienke dat er geen broertjes of zusjes komen. Ze heeft zo'n behoefte aan andere kinderen om zich heen. En we wonen in een vrij rustige buurt, met veel oudere mensen en weinig kleine kinderen. Daarom ben ik op het idee gekomen om mezelf aan te bieden als oppasmoeder. Op deze manier kan ik toch zorgen voor een vriendje of vriendinnetje voor onze Nien. Een vriendinnetje na schooltijd, in dit geval!" Dicky en Jochem waren allebei onder de indruk van de aardige Sanne, die meteen akkoord ging met de financiële bijdrage die Jochem haar aanbod voor de opvang van Erica. Na het bezoek voelde Dicky zich erg opgelucht en voldaan. Er was een grote last van haar schouders gegleden met de komst van Sanne. Daar zou Erica het vast goed naar haar zin hebben. En tussen Erica en Nienke boterde het ook goed. Het leeftijdsverschil van de twee meisjes stelde nauwelijks iets voor. Twee jaar! Beiden speelden graag met barbiepoppen en poppenhuizen en Erica had meteen haar nieuwe kinderbijbel voor de dag gehaald en aan Nienke laten zien. „Kun jij al lezen? Juf Ellis leest mij ook altijd voor!" vroeg ze nieuwsgierig.

„Ja, een beetje," antwoordde Nienke verlegen, „maar nog niet alle moeilijke woordjes." Daarna had Sanne beloofd om Erica en Nienke regelmatig voor te lezen uit de mooie kinderbijbel. Dicky glimlachte bij die herinnering. Lief, dat Sanne haar kleine meisje zo tegemoet kwam. Het vertrouwen in deze tijdelijke oppasmoeder was meteen al groot. Dicky had het nieuwtje over de nieuwe oppasmoeder na de vakantieperiode meteen doorgegeven aan Ellis, toen ze Harm en Erica wegbracht naar De Regenboog. „Jochem heeft haar aangenomen, Ellis. Sanne is een lieve oppasmoeder voor Erica. En dat Erica er meteen een vriendinnetje bij krijgt, is natuurlijk ook erg fijn."

„Fantastisch, Dicky! Gefeliciteerd, hoor! Maar ik zal Erica wel vreselijk missen," had Ellis enthousiast gezegd, met een klank van spijt in haar stem bij de gedachte aan het naderende afscheid van de kleine meid. „Dat hoeft echt niet, Ellis. Kom nog eens een keer op visite. Niet alleen voor Erica, maar ook voor mij. Ik heb doorgaans weinig tijd voor vriendinnen omdat ik full-time op kantoor werk, maar voor jou maak ik graag tijd vrij." Dicky meende het. In haar druk bezette leven was er weinig ruimte voor een echte vriendin. Eigenlijk had ze ook geen echte vriendinnen meer gehad na haar huwelijk met Jochem. Alle contacten die er voorheen waren geweest was ze kwijt geraakt. Op ééntje na. Ze kreeg eens per jaar een oude schoolvriendin op bezoek, maar van een vertrouwelijke omgang met elkaar was allang geen sprake meer. Ze wisselden alleen wat nieuwtjes met elkaar uit, dat was alles. Jammer, vond Dicky. Ze had soms zo'n behoefte aan iemand die meer dan een keer per jaar op bezoek kon komen. Iemand die oprecht belangstelling toonde voor haar dagelijkse leven en dat van de kinderen. Maar ze wilde ook wel eens over andere dingen praten dan alleen over het wel en wee van haar gezinnetje en de zakelijke besognes waarmee Jochem haar altijd lastig viel. Het meubelpaleis had tijdens de vakantieperiode tegen de verwachting in goede weekomzetten gedraaid, dat nam de spanning bij Jochem wat weg. De families Kievits en Donders hadden eindelijk hun meubels gekregen en direct betaald. Maar nu zat Jochem vol andere plannen, hij wilde de zaak een ander aanzien geven. Nieuwe reclamezuilen, flitsende advertenties in de krant, klantenwervende acties. Dicky werd doodmoe van zijn onvermoeibare inzet. En als er eens familieleden op visite kwamen, ging het altijd over hetzelfde onderwerp: meubelen, wonen en aanverwante saaie onderwerpen! Het had altijd wel iets met het bedrijf te maken. Daarom alleen al had Dicky behoefte aan een vriendin. Iemand, om eens op zaterdagmiddag mee te gaan winkelen en samen ergens een kopje koffie te drinken. Gewoon voor de gezelligheid en ook om andere onderwerpen te bespreken. Maar Ellis had een beetje terughoudend gereageerd op haar uitnodiging. „Misschien na de herfstvakantie, dan worden we door Carola ingepland voor de halfjaarlijkse huisbezoekjes," was haar aarzelende voorstel geweest. Dat zou nog een hele tijd duren, dacht Dicky teleurgesteld. Ze had er verder niet op aangedrongen. Vriendschap moest van twee kanten komen en eigenlijk kende ze Ellis privé niet zo goed. Het feit dat Erica en Harm zich aan Ellis vastklampten was voor haar immers voldoende. Maar Ellis had ook een vriend waar ze veel tijd aan besteedde, wist Dicky. Misschien reageerde ze daarom niet zo enthousiast op haar uitnodiging en had ze weinig tijd voor andere contacten. Dicky zuchtte. Ze hoopte vurig dat Erica in het komende half jaar bij Sanne eveneens een veilig plekje zou vinden na schooltijd, ze was de laatste maanden zo aan Ellis gehecht geraakt. Ze moest er niet aan denken om haar kleine meiske elke dag in tranen thuis te krijgen. Nadat ze de kinderen op bed had gelegd nam ze zich voor om schone was weg te strijken. De moed zonk haar echter in de schoenen toen ze de twee uitpuilende wasmanden met strijkgoed zag staan. Huishoudelijke klussen die elke week weer terug kwamen! Nee, zo kon het niet veel langer doorgaan. Deze manier van leven werd haar een beetje te zwaar. Jochem moest er maar eens over nadenken om een goede huishoudelijke hulp in te schakelen, zodat ze niet elke avond tot in de late uurtjes bezig hoefde te zijn met deze vervelende karweitjes. Ze had na een drukke werkdag juist behoefte aan ontspanning en gezelligheid. En als Ellis geen kans zag om eens een avondje op bezoek te komen, zou ze iets anders gaan ondernemen. Misschien dat ze Bella Aalbers eens kon vragen om haar op zaterdagmorgen te onderwijzen in het aquarelleren. Tja, dát was misschien wel iets voor haar! Bella had eens verteld dat ze op zaterdag schilderlessen verzorgde en cursisten begeleidde. Zoiets leek Dicky plotseling reuze interessant! Ze had altijd al haar verborgen talenten willen ontdekken. Misschien moest ze het in de verfkunst zoeken! Ze kon het allicht proberen, ze was een liefhebster van kunst en allerlei schilderwerken. Dan zou ze meteen in de gelegenheid zijn om andere cursisten te ontmoeten en daar nieuwe vriendschappen te sluiten. Dicky voelde zich helemaal warm lopen voor het plannetje. Dit leuke idee gaf haar direct hernieuwde energie om de gevulde manden met strijkgoed weg te werken. Als dat klaar was, nam ze zich voor, dan zou ze Bella meteen bellen en een afspraak maken.

6

Op een zaterdagmiddag, eind september, fietste Ellis de fietsroute van Culemborg naar het bekende vestingstadje Buren,
waar Bella met haar gezin woonde. Onderweg kwam ze langs de
vele boomgaarden die het gebied rijk was. Appels en peren hingen rijp aan de talloze bomen, klaar om geplukt te worden. De
bedrijvigheid in de fruitwereld was momenteel optimaal. De
oogsttijd was van start gegaan. Een gezellige tijd, vond Ellis. Als
tiener had ze heel wat vrije zaterdagen in deze boomgaarden doorgebracht en voor de fruittelers gewerkt om zodoende een zak-
centje te verdienen. Ze had er leuke herinneringen aan over
gehouden. Een tractor met aanhanger, waarop volle kisten geplukt
fruit tegen elkaar stonden geschoven, reed behendig over het fietspad langs haar heen. De chauffeur van het lawaaierige vervoermiddel zwaaide. „Hoi Arie..." riep Ellis uitbundig, toen ze hem
herkende als een vroegere klasgenoot van de lagere school. „Ha,
die Ellis, lust je soms een versgeplukt appeltje van me? Dat is
goed voor de dorst, hoor!" riep Arie boven het geronk van de tractor uit, terwijl hij op de rem trapte en meteen stil stond met zijn
lading fruit. Ellis fietste tot vlak naast de aanhangwagen, kneep in
haar handremmen en stapte af. „Ze zien er heerlijk uit," zei ze
begerig, terwijl het water haar in de mond liep. „Tja, ik lust wel
een appel, Arie! Gunst, wat ziet het fruit er dit jaar mooi uit! Met
dit handeltje zul je vast goed verdienen." Arie sprong van zijn
tractor, graaide een appel uit een kist en gooide ermee naar Ellis,
die hem netjes opving. Ze wreef de rode appelwangen goed
schoon aan de zijkant van haar spijkerbroek. Zelf nam Arie er ook
een en ging tegen de aanhanger hangen voor een praatje. „Ik heb
je al zolang niet meer gezien, hoe gaat het met je?" informeerde
hij hartelijk, voordat hij in zijn appel beet. Ellis vertelde hem over
haar verkering met Tim en haar werk. Na tien minuten praten keek
ze onopvallend op haar horloge en maakte meteen aanstalten om
weer weg te fietsen. Het afgekloven klokhuis gooide ze met een
gerichte worp in de wei naast het fietspad waar een witte melk-

geit, vastgepind aan een loopketting, er meteen op af liep om het te verorberen. „Tot ziens maar weer, Arie. En nog bedankt voor het lekkere appeltje." Arie sprong meteen met een zwier achter het stuur, startte zijn tractor, lachte breed en zwaaide naar haar. Hij reed de luidruchtige tractor vervolgens met een vaart voor haar uit. Ellis trapte nu stevig door, het appeltje uit de boomgaard van Arie's vader had heerlijk gesmaakt, maar ze wilde niet al te laat bij Bella aankomen. Ze was uitgenodigd voor de maaltijd, samen met Tim. Maar Tim had geen tijd gehad, hij was samen met zijn vader druk in de weer met nieuwe klanten op de zaak. En als de klanten er niet waren geweest had hij tijd willen nemen om zich voor te bereiden op een georganiseerde wandeltocht, die voor volgende week zaterdag gepland stond in Limburg. Ellis voelde zich een beetje teleurgesteld. Het was altijd zo gezellig bij Bella en Gert. Vanwege zijn drukke baan en de afspraken bij de wandelvereniging miste Tim vaak de leuke familiebezoekjes. Té vaak, vond ze zelf. Ze hoopte maar dat daar na hun trouwdag verandering in zou komen. De teleurstelling die Ellis voelde, ebde meteen weg toen ze aan de naderende herfstvakantie dacht. Tim had bij het reisbureau een hotel in Spanje geboekt voor een volle week. Hij had haar het reisje cadeau gedaan, de lieverd! Ze zouden er met de trein naar toe reizen en heerlijk genieten van het zonnige weer en de plaatselijke bezienswaardigheden gaan bekijken. Tim had haar ook verklapt dat hij in het zonnige Spanje over een definitieve huwelijksdatum wilde praten, én over de invulling van die dag. Natuurlijk moesten ze het ook over huisvesting hebben. Waar zouden ze samen graag willen wonen? Tim wilde het liefst een huis in de buurt van 'Duister en Zn.' kopen. De afgelopen week had Ellis in de plaatselijke krant haar oog op diverse koophuizen laten vallen. Ze had aantrekkelijke woningen gezien, voor betaalbare prijzen. Er gleed een warme glimlach over Ellis' gelaat, terwijl ze de stadswallen van het toeristische Oranjestadje Buren passeerde en langs de gerestaureerde panden fietste. Een toekomst als vrouw van Tim Duister zag ze met heel veel vertrouwen tegemoet. Ze had er zin in om een week met Tim weg te gaan en alles ongestoord met hem te bespreken. Even weg van zijn drukke baan, die zoveel tijd in beslag nam. Nog een paar weken wachten, dan was het zover! Zou ze het dadelijk misschien al aan Bella verklappen? Tim wilde dat ze het nog niet meteen wereldkundig maakte, maar het was zo moeilijk om daarover te zwijgen. Ze voelde zich zo intens gelukkig! En geluk was nu juist iets om te delen met je naasten, vond Ellis. Misschien moest ze het met Bella ook maar eens hebben over de advertentie die nu al een week op het prikbord in Carola's kantoortje hing. Tim probeerde haar gisteravond nog in alle toonaarden ervan te overtuigen dat ze móest solliciteren op de functie van locatiemanager, maar zelf was ze erg huiverig voor de mogelijke gevolgen. Ze werd al een tijdje met argusogen bekeken door de collega's, die bang waren dat ze zelf geen schijn van kans maakten als zij zou solliciteren naar die baan. Ellis begreep het niet. Jenny en Miranda maakten bij het bestuur vast meer kans op Carola's baantje dan zij. Toch jammer, als ze een van die twee aanstelden, zou alles vast bij het oude blijven, met weinig tot geen ruimte voor nieuwe ideeën. Op de een of andere manier merkte Ellis duidelijk dat ze gemanipuleerd werd door haar collega's. Daarom vond ze het zo moeilijk. Het beangstigde haar enigszins. Moest ze nu wel óf niet solliciteren? Dat Tim haar zo nadrukkelijk aanspoorde was ook een beetje in zijn belang, dat voelde ze haarfijn aan. Hij vertelde maar al te vaak dat hij trots op haar wilde zijn en dat hij graag met haar promotie zou willen pronken. Daar had ze ook wel begrip voor, maar toch... Niemand stelde echt belang in de vraag wat zij zou willen.

Haar kleine nichtjes, Irma en Janneke, kwamen joelend naar buiten gerend toen ze de straat in fietste. Het tweetal had blijkbaar bij de tuinpoort op haar staan wachten. „Hoi tante El." Ellis remde af. Ze knuffelde de aanhalige meisjes en liep samen met hen naast haar fiets naar Bella's grote achtertuin, waar Gert op een ladder tegen een fruitboom stond geleund. „Neem straks een tas peren mee voor pa en ma," gebaarde hij toen ze hem gedag riep. „Ze zijn rijp en erg lekker dit jaar." Ellis nam de plastic tassen die Gert haar aanwees op en stopte ze meteen in haar fietstassen. Zo, die zou ze vanavond niet vergeten mee te nemen. „Waar is jullie mama," vroeg Ellis daarna aan Janneke van vier, die haar nog het meest aan Erica deed denken vanwege haar lengte en leeftijd. Ze miste Erica al vier lange weken bij De Regenboog. Er waren na de vakantieperiode wel drie nieuwe kindertjes bijgekomen, maar geen van die hummels had de plaats van het vrolijke meisje Kleinveld in kunnen nemen. „In haar atelier," zei Janneke diplomatiek. „Mama heeft overal met verf geknoeid, tante Ellis. Dat moet ze nú opruimen, voor zondag, hoor! Want op zondag mag mama niet met verf in haar haren naar de kerk." Janneke stak waarschuwend haar kleine wijsvinger op en keek ernstig uit haar donkere oogjes, terwijl ze haar hoofdje naar Ellis oor boog. „Dat heeft opa gezegd!" voegde ze er fluisterend aan toe. Er borrelde een lach in Ellis' keel omhoog, maar ze slikte die wijselijk in. Janneke was een ernstig wijsneusje. Het kind hoorde en zag altijd alles. Ellis herinnerde zich dat bij Bella enkele weken geleden toch nog een veegje witte verf in een haarstreng was blijven zitten na een grondige wasbeurt. Vader had op die bewuste zondag, na de kerkdienst, laconiek gereageerd op dit voorval en Janneke had opa's woorden ernstig opgepakt en ze goed onthouden. Met huppelende kinderen naast zich liep Ellis naar een aangebouwde serre naast de schuur. Daar bevond zich Bella's atelier, dat er altijd een beetje chaotisch uitzag met de vele ezels waarvan haar cursisten op woensdag en zaterdagmorgen gebruik maakten. Bella had haar eigen ezel en materialen. Ze stond meestal bij het grote raam te werken, met uitzicht op haar tuin. Bij mooi weer en redelijke temperaturen verhuisde ze haar materialen naar de tuin, of naar een open plekje in de nabije omgeving, om zo in de openlucht inspiratie op te doen. Tegen de wand zag Ellis enkele aquarellen staan die al klaar waren. Bella's trots! Ze stond ernaar te kijken toen Ellis met haar nichtjes in de deuropening verscheen. „Ik ben gearriveerd, hoor," kondigde Ellis aan. „Wat schaft de pot vanavond, zus? Mijn maag rammelt al van de honger, dat komt vast van de fietstocht."

„Hoi El, fijn dat je er bent." Bella's blik bleef onafgebroken op een aquarel gericht. Achter haar oor stak een penseel en op haar wang zat een blauwe verfvlek. Ze keek op van het schilderstuk en glimlachte afwezig. „De kinderen vertellen je wel wat we eten."

„Pannenkoeken!" jubelde Janneke. „Pannenkoeken met stroop, poedersuiker en appeltjes uit onze bomen. En voor papa één met spek. Mama zegt dat jij ons mag helpen met bakken. Dat doe je toch hè, tante El?" Ellis glimlachte, streelde Jannekes haar en keek naar Irma.

„Staat het beslag al klaar, juffertje ongeduld?"

„Nee, maar ik weet wel hoe het moet, hoor," antwoordde Irma uitbundig. „Mag ik het meel, de eieren en de melk alvast klaarzetten, tante Ellis?" Irma was de oudste, ze wilde graag met alles meehelpen. „Ga je gang, ik kom zo helpen. Ik wil nog even iets met jullie moeder bespreken."

De beide meisjes renden door de achterdeur het huis in naar de keuken. Ellis liep naar Bella.

„Er is hier hard gewerkt, vandaag," merkte ze belangstellend op. „Heb je vanmorgen veel cursisten gehad?"

„Mmm, ik heb dit keer enkele goede cursisten, Ellis. Raad eens wie er vanmorgen aanwezig was en deze groene appel heeft geschilderd?" Bella wees naar een geschilderd vel ruw Fabrianopapier dat ze op haar bureau had geplaatst, ze keek met een raadselachtige blik in haar ogen naar Ellis. „Nou, raad eens!" Ellis keek naar de aquarel voor zich waarop ze het stukje fruit geschilderd zag, met groene takjes eromheen. Een appel, zoals ze die een halfuur geleden nog had geconsumeerd. Ze haalde haar schouders op. Ze wist het niet. Ze had helemaal geen zin om over aquarellen te praten, waarvan de ene een beetje meer groen moest hebben en de ander een beetje meer diepte. Bella kon er soms eindeloos over blijven zeuren. „Geen idee! Vertel het me maar."

„Dicky Kleinveld!" verklapte Bella opgetogen. „Heeft ze je er niets over verteld? Vorige week was ze hier voor haar eerste les over materialen en kleurenleer. Ik heb haar de techniek inmiddels ook bijgebracht. Ze is erg leergierig en heeft er best aanleg voor, dat zie je wel aan dit resultaat." Ellis ogen lichtten verrast op. Dicky had inderdaad niets verteld van haar plannen om op schilderles te gaan. Dat vond ze een beetje vreemd. Nou ja, misschien was ze het haar gewoon vergeten te zeggen. Als ze om zes uur Harm had opgehaald moest ze er tegenwoordig meteen vandoor naar Sanne van Berkel, om daar Erica op te pikken. Tijd voor een gezellig babbeltje had ze na de zomervakantie niet meer gehad. Ze mopperde onlangs nog dat het 's avonds altijd zo laat werd voordat ze de warme maaltijd op tafel kon zetten.

„Dicky is soms een beetje eenzaam, met haar drukbezette echtgenoot die dag en nacht met zijn meubelpaleis bezig is. Dan zijn er de kinderen nog, én haar drukke baan op kantoor. Ze zoekt momenteel duidelijk afleiding en ontspanning in een hobby. Even iets anders aan haar hoofd. Ja ja, Dicky Kleinveld heeft absoluut oog voor de schilderkunst." Bella schoof de aquarel met de groene appel terzijde en draaide een stoel om en ging erop zitten. Ellis volgde haar voorbeeld. Ze was hongerig geworden van de lange fietstocht. Arie's appeltje was niet voldoende geweest om die honger te stillen. „Ik mag Dicky erg graag," bekende ze. „Ze nodigde me enkele weken geleden zelfs nog uit voor een privé-bezoek bij haar thuis. Ik kon helaas niet op die uitnodiging ingaan, want Carola Klomp maakt daar vast een probleem van. Zij vindt dat privé en werk gescheiden moet blijven. Als ik dus bij Dicky op bezoek ga, zien mijn collega's dit waarschijnlijk als een vorm van samenzwering. Vooral nu Dicky mij in het openbaar heeft aangemoedigd om te solliciteren."

„Wat vreemd! Je mag vrienden en kennissen toch wel zelf uitkiezen, hoop ik?" riep Bella verontwaardigd uit. „En wat bedoel je eigenlijk met solliciteren? Je bent daar nauwelijks een half jaar in dienst! Wil je al wat anders gaan doen? Ik dacht dat je tevreden was met je baan." Ellis haalde haar schouders aarzelend op. „Dáár wil ik het nu graag even met je over hebben. Ik weet namelijk niet goed wat ik moet doen, Bella. Het is allemaal zo verwarrend! Er wordt van alle kanten druk op me uitgeoefend…en uuuhm, ik wil er pap en mam niet mee lastig vallen." Helder en duidelijk vertelde Ellis daarna haar verhaal over Carola's openstaande functie aan Bella, die met gefronste wenkbrauwen luisterde en af en toe kort knikte. „Ik denk dat je collega's een beetje jaloers zijn op het goede contact dat je met de kinderen hebt en ook met hun ouders. Ze zien dat waarschijnlijk als een regelrechte bedreiging voor hun eigen positie. En Carola Klomp heeft blijkbaar een duidelijke

voorkeur voor wie haar straks moet opvolgen bij De Regenboog,"
veronderstelde Bella. „Weet je El, jaloezie is een slechte eigen-
schap. Door dat minderwaardige gedrag moet jij je niet laten beïn-
vloeden, meid. En vooral niet bang zijn. Ik geef je één goede raad:
Neem eens even de tijd en bedenk dan wat je zélf graag zou willen doen. Laat de mening van je collega's en ook die van Tim, nu
maar even naast je liggen. Trek je er niets van aan. Het gaat in
deze situatie om jou! Want wat jij wil is uiteindelijk het belangrijkste, hoor. Ambieer je die functie? Dan adviseer ik je om vandaag nog een brief te schrijven en met de sollicitatieprocedure
mee te doen. Maar misschien ben je op dit moment wel heel erg
tevreden met je huidige positie. Nou, dan laat je deze kans
gewoon voorbij gaan. Daar is niets mis mee." Bella stond op van
haar stoel en zette enkele verfdozen in de kast die tegen de muur
stond, terwijl Ellis over haar woorden nadacht. Ze besefte dat ze
erg tevreden was met haar werk, haar positie bij De Regenboog.
Maar, er was meer. Diep in haar hart verlangde ze naar groei en
ontwikkeling van haar werk bij het kinderdagverblijf. Dat ontbrak
er momenteel aan. Alles liep op rolletjes, dat moest ze toegeven,
maar er was meer.

Ze had zoveel plannetjes in haar hoofd zitten en ook al een paar
nieuwe spelletjes voor de peuters ontworpen. Leuke ideeën, die
Carola een paar weken geleden meteen van tafel had geveegd.
Wat was ze teleurgesteld geweest! Carola had het niet gezien,
maar de tranen waren in haar ogen gesprongen. Er was weinig tot
geen ruimte voor nieuwe initiatieven. Daar was ze inmiddels achtergekomen. Ellis vond dat jammer. Van Miranda en Jenny verwachtte ze eigenlijk niets anders. Die stonden ook niet open voor
veranderingen. Als een van hen straks de functie van locatiemanager kreeg, zou alles de komende jaren gewoon bij het oude
blijven. Dat was spijtig, er zou toch heel wat meer georganiseerd
kunnen worden. Er waren zoveel mogelijkheden. „Jij weet vast
wel wat je graag wil doen," onderbrak Bella haar gedachten toen
ze alles in het atelier aan kant had gebracht. Ellis keek op, zuchtte van opluchting en knikte. „Ja, ik weet inderdaad wat ik graag
wil. Ik heb zoveel plannen voor dat kinderdagverblijf. Er zijn een

heleboel leuke dingen die ik in de toekomst graag wil uitvoeren. En om dat doel te bereiken móet ik wel solliciteren, Bella. Mijn collega's, die dat baantje eveneens graag willen, zullen in de toekomst niets veranderen en alles gewoon bij het oude laten! Bedankt voor je advies. Je hebt gelijk! Het gaat erom wat ik zelf wil. En ik wil in dit geval heel graag locatiemanager worden." Bella klopte lachend op haar schouder. „Dan wens ik je heel veel succes met je sollicitatie, zusje." Ellis sprong op van haar stoel. „Ik laat het je weten zodra ik iets hoor. En dan is er nog iets..." Beiden liepen ze naast elkaar het atelier uit. Bella sloot de glazen tuindeuren af. „Tim en ik willen tijdens onze vakantieweek in Spanje concrete trouwplannen maken. Wat vind je daarvan?" Zo, het hoge woord was eruit. Ellis wachtte gespannen op Bella's reactie. Bella schudde daarop lachend haar hoofd. „Eindelijk hoor! We zitten er met z'n allen al zolang op te wachten. Wat zeggen pap en mam ervan?"

„Die weten nog helemaal niets. Jij bent de eerste en je moet het nog even stil houden, Bella. Tim wil het nu nog niet aan de grote klok hangen, snap je? Maar het wordt volgend jaar, dat is zeker." Irma en Janneke kwamen beiden met witte meelhanden de keuken uitgestormd. „Het beslag staat klaar, tante Ellis. Gaan we beginnen? Wij willen ook helpen met bakken," gilde Irma opgetogen omdat het altijd feest was als Ellis mee bleef eten. „Zeg El," Bella pakte onverwacht Ellis' arm vast en hield haar staande. Haar ogen schitterden van opwinding. „Wat vind je van twee bruidsmeisjes?" Ellis zag de blije kindergezichtjes voor zich en in haar fantasie ook witte jurkjes met veel kant en tule. „Goed idee! Ik zal het Tim tijdens onze vakantie voorstellen. Misschien moeten we de jongens van Karin en Paul ook maar vragen. Bruidsmeisjes en bruidsjonkers. Dat lijkt me enig!" Na de pannenkoekmaaltijd, die altijd met veel hilariteit gepaard ging, fietste Ellis om negen uur 's avonds weer via dezelfde fietsroute naar huis. De fietstassen met peren maakten het trappen zwaar. De boomgaarden lagen er nu verlaten bij. Na het weekend zouden de tuinders er weer met volop mankracht tegenaan gaan. En tijdens de herfstvakantie zou de schooljeugd opnieuw zijn steentje bijdragen. Zo ging het elk jaar. Ellis peddelde genoeglijk de laatste kilometers naar huis. Ze had zoveel om over na te denken. Haar wens om locatiemanager te worden en haar aanstaande huwelijk met Tim. Ze voelde zich zo voldaan en opgelucht na haar gesprek met Bella. Het was heel verhelderend geweest. Ze had zich te lang in beslag laten nemen door de mening en visie van anderen. Dat was nu definitief voorbij. Ze had vandaag veel geleerd. Bella had haar sluimerende gevoelens van zelfvertrouwen en vechtlust aangewakkerd. In dit alles was haar eigen stem het belangrijkste. Ellis voelde zich een gelukkig mens. De toekomst zag er stralend uit.

De eerste maandag in oktober begon met kille dichte ochtendnevel, die vrij snel werd verdreven door sterke zonnestralen. Het beloofde een heerlijke zonnige najaarsdag te worden. De herfst hing onafwendbaar in de lucht, Carola kon het in de ochtendkilte ruiken. En de grond lag reeds bezaaid met prachtige gekleurde bladeren en eikels. Ze liep opgetogen naar de voordeur van De Regenboog. Elke morgen was zij de eerste die de deur van het slot draaide, een verantwoordelijke taak die bij haar functie paste. Voordat ze naar binnen ging wierp ze nog een blik op het aangekochte schoolgebouw. De werkzaamheden vorderden gestaag. Ze zag uit naar januari, als de eerste kinderen van de buitenschoolse opvang over de drempel zouden stappen. Die eerste dag, de openingsdag, moest een feestelijke worden voor alle kinderen. Maar ook voor hun ouders. Carola liep naar binnen en sloot de deur. Ze hing haar jas aan de kapstok, legde haar handtas weg en zette snel een pot koffie in de keuken. Niet lang daarna arriveerden de collega's. Lachend en kwebbelend, fris voor de nieuwe dag die voor hen lag. Voordat de eerste kinderen werden verwacht dronken ze gezamenlijk nog snel een kop koffie. Onder het genot van zo'n kopje vertelden ze elkaar dan snel de laatste privénieuwtjes die ze graag kwijt wilden. Klokslag negen uur, toen de drie groepen hun startprogramma's afwerkten, ging de telefoon. Carola deed de deur van haar kantoor achter zich dicht en nam op. Het was meneer Wessel, van het bestuur. Carola glimlachte blij. Ze wachtte nu al meer dan een week op zijn telefoontje. Hij vertelde haar dat er drie sollicitatiebrieven waren binnengekomen, waaronder ook een van Ellis van Zwieten. Hij wilde op kort termijn een afspraak maken voor een gesprek met alle kandidaten. „Van tevoren wil ik wel graag de medezeggenschapsraad nog een keer bijeen roepen en hun mening over de sollicitanten horen. Hun advies is ook van belang, vindt u niet mevrouw Klomp?" Carola's blik verstarde. Dus tóch! Ellis van Zwieten had haar advies in de wind geslagen en de brutaliteit gehad om tóch te solliciteren. Carola voelde een ongekende woede in zich omhoog borrelen. Jenny en Miranda hadden haar enkele weken geleden openhartig verteld dat ze meteen hadden gesolliciteerd na haar telefoontje, maar van Ellis had ze tot op heden niets vernomen. Sterker nog, Ellis had helemaal niets gezegd! Ook niet tegen Jenny en Miranda. Carola was er daarom van uitgegaan dat Ellis niet op de interne advertentie voor locatiemanager had gereageerd. Maar dat geniepige kreng, waar iedereen momenteel zo mee dweepte, had het bewust voor haar en de rest verzwegen! Het lukte Carola nog net om meneer Wessel op vriendelijke toon te bedanken voor zijn telefoontje en gooide daarna de hoorn woest neer op het toestel. De emotie die haar overspoelde deed haar hart zwaar bonzen. „Dat achterbakse nest..." knarsetandde ze, witheet van woede. „Wat een lef! Maar ik zal niet toestaan dat zij locatiemanager wordt, ik zal alles in het werk stellen om..." siste Carola verbeten. Koortsachtig dacht ze na en zocht naar een manier om dit varkentje te wassen. Allereerst moest ze Ellis op slinkse wijze afkraken bij het bestuur, die zouden vast en zeker haar diploma verpleegkunde en aantekening voor management mee laten wegen in hun beoordeling. Ellis had ook nog een keurig getuigschrift van haar opleiding in het ziekenhuis in haar bezit. Dat wapen zou ze vast en zeker ook inzetten om deze baan te krijgen, veronderstelde Carola. Maar het bestuur zou zich van tevoren vast al laten misleiden door de bevooroordeelde medezeggenschapsraad. Alle ouders waren onder de indruk van Ellis! Carola piekerde zich suf, ze overwoog om vooraf al aan de bestuursleden te vermelden dat ze Ellis absoluut niet geschikt achtte voor het werk als locatiemanager. Maar, zou ze wel geloofwaardig overkomen als ze dat deed?, vroeg Carola zich nu af. Ze had Ellis zelf aangenomen, het voltallige bestuur had haar een half jaar geleden permissie gegeven om dat te doen. En ze had na de proeftijd van Ellis een bijzonder positief beeld van haar geschetst. Dat was het stomste geweest wat ze tot nu toe had gedaan, besefte ze wrang. Carola krabbelde peinzend op haar hoofd. Dit probleem was niet zo eenvoudig op te lossen. Ze wilde het vertrouwen dat het bestuur in haar had ook niet op het spel zetten. Carola zuchtte hartgrondig. Ze zou het buiten alle proporties vinden als Ellis er uiteindelijk met háár functie vandoor zou gaan. Dat was een onacceptabel vooruitzicht! Vooral voor Jenny en Miranda, twee hartwerkende collega's, die een promotie na zoveel jaren van trouwe dienst toch wel hadden verdiend!

Na een uur piekeren en tobben nam de allesoverheersende boosheid bij Carola wat af. Ze moest zich deze dag zien te beheersen, er lag nog zoveel werk op haar te wachten en ze wilde niet dat de anderen aan haar zagen dat ze overstuur was. Voordat ze haar kantoordeur opende haalde ze nog snel een kam door haar warrige haren. Ze wilde er zo normaal mogelijk uitzien. Niet al te verhit en opgewonden. Uit de speelkamer klonken vrolijke geluiden. Ze liep er haastig heen. Vanuit de deuropening zag ze het onderwerp van haar boosheid meteen staan. Ellis van Zwieten! Terwijl Jenny en Miranda in een hoekje van de kamer geamuseerd met elkaar zaten te praten, stonden alle peutertjes in een kring rondom Ellis, ze hadden samen dolle pret. „We maken een kringetje van jongens en van meisjes…" zong Ellis plotseling met heldere stem boven de hoge kinderstemmen uit. „Maak nu een buiging, maak nu een buiging…" Alle kleine lijfjes bogen zich zingend voorover en gaven elkaar daarna een hand. „Bij de hand, bij de hand, pak je vriendje bij de hand!" Elk kind had er plezier in. Ze lachten allemaal en sprongen op en neer. Carola betreurde het dat Jenny nu niet op de plaats van Ellis stond. Waarom kwam zij nu niet op het idee om zo'n leuk versje met de kinderen te zingen. Of Miranda? Geen wonder dat Ellis zo populair was bij de kinderen! Carola beet van frustratie veel te hard op haar lip en proefde de metaalsmaak van bloed. Hè, nu stond ze zich hier weer vreselijk op te winden. Ellis kon in velerlei opzicht beter met de kinderen omgaan dan haar collega's, moest ze tot haar grote ergernis toegeven. Ze was kind met de kinderen en had meer organisatietalent dan de rest bij elkaar. Zelfs veel meer dan... Carola zelf. Carola voelde de afgunst weer opkomen. Haar boosheid groeide als onkruid dat snel naar boven schiet. Ze zou Ellis op dit moment wel willen slaan, haar willen kwetsen, of iets negatiefs tegen haar willen zeggen. Want Ellis streefde haar in het werk duidelijk voorbij, net zoals haar afschuwelijke broers dat vroeger deden. Familie, waar ze allang geen contact meer mee had. Maar Carola besefte plotsklaps helder en duidelijk, dat dit niet het juiste moment was om haar emoties de vrije teugel te laten. Ze moest zichzelf voorlopig in bedwang houden en geduldig haar tijd afwachten om ongezien wraak te kunnen nemen. Ze moest eerst iets bedenken, daar was ze vindingrijk genoeg voor. Een boosaardige gloed flikkerde in haar ogen toen ze de blik van Jenny en Miranda opving. Ze zou het hun straks wel vertellen, dat ze bij het sollicitatiegesprek rekening moesten houden met een sterke concurrente.

Vroeg in de morgen, om half zeven, liep Dicky's wekker af. Ze was nog niet echt wakker, maar draaide met een handbeweging de knop om zodat het irritante geluid meteen stopte. Nu moest ze niet opnieuw in slaap vallen, maar goed wakker worden. Opstaan en dan meteen aan de slag gaan. Anders haalde ze het niet om op tijd op haar werk te verschijnen. Ze was moe, vreselijk moe! Het leek er wel op alsof ze al maandenlang geen goede nachtrust meer had gehad. Na de geboorte van Harm was ze niet meer de oude geworden. En ze móest vandaag nog zoveel doen waar ze als een berg tegenop zag. Net als op elke werkdag eerst douchen, aankleden, make-up opbrengen, haren in model föhnen. Daarna Harm snel in zijn badje doen, Erica uit bed halen, haar zijdelings aansporen en soms helpen met aankleden. Het leven was 's morgensvroeg een race tegen de klok. Jochem stond altijd om zeven uur op, stapte onder de douche als zij eruit kwam en zorgde meestal voor het ontbijt, Harms flesvoeding en de lunchpakketten. Als ze nu maar eens niet zo moe was! Dicky zwaaide langzaam haar benen naast het bed, terwijl haar tegenzin voor deze nieuwe dag groeide. Ze knipperde slaapdronken met haar ogen tegen het licht en geeuwde. Het was maandag vandaag, ze moest nog een hele lange week wachten op het weekend. Zaterdag en zondag, de dagen dat ze het wat rustiger aan kon doen, leken onbereikbaar ver weg. Dicky drukte zich omhoog en ging op haar wiebelige benen staan. Nu eerst onder de douche, na de eerste ferme waterstraal zou ze klaarwakker zijn, dat wist ze uit ervaring. Tijdens het ontbijt beloofde Jochem haar deze week een advertentie in het plaatselijke dagblad te laten plaatsen voor een huishoudelijke hulp. Hij zei het een beetje beschaamd omdat hij de advertentie vorige week al had willen plaatsen. Door de drukte op de zaak was het er niet van gekomen. „Denk je dat twee halve dagen per week voldoende is, Dicky?" Jochem keek haar vragend aan. „Vast wel," antwoordde Dicky geeuwend, terwijl ze Erica aanspoorde om haar glas melk leeg te drinken. Ze had zich enkele weken geleden bij Jochem beklaagd dat het haar allemaal teveel werd. „Je hebt gelijk, zo kan het niet verder. Het is goed dat je ook eens wat meer tijd voor jezelf gaat nemen." Jochem was heel begripvol geweest. Hij waardeerde haar inzet en werk voor het Meubelpaleis, hij wist dat het haar elke week enorm veel energie kostte. En ook haar zorg voor de kinderen, waarvan hij wist dat ze het allemaal veel liever zelf had willen doen, maar wat ze nu overliet aan een kinderdagverblijf en een oppasmoeder. Heel even was Dicky bang geweest dat geld een rol zou spelen in Jochems beslissing om een huishoudelijke hulp te zoeken. Maar hij had er niets over gezegd, tot Dicky's grote opluchting. „Ik wil ook graag een cursus aquarelleren gaan volgen bij Bella Aalbers," had ze er daarna aan toegevoegd. Daar was Jochem het ook meteen mee eens geweest. „Dan kunnen we in de toekomst jouw schilderwerken aan de muren van ons huis hangen," bedacht hij. „Maar dan moeten ze wel net zo goed zijn als die van Bella." Dicky glimlachte toen ze hieraan terug dacht, ze had inmiddels al wat lessen gehad, samen met nog drie andere cursisten. Aardige vrouwen, alleen iets ouder dan zij. Het waren gezellige bijeenkomsten geweest. Met haar gedachten nog bij afgelopen zaterdag hielp ze Erica in haar jas. „Mag ik vandaag ook naar juf Ellis, mam?" pruilde ze. „Dat wil ik zo graag nog een keer!" Dicky fronste verbaasd haar wenkbrauwen. Het was de allereerste keer na de schoolvakantie dat Erica terug naar De Regenboog wilde, om Ellis te zien.

„Nee meiske, mama brengt je nu naar Sanne en Nienke. En dan brengt Sanne je zo meteen naar school, dat weet je toch?"

„En Harm?" jengelde Erica verongelijkt. Dicky voelde onmiddellijk aan dat haar oudste weer een van haar dwarse buien had vandaag. Als ze hier niet tactisch mee omging was er de verdere dag geen land meer met haar te bezeilen. „Harm gaat vandaag gewoon naar De Regenboog," antwoordde Dicky omzichtig. Ze kon de naam van Ellis maar beter niet in haar mond nemen op dit moment. Daar zou Erica alleen maar dwarser op reageren om haar zin door te drijven. „Da's niet eerlijk!" bokte Erica verder. Ze stampvoette om haar woorden kracht bij te zetten. „Harm wel en ik niet! Ik ken juf Ellis al héél lang, mama! Ze is mijn vriendin, hoor." Dicky streek Erica over haar hoofd, het zou haar heel wat waard zijn als ze Erica elke morgen zelf naar school kon brengen en dat ze daarna met Harm in de kinderwagen huiswaarts kon keren om haar huishouding op orde te brengen. Misschien dat ze zich dan ook niet zo moe zou voelen. Maar daar kon ze nu maar beter niet aan denken, dat maakte haar alleen maar neerslachtig. „Lieverd," Dicky boog zich voorover en kuste Erica op haar wangen, „mama maakt straks een afspraak met juf Ellis, dan vraag ik haar of je een keer na schooltijd een uurtje naar De Regenboog mag komen. Vind je dat een goed idee?" Erica's hoofd knikte heftig 'ja'. Haar gezichtje glunderde. Ze leek tevreden met Dicky's antwoord. Jochem kwam op dat moment drukdoenerig de kamer inlopen. „Opschieten, Dicky! Het is de hoogste tijd, hoor. Ik kan mijn personeel niet laten wachten. Als vrouw van de directeur moet jij het goede voorbeeld geven en ook op tijd zijn." Met een blik op de klok zag Dicky dat het opnieuw een race tegen de klok zou worden om op tijd te komen. „Harm zit al in de auto," zei Jochem kort, terwijl hij de tassen van Erica en Harm op een holletje naar de auto bracht. Dicky volgde hem gehaast. Ondanks een optrekkende mist reed ze harder dan toegestaan naar Sanne van Berkel, die de voordeur al open deed om Erica binnen te laten. Vervolgens ging ze naar De Regenboog waar ze Harm haastig in de armen van Ellis drukte. „Ik ben eigenlijk al veel te laat. Maar weet je trouwens, dat ik schilderles krijg van je zus? Van Bella?" Dicky hijgde licht van het haastige gejakker. Ze had het al veel eerder tegen Ellis willen zeggen, maar het was er steeds niet van gekomen. Alles moest tegenwoordig zo snel gebeuren om tijdig op het kantoor te arriveren. En na werktijd was er tegenwoordig ook geen tijd meer voor een gezellig praatje zoals ze dat voorheen deden. „Ja," zei Ellis lachend. „Ik heb het inmiddels van Bella vernomen. Leuk joh! Die appel zag er erg goed uit op papier." Dicky lachte schalks bij het aardige compliment. „Morgen zet ik mijn wekker wat vroeger en kom ik Harm wat eerder brengen, dan kunnen we weer bijpraten," beloofde Dicky. Ze kuste Harm gedag die haar niet meer zag staan omdat hij met zijn open mondje, waarin twee hagelwitte tandjes blonken, naar Ellis lachte en aan haar haren probeerde te trekken. Dicky holde na een korte groet weer weg naar de voordeur. In haar auto gaf ze meteen flink gas. Ze moest helemaal naar de andere kant van hun woonplaats rijden. Tijdens de rit herinnerde ze zich haar belofte aan Erica weer. Erica die Ellis miste en haar zo graag nog eens wilde zien. Ze zou het vanmiddag meteen aan Ellis vragen, als ze Harm weer op zou halen. Toen ze haar auto bij de zaak naast Jochems auto parkeerde, braken felle zonnestralen door en was de nevel helemaal weggetrokken. Het beloofde een mooie najaarsdag te worden. Maar binnen, met haar neus in de boekhouding, zou ze er weinig van merken.

7

Tot tien uur had ze de aandacht van de peuters weten vast te houden met liedjes waarbij simpele gebaren hoorden en geitige sprongetjes. Een jongetje van anderhalf jaar oud keek vanuit de veilige ruimte in zijn box toe en Harm was van vermoeidheid in zijn wipstoeltje in slaap gevallen. Ellis vond het niet leuk dat Jenny en Miranda altijd wat onverschillig aan de kant bleven toekijken als zij zo gezellig bezig was met de kinderen. Het zou veel leuker zijn als ze met haar meededen. Maar zolang Carola hen niet aanmoedigde, hield Ellis wijselijk haar mond. Het was immers Carola's taak om dat te doen. Als ze in de toekomst een dergelijke functie zelf mocht gaan vervullen, zou ze de programma's wel anders organiseren. Ze zou het personeel dan beter stimuleren en hen doelgericht sturing geven. Dat wist ze zeker! Toen ze uitgezongen waren, kwam er limonade en koek op tafel, waar de peuters zich als uitgelaten jonge honden op stortten. Daarna werden ze door Miranda ingedeeld voor het spelen van hun eigen vrije spel. Er werd rekening gehouden met de wens van elk kind. Auto's, poppen, kleurboeken, potloden, verf, klei en blokken stonden uitgestald in diverse hoeken van de speelkamers. Van alles was ruim voldoende aanwezig om de kinderen gedurende een dag mee bezig te houden. Carola deelde daarna voor de leidsters mokken versgezette koffie rond met lekkere sprits. Koffietijd voor het personeel!

Ellis wilde even rustig gaan zitten. Ze had het warm gekregen van het vrolijke zangfestijn. Nu eerst een kop koffie. Maar voordat ze van haar koffie dronk bedacht ze zich en tilde de slapende Harm voorzichtig op uit zijn wipstoel. Ze maakte aanstalten om hem naar zijn bedje in de slaapkamer te brengen, waar hij tot lunchtijd ongestoord verder kon slapen. „Laat hem nog even liggen," zei Carola korzelig. „Dat kun je na de koffie toch ook nog doen. Harm slaapt vast wel door in dat stoeltje, hoor!" Ellis schokschouderde, ze was het niet altijd met haar eens, zoals nu. „Hij ligt rustiger in zijn bedje, Carola. Het is hier zo druk en het is zo gebeurd." Ze bracht Harm naar zijn bedje en stopte hem lekker onder het dekbed. Even knipperde hij met zijn oogjes, daarna viel hij weer als een blok in slaap. Vertederd keek Ellis naar zijn rustige ademhaling en streelde langs zijn bolle wangen. Een tevreden kereltje en heel gemakkelijk in de omgang. Zachtjes trok ze de slaapkamerdeur achter zich dicht en voegde zich bij haar collega's, die in de speelkamer de orde onder enkele kibbelende kinderen probeerden te handhaven. Nadat de rust was weergekeerd viel het Ellis op dat Jenny en Miranda haar vanaf een afstand wat zwijgzaam en met een achterdochtige blik aankeken. Carola was ineens ook beduidend stiller dan normaal. Ellis dronk peinzend van haar koffie. Zouden ze het inmiddels weten, van haar sollicitatie?, flitste het door haar hoofd. Had Carola daar misschien over gekletst, toen zij boven was met Harm? Dat zou hun zwijgzame houding meteen verklaren. Ze waren niet blij, dat stond duidelijk op hun gezichten te lezen. Ellis had eigenlijk niet anders verwacht, daarom had ze haar sollicitatie bewust voor iedereen verzwegen. Ze wilde geen slapende honden wakker maken. De beslissing om ook naar de openstaande functie te solliciteren was haar eigen persoonlijke keuze geweest. Ze had na haar gesprek met Bella niet langer meer geaarzeld en Tims hulp bij het schrijven van de brief zelfs geweigerd. Het bestuur zou best wel in staat zijn om tot een juiste besluitvorming te komen. Ze maakten alledrie een goede kans, waarbij Jenny en Miranda waarschijnlijk als besten uit de bus zouden komen. Per slot van rekening had zij – Ellis – nog geen langdurige ervaring in het kinderwerk opgedaan en dat hadden de anderen wel. Maar ze liet zich niet zomaar in een hoekje drukken. En misschien maakte ze toch nog een kans vanwege haar verpleegkundige opleiding. Alle collega's waren immers vrij geweest om op de advertentie te reageren? Nou, daar had zij ook gebruik van gemaakt! Ellis negeerde de onvriendelijke blikken van haar collega's en dronk haar mok met koffie leeg. Klokslag twaalf uur riepen ze de kinderen naar hun plaatsje aan tafel, het was inmiddels tijd om te lunchen. In de keuken plaatste Ellis het potje met gepureerde groenten van Harm in een warmer. Sinds kort kreeg hij tussen de middag naast zijn flesje en fruithap ook een groentemaaltijd toegediend. Jenny en Miranda zorgden aan hun tafels voor de meegebrachte lunchpakketjes, Carola deelde glazen melk rond en Ellis snelde naar het slaapkamertje waar Harm sliep. Meestal lag hij rond deze tijd al met grote ogen rond te kijken en te wachten op een leidster die hem uit bed kwam halen. Als ze zo meteen de slaapkamerdeur open deed zou hij haar al toelachen. Ellis duwde zachtjes de klink van de deur naar beneden, ze wilde het ventje niet laten schrikken door meteen naar binnen te stormen. Ze sloop naar zijn bedje en staarde toen ontzet naar het blauwaangelopen gezichtje van Harm. „Harm..." stootte ze geschrokken uit. Uit zijn mondje klonk een zware benauwde ademhaling waarbij hij sissende geluiden maakte. „Oooh, Harm toch!" Ellis reageerde meteen en tilde Harms hoofdje op. Ze duwde met haar andere hand zijn bovenlijfje wat omhoog, zodat de benauwdheid af kon nemen. Ze klopte daarna resoluut maar voorzichtig op zijn rugje. Er zat hem duidelijk iets dwars. Een propje slijm misschien? Ze draaide Harm nu helemaal om, met zijn hoofdje naar beneden. Maar het kloppen verlichtte zijn benauwdheid niet. Ze legde hem weer neer en opende daarna zijn mondje, maar kon niet meteen iets in zijn keeltje ontdekken. Zijn lippen liepen nu ook paars aan. De benauwdheid verergerde. Een panische angst nam bezit van Ellis. Hier was duidelijk meer aan de hand dan een benauwdheid die door wat dan ook werd veroorzaakt. Ze keek in het rond, ze moest hulp halen, er moest een arts komen. Onmiddellijk! Maar ze kon Harm in deze toestand niet alleen plat in zijn bedje laten liggen. Wacht, ze zou eerst een groot kussen van een ander bed achter zijn bovenlijfje duwen zodat hij rechtop kon blijven zitten, dat vergrootte in elk geval de inademingscapaciteit van de longen. Ze greep met haar rechterhand naar een kussen, terwijl het angstzweet haar aan alle kanten uitbrak. Daarna hoorde ze voetstappen achter zich. Ze keek op. „Carola..." Ze haalde even opgelucht adem. Gelukkig, daar kwam hulp! Maar Carola stond slechts verstijfd van schrik in de deuropening toe te kijken, met geopende mond. „Snel... schiet op! Bel 1-1-2. Harm krijgt geen zuurstof meer," schreeuwde Ellis met overslaande stem. „Cárólá... Nu!" Carola knipperde even met haar ogen, alsof ze ontwaakte uit een droom en holde toen weg. Ellis duwde voorzichtig het kussen achter Harms rug. Ze bleef bij hem en praatte tegen de slappe, bewusteloze baby die met een gierend gerochel nauwelijks genoeg zuurstof binnen kreeg. Tranen van machteloosheid gleden over haar wangen. Toen het kussen, dat hem tot rechtop zitten dwong, geen zichtbaar resultaat opleverde nam Ellis het ventje weer op en droeg hem door de kamer totdat de verpleger van een ambulancedienst na een kwartier het kind van haar overnam. Ze keek handenwringend toe, met een gevoel van absolute machteloosheid. Harm kreeg onmiddelijk een zuurstofkapje op zijn gezicht gedrukt, een andere verpleger bracht snel een infuusnaald in en de dienstdoende arts die met een stethoscoop naar zijn hartje luisterde, sommeerde hen daarna om Harm onmiddellijk naar de intensive care van het ziekenhuis te vervoeren. Carola gaf Miranda vervolgens opdracht om als begeleidster met de ambulance mee te rijden. Ellis stond erbij, haar benen trilden. Waarom gaf Carola die opdracht nu aan Miranda? Zij had Harm graag zelf naar het ziekenhuis willen begeleiden, ze wilde hem liever niet alleen laten. Met haar ogen bleef ze Harm overal volgen, totdat ze hem op een brandcard in de ziekenauto zag verdwijnen. De ambulance reed meteen met gillende sirenes weg. Carola zuchtte, het klonk meer als een opluchting. „Ik weet niet hoe ik deze gebeurtenis het beste onder woorden kan brengen, maar ik ga Dicky en Jochem meteen bellen. Ze moeten zo snel mogelijk naar Harm toe. Het ventje zag er niet al te best uit. Ach Ellis, ga jij Jenny nog maar even helpen met de lunch en de andere kleintjes." Carola delegeerde alles op zakelijke wijze, zonder enig vertoon van emotie. Ellis fronste haar wenkbrauwen. „Lijkt het je niet beter als ik Dicky even bel?" stelde ze behulpzaam voor. „Ik trof Harm blauw van benauwdheid aan in zijn bedje, ik kan haar op dit moment alle nodige informatie geven." Carola leek even van haar stuk gebracht door deze woorden, daarna gleed er een afkeurende blik over haar gezicht. „De ouders van Harm inlichten behoort tot mijn taak, Ellis van Zwieten. Ik ben hier nog steeds in dienst als locatiemanager." Ellis keek gekwetst toen Carola wegliep en zichzelf onmiddellijk insloot op haar kantoor om de Kleinveldjes te bellen. Maar Ellis kon haar gedachten niet bij de lunch houden en bij de drukke kinderen die allemaal om haar aandacht bedelden. Jenny vroeg haar ook al honderduit over het gebeurde en Ellis wist zeker dat ze als verpleegkundige niet meer voor Harm had kunnen doen, dan ze op het kritieke moment had gedaan. Ze bleef er steeds maar weer over tobben. Ze had geen enkele verklaring voor de toestand waarin ze Harm in zijn bedje had aangetroffen. Om tien uur had ze hem nog helemaal kerngezond erin gelegd! Tja, een tekort aan zuurstof, cyanotisch, dat had ze de arts wel horen mompelen. Maar hóe en waardóór dit had kunnen gebeuren, was haar een raadsel! Wat een geluk dat de hulp van de arts net op tijd was gekomen en dat Harm nu op de juiste plaats was voor verdere behandeling.

Carola vond dat ze haar plicht had gedaan. Ze had Dicky op de hoogte gebracht van Harms ziekenhuisopname. Nu zat ze met haar gedachten bij Ellis, die ze op het meest kritieke moment bij Harm had aangetroffen. Haar handelingen waren kordaat en efficiënt geweest, voor zover ze dat van een afstand had kunnen beoordelen. Dat bracht de beroepsmatige achtergrond van Ellis nu eenmaal met zich mee. Het was maar goed dat Carola baby Harm niet zelf zo in zijn bedje had aangetroffen. Ze was vast in paniek geraakt. Dat zou ze natuurlijk nooit tegen de anderen zeggen. Als locatiemanager zou ze haar zwakke kanten aan niemand laten zien. Nee, wat dat betreft mocht ze van geluk spreken dat Ellis hem had gevonden. Harm zag er akelig blauw van benauwdheid uit, alsof hij dreigde te stikken. Hij was ook helemaal slap geweest. Zoiets dergelijks hadden ze bij De Regenboog nog niet eerder meegemaakt. Wel eens een valpartijtje met een geschaafde knie en een gebroken arm bij een driejarig meisje. Maar verder geen ernstige ongevallen. Een uur later keerde Miranda weer terug. Verdrietig en nerveus vertelde ze Carola haar verhaal. „Dicky en Jochem zijn inmiddels bij Harm in het ziekenhuis. Hij ligt op de intensive care, zijn toestand is nog steeds kritiek. En de arts kan nog geen enkele mededeling doen over de oorzaak. Het onderzoek loopt nog. Ik vrees het ergste, zoals dat mannetje daar lag aan de beademing en al die andere ingewikkelde apparaten..."

Carola trok een snikkende Miranda bij zich in haar kantoor. Ze gaf haar een schone zakdoek. „Hier, snuit je neus. Luister Miranda, Harm is een sterke baby. Hij komt er heus wel weer bovenop."

Miranda staarde Carola met rooddoorlopen ogen aan. „En als dat nu niet gebeurd? Als Harm... als Harm..."

„Daar moet je niet aan denken. Nú nog niet!"

„Wat gebeurt er dan met De Regenboog, Carola? Heb je daar al aan gedacht?"

Carola schudde niet-begrijpend haar hoofd. Wat bedoelde Miranda eigenlijk met die uitspraak?

„Als Harm het niet haalt, dan krijgt het personeel van De Regenboog misschien wel de schuld van zijn benauwdheid." snotterde Miranda met bibberende stem. „Misschien beschuldigen ze ons straks wel van onoplettendheid. Je weet het maar nooit! Heeft Ellis hem zo benauwd in zijn bedje gevonden?"

Carola voelde de kleur uit haar gezicht trekken. Aan de conclusie die Miranda trok, had ze nog niet eens gedacht. Ze beleefde de gebeurtenis tijdens lunchtijd in gedachten weer opnieuw. Ellis was na het ochtendslaapje van Harm naar de slaapkamer gegaan om hem uit bed te halen. Zijn potje met groenten had ze van tevoren in de keuken al klaargezet, het stond au bain marie te warmen. Carola herinnerde zich dat ze nog steeds boos en verongelijkt was over Ellis' sollicitatie. Toen ze haar naar de slaapkamer van Harm zag lopen was ze haar trillend van woede gevolgd. Het was haar bedoeling geweest om Ellis daar ter verantwoording te roepen en een verklaring te eisen voor haar achterbakse gedrag. Ze had Ellis duidelijk willen maken dat ze met haar sollicitatie geen schijn van kans zou maken en dat zij – Carola – daar wel voor zou zorgen. Maar in de deuropening had ze Ellis in de weer gezien met Harm. Ellis hield een hoofdkussen vast van het bed dat naast Harms ledikantje stond. Ze had verschrikt opgekeken toen ze haar in de deuropening zag staan en haar toeschreeuwde dat ze onmiddellijk het alarmnummer 1-1-2 moest bellen.

Ellis, die haar nú al commandeerde! Waar haalde ze eigenlijk het lef vandaan? Alsof zij het hier nu al voor het zeggen had! Ze had nadien notabene zelfs geopperd om Dicky persoonlijk op te bellen zodat zij de Kleinveldjes op de hoogte kon brengen van Harms situatie. Wat een brutaliteit!

Carola haalde diep adem. „Ja, het was inderdaad Ellis die Harm zo benauwd in zijn bedje heeft gevonden. Het is dus háár verantwoording, Miranda. Niet de onze!" Terwijl ze deze woorden uitsprak, ontstond er in haar brein plotseling een boosaardig plannetje. De gedachten daaraan bezorgden haar zelfs koude rillingen. „Jij hoeft niet bang te zijn dat De Regenboog een slechte naam krijgt door deze gebeurtenis. Daar zal ik hoogstpersoonlijk voor zorgen. Kom, droog je tranen maar en ga nu naar de kinderen."

Miranda knikte, haalde opgelucht adem en trok de kantoordeur achter zich dicht. Alleen gelaten, tuurde Carola vanachter het raam naar de binnentuin van het kinderdagverblijf, waar een schommel stond en een geelgekleurde glijbaan met diverse wipeenden eromheen. Als ze haar plannetje nu eens ten uitvoer bracht, waren al haar problemen omtrent Ellis meteen opgelost. Het dappere optreden van Ellis tijdens Harms benauwdheid kon namelijk ook anders worden uitgelegd. Als ze nu slim was, kon ze deze situatie tégen Ellis gebruiken. Dan zou het bestuur haar sollicitatie meteen nietig verklaren en alle ouders, waaronder ook de leden van de medezeggenschapsraad, zouden een ander beeld van Ellis krijgen. Een negatief beeld, dat uiteindelijk zelfs tot haar ontslag zou kunnen leiden. Om Carola's mond gleed een berekenend glimlachje. Ja, deze kans mocht ze niet voorbij laten gaan. Ze moest alles aangrijpen om Ellis buiten te sluiten van deelname aan de sollicitatieprocedure. Dat was ze aan zichzelf, maar vooral aan Miranda en Jenny verplicht. Alvorens ze die middag naar huis ging, nam Carola contact op met het ziekenhuis en informeerde belangstellend naar de toestand van Harm. Een verpleegkundige riep Jochem aan de lijn.

„Hoe is het nu met Harm, is er al enige verbetering te melden, Jochem?" vroeg ze.

Jochems stem klonk hees en verstikt door tranen, toen hij antwoordde: „Harm ligt nog steeds aan de beademing en zijn toestand is kritiek, verder weten we niets. Er zijn wel allerlei onderzoeken gedaan, maar de uitslag moeten we afwachten. Het is allemaal heel raadselachtig, Carola. Hóe heeft dit met Harm kunnen gebeuren? Jullie worden er toch vorstelijk voor betaald om goed op onze kinderen te letten?" Het verwijt in Jochems stem ontging Carola niet. Natuurlijk zocht hij naar een verklaring. En De Regenboog was nu eenmaal verantwoordelijk voor de kinderen die overdag aan hun zorgen waren toevertrouwd. „Ik neem de nodige maatregelen, Jochem. Er komt een onderzoek, dat beloof ik je. Mijn team en ik willen zelf ook graag een antwoord op die vragen." Met haar gedachten alweer mijlenver weg wenste Carola hem veel sterkte toe en verbrak de verbinding. Even aarzelde ze nog, maar daarna stond ze resoluut op. Alle kinderen en ook de andere leidsters waren inmiddels al vertrokken. Ze sloot het pand af. Voordat ze de bekende route naar huis reed, draaide ze een andere weg op. Tien minuten later stond ze voor het politiebureau. Carola's handen beefden een beetje van spanning. „Ik wil graag aangifte doen van kindermishandeling," zei ze tegen de receptioniste achter de balie. „Ik verdenk mijn collega van een afschuwelijke misdrijf. Volgens mij is er zelfs boze opzet in het spel. De betreffende baby ligt momenteel in het ziekenhuis te vechten voor zijn leven." Het lukte Carola om tranen in haar ogen te krijgen. De receptioniste keek haar onderzoekend aan en nam na het maken van een aantekening onmiddellijk contact op met een dienstdoende agent aan wie Carola haar verhaal tot in de kleinste details vertelde. De man noteerde alles. „Zo, dus u verdenkt juffrouw van Zwieten ervan dat zij het kussen in haar hand op het gezichtje van baby Kleinveld heeft gedrukt, om hem uiteindelijk te verstikken." Carola knikte, terwijl haar hart wild tekeer ging bij deze leugenachtige beschuldiging. „Ik vrees dat het zo is, meneer. Maar omdat ik onverwacht in de deuropening verscheen en haar betrapte, moest ze opeens alles in het werk stellen om de baby te redden. Weet u, juffrouw van Zwieten is helemaal niet geschikt om met kleine kinderen te werken. Daar ben ik sinds vandaag achter gekomen. En nu... nu is het misschien te laat! Door deze gebeurtenis krijgt mijn kinderdagverblijf nog een slechte naam, dat wil ik graag voorkomen." Carola snikte een paar keer gemaakt, wreef toen demonstratief met een zakdoek langs haar ogen en keek de man tegenover haar daarna nieuwsgierig aan. Ze was benieuwd naar zijn reactie.

„Dat is een ernstige beschuldiging, mevrouw Klomp. Uiteraard zullen we juffrouw van Zwieten aan de tand voelen over dit voorval en meteen een onderzoek instellen. Het kussen, dat juffrouw van Zwieten volgens u op het gezichtje van de baby heeft gedrukt, wil ik vandaag nog in beslag nemen." De agent sloeg zijn schrijfmap dicht en stond op. „Daarom stuur ik een van mijn medewerkers nu gelijk met u mee naar het kinderdagverblijf. Kunnen we daar nog terecht? Dit moet zo snel mogelijk opgelost worden." Carola knikte, ze had immers de sleutels op zak. Het zweet brak haar echter aan alle kanten uit. Ze had Ellis' naam zojuist in opspraak gebracht. Ze had iets beweerd wat absoluut niet correct was. Maar een leugentje om bestwil was in deze situatie toegestaan, vond Carola. Ook al zou het onderzoek van de politie niets uitwijzen, dan nog zou Ellis geen enkele kans meer maken om als locatiemanager te worden uitgekozen. Haar kansen bij De Regenboog waren vanaf vandaag voorgoed bekeken. En dát was nu precies wat Carola voor ogen had.

Rika legde een laatste hand aan het avondeten. De aardappels stonden te dampen in de pan op tafel toen Henri binnenkwam. Niet veel later verscheen Ellis ook, met een rood, opgewonden gezicht. „Net op tijd!" Rika's stem klonk opgelucht. Ze had er een hekel aan om eten warm te houden voor laatkomers. Ellis hing haar jas op aan de kapstok in de gang en liet zich met een diepe zucht op een stoel aan tafel zakken. „'k Heb geen honger, mam," kondigde ze aan. De nerveuze trilling in de stem van haar dochter ontging Rika. Henri nam ook plaats. Terwijl Rika een portie aardappelen op zijn bord deponeerde viel het haar pas op dat Ellis ongedurig en gespannen was.

„Is er iets, Ellis?" vroeg ze zorgelijk.

Ellis knikte. „Ja, er is vanmiddag iets onaangenaams voorgevallen. Harm Kleinveld is met spoed naar het ziekenhuis gebracht."

Rika nam plaats op haar stoel. Ellis had hen tijdens de afgelopen maanden zoveel over de kindertjes van het kinderdagverblijf verteld, dat ze precies wist wie Harm Kleinveld was. Baby Harm was het zoontje van Dicky en Jochem, mensen die Bella's aquarellen aan de muren in hun huis hadden hangen. Rika vergat de rest van de maaltijd op te scheppen en luisterde samen met Henri naar het geëmotioneerde verslag van Ellis.

„Ik kon verder niets doen om zijn benauwdheid te verlichten, mam. Het was afschuwelijk om aan te zien! Harm had het zó benauwd."

Rika klopte Ellis bemoedigend op haar hand. „El, je hebt toch alles gedaan wat je op dat moment kon doen?"

„Het was niet genoeg. Ik begrijp niet dat zoiets zomaar kan gebeuren. Ik heb ook geen verklaring voor die benauwdheid. Het was zo eng!"

„In het ziekenhuis weten de doktoren vast wel raad met de benauwdheid van die baby," bromde Henri. „Kleine kinderen mankeren snel iets. Bij nader inzien blijkt het dan vaak onschuldig te zijn, dat heb je tijdens je opleiding tot verpleegkundige zelf wel eens aan ons verteld."

Rika pakte de opscheplepel weer beet en gaf ieder een portie groenten. Ze herinnerde zich dat Ellis zoiets dergelijks inderdaad eens tegen hen had gezegd. Haar eigen kinderen hadden vroeger, toen ze nog klein waren, ook snel last gehad van hoge koorts, die dan een dag later weer was gezakt. Tja, dat had je nu eenmaal met kleine kinderen.

Maar het verhaal van Ellis klonk Rika ernstiger in de oren dan een onschuldige koortsaanval. „Probeer vanavond maar eens contact op te nemen met de ouders van Harm. Misschien is de diagnose inmiddels al bekend. Het lijkt er wel op alsof Harm een astma aanval of iets dergelijks heeft gehad!"

„Zullen we eerst een zegen vragen?" stelde Henri voor. Hij zat ongeduldig naar zijn bord te kijken. „Mijn eten wordt koud!"

Terwijl ze hun hoofden bogen, bad Rika niet voor het voedsel op haar bord, maar voor Harm die in het ziekenhuis lag en voor Ellis die duidelijk met de situatie in haar maag zat. Henri verbrak de stilte door hardop 'amen' te zeggen. Daarna begon hij met smaak van de prak op zijn bord te eten. Ellis pakte de draad van het gesprek weer op. „Harm lijdt volgens mij niet aan astma. Hij is altijd een kerngezonde baby geweest, op een kleine verkoudheid na, maar dat maakt het nu zo beangstigend." Ze schoof haar bord van zich af. „Ik krijg het niet naar binnen, mam. Sorry!" Rika leefde met Ellis mee, ze kon zich zo goed voorstellen dat dit geval aan haar dochter bleef knagen. Ze was zo gevoelig als er iets met kleine kinderen aan de hand was.

„Ik ruim wel even alleen op," zei ze na de maaltijd. „Probeer jij het ziekenhuis maar te bellen. Misschien kunnen ze je gerust stellen."

Ellis besloot om dat advies op te volgen. Rika zag haar de telefoon in handen nemen toen de voordeurbel ging.

„Ik maak wel open," zei Henri gedienstig, op zijn beurt. Hij verdween in de gang. „Dat is vast een collectant voor een of ander goed doel," dacht Rika hardop, terwijl ze de vieze borden opstapelde. De gangdeur ging enkele minuten later weer open en Henri kwam met twee agenten achter zich aan de woonkamer binnen lopen. Zijn gezicht zag lijkbleek.

„Ellis... ze komen voor jóu!" Verschrikt keek Rika van Henri naar Ellis, die de hoorn van de telefoon krampachtig in haar hand hield.

„Voor mij?" Ellis leek verbijsterd, ze verbrak de verbinding meteen.

„Tja, u bent juffrouw Ellis van Zwieten, kinderleidster van kinderdagverblijf De Regenboog?"

„Ja, dat ben ik, maar..."

„Wij willen u graag even meenemen naar het bureau. Er zijn namelijk enkele dringende vragen over baby Kleinveld en de toestand waarin het kind zich vanmiddag bevond." De agent in uniform knikte Ellis geruststellend toe.

„Ach, ik ga wel met je mee." Rika zette de borden meteen weer terug op tafel en liep al zenuwachtig naar de gangdeur om haar jas te pakken. Het gezicht van Ellis was inmiddels nog witter geworden dan dat van Henri. Rika voelde haar eigen hart ook zwaar bonzen. Wat gebeurde er toch? Het leek wel alsof er met de komst van die agenten iets dreigends op hen af kwam. Er was nog nooit eerder politie bij hen over de vloer geweest om een van haar gezinsleden mee te nemen voor verhoor.

Rika slikte krampachtig, toen de agent haar zei dat zij niet mee mocht.

„We nemen na het verhoor wel contact met u op, mevrouw. Wacht nu maar rustig af, misschien is uw dochter over een uurtje al weer thuis." Rika had tranen in haar ogen toen ze Ellis een jas in haar handen drukte.

„Waarschijnlijk een formaliteit, Ellis. Sterkte, meisje!" zei ze schor.

Het leek wel alsof ze droomde toen ze met Henri voor het raam stond en de dienstauto van de agenten weg zag rijden, met Ellis achterin. Het voorval bij De Regenboog, deze middag, bleek veel ernstiger te zijn dan ze hadden gedacht.

„Ik bel Bella op," opperde Henri op brommerige toon. „Zij kent de familie Kleinveld ook goed. Misschien kan zij ons iets meer vertellen over die baby."

Rika keek hem aan, ze veegde een traan af die langs haar kin biggelde. Ze was niet in staat om nog een woord uit te brengen. Haar keel leek wel dichtgesnoerd. Ze klampte zich vast aan de woorden van de agent, die gezegd had dat Ellis waarschijnlijk over een uurtje weer thuis zou zijn. Dat kalmeerde haar enigszins. „En Tim…" fluisterde Rika, voordat Henri het nummer van Bella indrukte. „Je moet het Tim ook laten weten, Henri…" Henri knikte slechts. Hij zag er opeens tien jaar ouder uit.

8

Tim was verbijsterd. Hij was die maandagavond gaan lopen en had een afstand van twintig kilometer afgelegd. Toen hij zwetend thuis kwam en naar een verkwikkende douche verlangde, stond Lien hem bij de deur op te wachten. Arno was al naar bed gegaan. „Meneer van Zwieten heeft gebeld. Ellis zit sinds zeven uur vanavond op het politiebureau en wordt daar nu al uren vastgehouden en verhoord. Er is vanmiddag namelijk iets vreselijks gebeurd op het kinderdagverblijf. Ellis wordt verdacht van kindermishandeling."

„Het politiebureau?" Tim kon het nauwelijks geloven. „Ellis op het bureau vanwege kindermishandeling? Nou, dan klopt er iets niet, moeder! Ellis is dol op kinderen." Maar toen hij meneer Van Zwieten zelf aan de lijn had, kreeg hij hetzelfde verhaal te horen.

„Als er aangifte is gedaan door derden, kunt u beter een advocaat inschakelen, meneer Van Zwieten. Ze zal de hulp van een deskundige goed kunnen gebruiken." Tim had de vader en moeder van Ellis altijd netjes aangesproken met meneer en mevrouw. Zo vertrouwd als zijn zwagers waren met zijn aanstaande schoonfamilie, was hij nog lang niet. Hij hield ze liever op gepaste afstand. Henri van Zwieten bedankte hem voor het advies, hij zou er meteen werk van maken. Daarna werd de verbinding verbroken. Allerlei gedachten spookten er in een paar minuten tijd door Tims hoofd. Hij wreef peinzend met zijn hand over zijn kin. De schok van de mededeling dat Ellis verdacht werd van kindermishandeling drong nu pas ten volle tot hem door. Dit misdrijf kon wel eens nadelig uitwerken voor haar toekomst bij De Regenboog, besefte hij. En als de pers er lucht van kreeg zou 'Duister en Zn.' ook in een uiterst kwetsbare positie worden gebracht. Ellis was nu eenmaal het meisje waarmee hij binnen niet al te lange tijd wilde trouwen. Het zweet brak Tim aan alle kanten uit. „Neem een douche en ga toch naar bed," opperde zijn moeder toen hij om twaalf uur nog in zijn sporttenue liep te ijsberen door de woonkamer. „Hier help je Ellis ook niet mee. De politie zal morgen heus wel tot de conclusie komen dat ze onschuldig is."

„Ik hoop dat je gelijk krijgt, moeder," zuchtte hij. „Als dát niet het geval is, voorzie ik grote problemen."

Die nacht sliep Tim onrustig. Hij draaide zich van de ene op de andere zij, maar kon de slaap niet pakken. Telkens schrok hij wakker en dan stond Ellis hem levensgroot voor ogen. Ellis, zijn meisje waar hij zo van hield en waarmee hij binnen afzienbare tijd wilde trouwen. Hij vroeg zich af hoe het momenteel met haar ging en hoe ze zich voelde. Hij had de vorige avond nog geprobeerd om haar telefonisch te bereiken, maar de receptionist van het politiebureau had hem niet doorverbonden. Ellis zat in de verhoorkamer en mocht geen contact hebben met buitenstaanders totdat de zaak waarvoor ze in hechtenis zat was opgehelderd. Maar Tim wist nu al zeker dat Ellis geen schuld had. Er móest een misverstand in het spel zijn, dat kon niet anders. De volgende ochtend liep hij al om zes uur de trap af naar beneden. Hij had de brievenbus horen klepperen en was meteen wakker geweest. De krantenjongen had het regionale dagblad naar binnen geschoven, het bundeltje papier viel met een plof op de deurmat. Tim nam de krant meteen op en keek met afschuw naar de kop van de voorpagina. 'Kindermishandeling bij De Regenboog', las hij tot zijn grote schrik. Daarna met kleinere letters: 'Kinderleidster E.v.Z. heeft zich schuldig gemaakt aan een ernstige vorm van kindermishandeling...' Tim was even niet in staat om verder te lezen. De beschuldigende woorden vlogen hem aan. Zijn hart kromp ineen. Langzaam liet hij zich met de krant in zijn hand geklemd op de onderste traptrede zakken. Hij realiseerde zich, dat zijn leven nooit meer zou worden wat het was geweest. Hij was er kapot van, elk woord dat in het artikel stond was een leugen. Het was een opgeblazen verhaal. Dit ging niet over zíjn meisje Ellis, dat kón niet! Hij wilde het niet accepteren.

Tijdens het ontbijt overhandigde hij de krant aan zijn vader. „De situatie met Ellis is volledig uit de hand gelopen," zei hij met hese stem. „Voorpaginanieuws! En pa, het is van A tot Z gelogen wat erin vermeld staat. Denk daar alstublieft aan bij het lezen daarvan." Lien keek hem al net zo geschrokken aan als Arno. „Oooh,

Tim… jongen, wat erg!" Ze zette de theepot op tafel en boog zich over de schouder van Arno heen om het artikel mee te lezen.

„Wat ellendig voor Ellis," fluisterde Arno uiteindelijk. „En voor jou ook, jongen."

„Tja," zuchtte Lien handenwringend. „Als Ellis echt onschuldig is, hadden ze haar toch allang vrij gelaten!"

Tim keek zijn moeder met een verontwaardigde blik aan. De twijfelachtige klank in haar woorden was hem niet ontgaan.

„Natuurlijk is Ellis onschuldig," zei hij nadrukkelijk. „Het bestáát niet dat Ellis zich aan kindermishandeling schuldig heeft maakt. Dat mag u zelfs niet eens dénken!" Tim had de laatste woorden uitgeschreeuwd, hij keek boos van haar weg.

„Tim, dit bericht is voor ons allemaal een klap in het gezicht. Maar het is een feit dat haar onschuld eerst bewezen moet worden en iedereen kan zijn geduld met kleine kinderen wel eens verliezen. Ellis net zo goed! Jij haalde vroeger ook wel eens het bloed onder je moeders nagels vandaan met je ondeugende streken." Arno's stem klonk zakelijk en licht geïrriteerd. Tim stond onmiddellijk op, als door een wesp gestoken.

„Hier was ik al bang voor, pa," zei hij met verstikte stem. „Zelfs jullie geloven niet in haar onschuld." Hij liep naar de deur om de kamer te verlaten. Hij wilde zich terugtrekken, even alleen in de stilte met zijn gedachten. Het krantenbericht kon wel eens verstrekkende gevolgen hebben voor de relatie met zijn ouders en hun zakelijke belangen.

„Ik hóóp ook dat ze onschuldig is, Tim," hoorde hij Arno nog roepen voordat hij de deur achter zich dichttrok. Toen Tim om drie uur die middag vanuit zijn kantoor naar het ouderlijk huis van Ellis belde, vertelde Henri hem met gebroken stem dat de situatie nog onveranderd was. De toestand van Harm Kleinveld was nog steeds kritiek en het onderzoek naar de onschuld van Ellis in deze zaak bleek muurvast te zitten. Het kinderdagverblijf had zijn deuren voor een dag noodgedwongen moeten sluiten en de andere collega's waren vanmorgen ook naar het politiebureau geroepen om een afzonderlijke verklaring af te leggen over het functioneren van Ellis, als kinderleidster. Maar Henri vertelde ook dat Ellis inmiddels de steun had gekregen van een advocaat. De moed zonk Tim in de schoenen. Stel je toch eens voor dat Ellis straks wél schuldig werd bevonden van kindermishandeling! Wat dan? Tim schudde met zijn hoofd, alsof hij die nare gedachten eruit wilde slingeren. Het mocht niet! Dít mocht hij niet denken. Dat verdiende Ellis niet. Ze moest op hem kunnen rekenen. Hij mocht haar niet laten vallen. Maar gedachten over de mogelijke schuld van Ellis lieten hem niet los. Hij worstelde ermee, tot laat in de middag. Uiteindelijk verzamelde hij alle moed om het reisbureau op te bellen, waar hij de vakantieweek naar Spanje had geboekt. Zijn lust om een week met Ellis weg te gaan was helemaal verdwenen. De kans zat er zelfs in dat ze niet eens met hem mee kon vanwege deze uit de hand gelopen situatie. En een gesprek met haar over hun toekomst en hun huwelijksdag zou hij voorlopig niet op kunnen brengen. Er was in een hele korte tijd te veel gebeurd.

„Ik wil de reis graag annuleren, mevrouw," zei hij. „Het spijt me, maar ik moet dit helaas doen in verband met onvoorziene omstandigheden, ziet u… het reisje kan niet doorgaan. Misschien later…"

Na een rusteloze nacht besloot Carola om een halfuur eerder op te staan. Ze had het bloedheet gekregen van het warme dekbed en haar gedachten tolden almaar om de crisis die gistermiddag bij De Regenboog was ontstaan. Ondanks de schrijnende situatie waarin Harm zich toen bevond, had Carola daar haar eigen voordeel uit weten te halen. Ze hoopte maar dat Ellis hier een lesje van zou leren, ze had in ieder geval een gevoelige tik op haar vingers gekregen met die aangifte bij de politie. Ellis zou zich nu vast bedenken en haar sollicitatie intrekken. Haar naam werd immers in verband gebracht met kindermishandeling. Een vrij ernstige zaak! De politie had Ellis gisteravond waarschijnlijk al verhoord, veronderstelde Carola. De dienstklopper die het proces-verbaal had uitgeschreven liet er geen gras over groeien. Dat werd meteen duidelijk toen een collega van hem met haar mee naar De Regenboog was gereden om het hoofdkussen in ontvangst te nemen dat

Ellis in handen had tijdens haar hulpverlening aan Harm. Hij had het kussen keurig in een plastic zakje gedaan met de woorden: „Een klus voor het laboratorium." Carola glimlachte in de badkamer naar haar spiegelbeeld. Er lagen donkere kringen onder haar ogen en haar haren piekten warrig op haar hoofd. Ze poetste haar tanden, nam een douche, waste haar haren en kleedde zich aan. Maar ze was er niet met haar gedachten bij. Als locatiemanager had ze haar mannetje toch maar gestaan in deze crisissituatie. De ouders van de kinderen zouden haar straks vast hun dankbaarheid tonen. Dat ze de situatie enigszins had overdreven door meteen naar de politie te gaan en daar aangifte te doen, knaagde wel een beetje aan haar. Het vage schuldgevoel redeneerde ze snel weg. Een leugentje om bestwil was op dit moment geoorloofd. De openstaande vacature moest worden ingevuld door Miranda of Jenny en niet door Ellis van Zwieten. Uiteindelijk was dat Carola's doel. Het politieonderzoek was snel van start gegaan. Het bestuur zou dat overigens ook op prijs stellen, net als de ouders. De Regenboog moest zijn goede naam onder alle omstandigheden zien te behouden. Als de veiligheid en gezondheid van de kindertjes in het geding kwam, was een onderzoek altijd op zijn plaats. En als zij – Carola – nu niet zo gehandeld had, was Ellis straks misschien met de functie van locatiemanager gaan lopen. Daar had ze met die aangifte bij de politie een stokje voor gestoken. Dat was het enige wat momenteel telde. In de keuken streek Carola twee volle schepjes koffie af en schakelde haar koffiezetapparaat in. Zo, terwijl de koffie doorliep nam ze de lift naar beneden om haar krant en die van Alida uit de brievenbus te halen. Bij Alida's voordeur schoof ze het dagblad voorzichtig naar binnen. Het oudje stond niet eerder op dan acht uur, als de thuiszorg zich meldde om haar te wassen. Carola smeerde een boterham in haar eigen keuken, schonk de verse koffie in een mok en nam plaats aan de kleine keukentafel. Ze legde de krant open, met de voorpagina naar zich toe. Haar ogen werden echter groot als schoteltjes toen ze de kop las: 'Kindermishandeling bij De Regenboog.' Ze hapte een moment naar adem. Hier had ze niet bij stilgestaan! Het was geen moment in haar brein opgekomen dat die aangifte ervoor zou zorgen dat dit bericht via de pers zou worden verspreid. Dat kon toch niet zomaar? De politie moest gisteravond eerst nog een onderzoek verrichten. Dat onderzoek zou minstens twee dagen in beslag nemen, vertelde de agent haar nog voordat ze vertrok. Carola's ogen vlogen over de kleine lettertjes, ze las duidelijk de verstrekkende gevolgen van haar aangifte. De politie had E.v.Z. verhoord, de jonge vrouw was voorlopig in hechtenis genomen. Carola's mond viel open van opperste verbazing. Opsluiting was wel het laatste waar ze aan had gedacht. Ze stond op van haar stoel, de koffie nog onaangeroerd en van de boterham niets gegeten. Ze had niet anders verwacht dan dat de politie naar het adres van Ellis zou gaan om haar daar ter plekke aan de tand te voelen over Harms benauwdheid. Maar dat was volgens dit krantenartikel niet gebeurd, de politie had Carola's aangifte heel erg serieus genomen en er meteen werk van gemaakt.

Wat een opgeblazen artikel! Had de politie haar aangifte soms doorgeseind naar de plaatselijke pers? Hoe kwam het anders dat de journalisten van de krant op de hoogte waren? Alles klopte, behalve het feit dat Ellis zich schuldig had gemaakt aan het verstikken van Harm. Dat had zij – Carola – als een leugentje om bestwil beweerd... En dát zou de politie verder uitzoeken, hadden ze haar toegezegd. De pers had zich blijkbaar ook naar het ziekenhuis begeven, onderaan het artikel werd namelijk vermeld dat baby H.K. nog steeds voor zijn leven vocht op de intensive care. Toen Carola uiteindelijk over de grootste schrik heen was dronk ze haar mok met koude koffie leeg en besloot om zo snel mogelijk naar De Regenboog te rijden. Er stond haar een drukke, chaotische dag te wachten, dat kon niet anders. De ouders van de kinderen hadden het krantenartikel vast ook allemaal gelezen.

Niets was minder waar. Klokslag acht uur stonden alle moeders en enkele vaders in de speelkamer, met bange, boze gezichten. Er werd geschreeuwd en geroepen om meer duidelijkheid. Ellis van Zwieten was toch zo'n voorbeeldige leidster! Hoe kon het dan bestaan dat ze kleine kinderen mishandelde? Vijf ouderechtparen maakten de inschrijving van hun kinderen met onmiddellijke ingang ongedaan, enkele anderen namen hun kroost weer mee.

„Tot na het onderzoek," zeiden ze. Miranda en Jenny stonden er met witte, bange gezichten bij en in kort overleg met elkaar besloten ze het kinderdagverblijf vandaag te sluiten. De meeste ouders toonden begrip en namen hun kinderen weer onmiddellijk mee terug naar huis. Miranda en Jenny waren danig overstuur en Carola had zelf het gevoel dat ze deze dag niet naar behoren zou kunnen functioneren.

„Dat jij hiermee naar de politie bent gegaan, vind ik rijkelijk overdreven," brieste Miranda, toen ze met z'n drieën achterbleven. „Ik kon m'n ogen niet geloven toen ik de krant vanmorgen opensloeg."

„Ik had geen andere keuze," antwoordde Carola geprikkeld en nerveus. „Onze goede naam hangt ervan af, Miranda. Straks durven ouders hun kinderen ook niet meer naar de buitenschoolse opvang te brengen. Nee, er moet zo snel mogelijk duidelijkheid komen. Er is toch niets tegen een onderzoek door de politie?"

„Ellis was altijd zo lief voor de kleintjes, het is onvoorstelbaar dat ze tot zoiets in staat is. Ik begrijp er niets van!" wist Jenny met hoogrode kleur uit te brengen. „Trouwens... ik geloof er ook niets van. Dat van die kindermishandeling is gelogen, Carola! Ellis heeft vast alles gedaan om Harm van zijn benauwdheid af te helpen. Alles! Ze was dol op dat ventje!"

„Hoe kun je dat nu zeggen? Jij was er toch niet bij toen ze met dat hoofdkussen in haar hand bij Harm stond," viel Carola uit. „Ik wel, hoor! Ik heb het allemaal gezien."

„Ellis had dat kussen heus niet vast om er Harm mee te verstikken, ik weiger die leugen te geloven." Jenny keek boos van hen weg en snikte: „Ik ga naar huis. Ik blijf hier geen minuut langer meer." Carola snelde naar Jenny en sloeg een arm om haar schouders. „Toe, Jenny, loop nu niet meteen weg. Er is geen reden om in paniek te raken. De politie doet gewoon zijn werk en zal de onschuld van Ellis bevestigen, als dat zo is. Maar ik kón niet anders, ik moest hier werk van maken. Jochem Kleinveld riep me gisteren ter verantwoording en juist omdat Ellis de baby in die toestand had aangetroffen, moest ik haar naam bij de politie vermelden. Snap je?" Jenny snoot haar neus en knikte zachtjes. „Ik snap het ook wel. De politie zal er snel genoeg achter komen dat ze onschuldig is. Ellis is altijd zo lief en geduldig met de kinderen, ik ben zelfs wel eens jaloers op haar."

Er brak weer een glimlach door op Jenny's gezicht en Carola haalde opgelucht adem. Ze had niet verwacht dat de collega's het voor Ellis op zouden nemen, dat viel haar vies tegen. Hun gesprek werd verstoord door telefoongerinkel. Vijf minuten later kwam Carola het kantoortje uit, met een tevreden blik op haar gezicht.

„Dat was meneer Wessel, van het bestuur. Het is jammer, maar ik heb de opdracht gekregen om Ellis met onmiddellijke ingang op non-actief te stellen."

„Nee," klonk het als uit een mond. Miranda en Jenny keken Carola verbijsterd aan.

„Tijdens de sollicitatieprocedure zullen jullie in elk geval geen last meer van Ellis hebben. We vinden op korte termijn wel weer een andere leidster. Ik verwacht namelijk niet dat Ellis na deze gebeurtenis hier terug wil komen."

Carola haalde opgelucht adem. Haar plannetje was gelukt. Dat wat ze voor ogen had met een leugentje om bestwil had ze bereikt.

„Dat je op dit moment aan zóiets onbenulligs als een sollicitatieprocedure kunt denken, vind ik onbegrijpelijk..." hoorde ze Jenny geëmotioneerd zeggen. Miranda keek haar doordringend aan en herinnerde zich plotseling Carola's woorden weer: „Jij hoeft niet bang te zijn dat De Regenboog een slechte naam krijgt... daar zal ik hoogstpersoonlijk voor zorgen..."

Er kroop een onaangename rilling over Miranda's lichaam, terwijl ze het niet eens koud had. Dat wat Carola had gedaan, was gemeen. Intens gemeen!

Dicky en Jochem zaten al twee dagen, bijna onafgebroken, naast het ziekenhuisbedje van Harm te waken. Af en toe losten ze elkaar af om een paar uurtjes te gaan rusten, in een logeerkamer met een bed dat naast de intensive care was gelegen. Erica logeerde tijdelijk bij Sanne. Sanne had dat meteen aangeboden toen ze haar telefonisch over Harms ernstige situatie hadden ingelicht. Maar Dicky voelde langzamerhand alle energie uit haar lichaam wegtrekken. Ze was nauwelijks in staat om nog een dag langer naast

Harm te blijven zitten. Ze kon niet helder meer nadenken, de angst dat ze haar kleine baby zou verliezen, liet haar geen moment met rust. Harm lag nog steeds met gesloten oogjes aan een zuurstofapparaat. Zijn toestand verslechterde niet, maar bleef stabiel, hoewel hij nog steeds in een kritieke fase verkeerde. De kinderarts had ook nog geen diagnose vastgesteld. Het wachten was op de labuitslagen van enkele onderzoeken, waarbij vertraging was ontstaan. Dicky kon er geen enkel begrip meer voor opbrengen. Het duurde zo lang! Zou ze haar kindje dan verliezen zonder te weten welke ziekte hem dwars zat? De vorige dag was Jochem haar na een paar uurtjes rust in de logeerkamer af komen lossen, met een krant in zijn hand.

„Lees de voorpagina eens, Dicky. De leiding van De Regenboog heeft aangifte gedaan van kindermishandeling. Hier staat, dat Harms benauwdheid de schuld is van ene E.v.Z.! Maar dat..." Dicky zag Jochem moeizaam het brok in zijn keel wegslikken. „...dat zijn toch duidelijk de initialen van Ellis van Zwieten?"

Dicky keek hem verbijsterd aan, terwijl Jochem met hese stem verder sprak. „Zij heeft volgens dit bericht geprobeerd om Harm te verstikken! En wij... wij vertrouwden Ellis volkomen. Ze was altijd zó lief voor de kinderen. En nu dit..." Jochem draaide zich om, hij schudde zijn hoofd en was niet in staat om nog iets te zeggen. Dicky griste de krant uit zijn hand en haar ogen gleden snel over het artikel.

„Wat afschuwelijk dat zij..." Dicky's stem begaf het, haar bevende handen sloeg ze voor haar gezicht. „We vragen de kinderarts om advies, misschien helpt het hem bij zijn onderzoek," stelde Jochem voor, nadat hij zich hersteld had van de schok. Hij wreef met een zakdoek langs zijn ogen.

De kinderarts haalde even later zijn schouders op.

„Ik begrijp dat u ongeduldig bent, maar ik kan hier geen uitspraak over doen. De politie is ook al in het ziekenhuis geweest voor informatie. Zodra ik iets meer weet over de oorzaak, bent u de eerste die het hoort."

Daarna bleven Dicky en Jochem nog enkele uren gespannen

naast Harm waken, totdat een verpleegkundige hen dringend adviseerde om een nacht naar huis te gaan.

„Neem toch even afstand, een goede nachtrust zal u in deze situatie goed doen. Misschien is er een ander familielid die een nachtje bij Harm wil waken, dan komt u morgenvroeg weer terug."

Ze lieten zich na lang aandringen uiteindelijk overhalen en Dicky belde haar ouders op, die meteen toezegden hun plaats naast Harm de komende nacht in te willen nemen. Als in een droom liep Dicky een uurtje later haar huis binnen. Twee dagen geleden waren ze er haastig uit vertrokken. Jochem was van hieruit meteen naar zijn werk gereden en zij met de kinderen naar De Regenboog. Het was nevelig geweest en ze had haast gehad, herinnerde ze zich weer. Háást! Ze nam zich voor om nooit meer zo gehaast te zijn. Nu Harms leven op het spel stond, was er niets belangrijker dan het leven van haar kinderen. Ze was vastbesloten om hen in de toekomst geen dag meer alleen te laten. Vanaf heden zou ze elke dag zélf wel voor Erica en Harm zorgen. Geen kinderdagverblijf meer en ook geen buitenschoolse opvang. Sanne moest straks maar weer uitkijken naar een ander oppaskindje. En Jochem moest in plaats van een hulp voor de huishouding maar een administratieve hulp op de zaak in dienst nemen. Dicky voelde zich ellendig en medeschuldig aan Harms situatie. Als ze thuis was gebleven om voor Erica en Harm te zorgen, was dit vast niet gebeurd. Zij had haar baby nog nooit iets dergelijks aangedaan, zoals Ellis volgens het krantenartikel. Dicky balde haar vuisten, tomeloze woede borrelde omhoog. Waarom? Wáárom had Ellis haar kleine baby mishandeld? Waarom had ze geprobeerd om hem te verstikken? Dicky's ogen richtten zich op de aquarellen die aan de muur hingen. Ze illustreerden de verheven schepping, het leven. Werken van Bella Aalbers, de zús van Ellis. Tranen gleden onafgebroken over Dicky's wangen. Het was haast onverdraaglijk om naar die uitbundige schilderwerken te kijken. Alles wat haar op dit moment aan Ellis van Zwieten deed denken moest uit de weg worden geruimd.

Terwijl Jochem naar boven strompelde om zijn stoppelige kin te scheren en zich wat op te frissen, rukte Dicky de aquarellen van de muur en sloeg ze kapot tegen de stoelen, die om de tafel stonden. Daarna liet ze zichzelf op de grond zakken en huilde van ellende en oververmoeidheid totdat er geen tranen meer kwamen. Zo vond Jochem haar, een kwartiertje later. Hij hield de telefoon in zijn hand. In zijn ogen glinsterde de glans van hoop. „Dicky, ik had de kinderarts zojuist aan de lijn. De diagnose is bekend. Harm heeft pseudokroep! Ze behandelen hem momenteel al met aangepaste medicatie. De dokter verwacht binnen enkele uren een lichte verbetering in zijn situatie." Jochem keek daarna verbijsterd om zich heen. „Maar... wat heb jij gedaan? Waarom heb je Bella's prachtige aquarellen vernietigd? Dicky..." Jochem keek haar enkele seconden aan en begreep ineens wat haar had gedreven. De aquarellen herinnerden haar aan Ellis. Hij knielde neer en nam zijn snikkende vrouw liefdevol in zijn armen.

9

Er scheen helder daglicht door het kleine bovenraampje van de cel naar binnen. Ellis volgde met haar ogen de eindeloos lange sliert bewolking die in de lucht langzaam voorbij gleed. Ze verlangde ernaar om nu even buiten te zijn, zodat de onstuimige wind door haar donkere haren kon waaien en ze haar vrijheid weer kon voelen. Vrijheid! Zo kostbaar. Overal gaan en staan waar ze zelf wilde. Ze had nooit gedacht dat een verblijf in gevangenschap zó ingrijpend kon zijn. Het maakte haar misselijk en ziek van nervositeit. Haar maag en darmen waren overstuur en zorgden voor aanhoudende buikkrampen. Haar ouders hadden kort na haar arrestatie een advocaat ingeschakeld. Meneer Peters, een man met een uitstekende reputatie op het gebied van vrijspraak voor het gerecht. Hij werkte momenteel aan haar zaak en had beloofd dat hij haar zo snel mogelijk uit deze benarde situatie zou halen. „Er is tot op heden geen enkel bewijs gevonden en je voorlopige hechtenis mag volgens de wet ook niet langer duren dan drie dagen," wist meneer Peters te vertellen. Nadat Ellis twee dagen geleden door de politie was opgehaald van huis, hadden ze haar alsnog in voorlopige hechtenis genomen en haar verschillende keren langdurig verhoord.

Maar Ellis wist zich volkomen onschuldig, hoe vreselijk de situatie ook was, ze had niets te maken met de benauwdheid van Harm Kleinveld. Hoe kwam Carola er toch bij om aangifte van kindermishandeling te doen bij de politie? Ze had Harmpje alleen maar blauw van benauwdheid in zijn bedje aangetroffen. Die ontdekking was al traumatisch genoeg geweest. Ellis zuchtte diep en rilde bij die nare herinnering. Dat arme ventje!

Haar blik dwaalde naar de deur van de cel. Ze hoorde gemorrel aan het slot dat met een knarsend geluid werd opengedraaid. Eindelijk was het dan zover, het uur van de waarheid brak aan. Een vrouwelijke politiebeambte keek haar in de deuropening met een gereserveerde glimlach aan. „Meneer Peters wacht op u in de verhoorkamer." Haar hart bonkte in haar keel. Zonder omkijken liep ze met knikkende knieën achter de politiebeambte aan. Stel je voor dat ze die gang straks weer terug moest lopen naar de kleine cel en dat ze haar niet vrij zouden laten. Ze moest er niet aan denken. Het angstzweet brak haar uit. Ze gaf meneer Peters een klamme hand en ging zitten op de stoel die hij haar aanwees.

„Je bent vrij, Ellis. Er is geen bewijs tegen je gevonden in de zaak van baby Kleinveld," hoorde ze hem zeggen.

Ellis keek meneer Peters door een waas van tranen aan. Zijn woorden braken de spanning in haar nerveuze lichaam, zodat de buikkrampen verdwenen. Ze slikte. „Vrij?" fluisterde ze verbaasd, alsof ze het nog niet kon geloven. „Maar wie... wat is er dan met Harm gebeurd? Hij zag zo blauw en was zo benauwd."

Ellis knipperde haar ogen droog en keek naar het emotieloze gezicht van de man tegenover haar die een formulier uit zijn attachékoffertje nam. Hij haalde zijn schouders op en schudde zijn hoofd.

„Het onderzoek naar de benauwdheid van baby Kleinveld loopt nog. Maar er is geen bewijs gevonden dat jij je schuldig hebt gemaakt aan strafbare feiten. Ze mogen je niet langer vasthouden, dat gaat tegen de wetgeving in."

„Ik ben ook onschuldig. Helaas wil niemand mij op m'n woord geloven."

„Ik geloof je, Ellis. Maar je had nu eenmaal alle schijn tegen. Op het fatale moment werd jouw aanwezigheid in Harms slaapkamertje gewoon verkeerd uitgelegd door Juffrouw Klomp. Een dame met bizarre fantasieën, als je het mij vraagt. Laat alles nu maar voor wat het is, je bent vrij wegens gebrek aan bewijs." Meneer Peters schoof haar het formulier en zijn pen toe. „Wil je nog even tekenen? Helemaal onderaan graag." Hij wees met zijn vinger naar een stippellijn. „Dan is deze zaak achter de rug."

Haar hand trilde nog steeds toen Ellis onderaan het vel haar handtekening plaatste. „Bedankt, meneer Peters," zei ze toen ze hem zijn spullen weer overhandigde. Hij knikte, duwde zijn pen in de binnenzak van zijn colbert en stond op. Ellis volgde zijn voorbeeld en ging eveneens staan.

Ze zou wel een dansje willen maken van louter vreugde. Ze was weer vrij! Het blijde nieuws drong nu pas goed tot haar door. Ze mocht weer naar huis, naar haar ouders en naar Tim.

„We nemen de achteruitgang van het bureau, daar staat je vader in zijn auto op het parkeerterrein te wachten. Bij de ingang staat de pers namelijk klaar om allerlei lastige vragen op je af te vuren. Die lui kun je voorlopig maar beter vermijden. Hun berichtgevingen in deze zaak zijn tot nu toe niet erg positief geweest. Erg eenzijdig en duidelijk op zoek naar een zondebok, zoals in elke spraakmakende zaak."

De politiebeambte knikte haar geruststellend toe. „Ik ga je wel voor, Ellis," zei ze en haalde een bos sleutels uit haar zak.

Enigszins in verwarring gebracht door de rol van de pers die eveneens bij de zaak betrokken bleek te zijn, volgde Ellis de vrouw. Meneer Peters drukte haar hand en wenste haar nog snel het beste. „Het ga je goed, probeer die zaak maar snel te vergeten." Daarna maakte hij zich haastig uit de voeten.

De politiebeambte sloot de deur weer af en Ellis stond ineens moederziel alleen op de ommuurde parkeerplaats van het politiebureau. Aan de overkant zag ze plotseling de koplampen van een auto twee keer kort achter elkaar knipperen. Ze herkende de auto van haar ouders. Vader zat achter het stuur op haar te wachten. Eigenlijk had ze daar Tim liever zien staan, ze had hem vreselijk gemist.

Henri stapte uit en beende naar haar toe. Hij omhelsde haar enkele seconden. „Ellis… kind toch! Wat fijn om je weer te zien. Kom, dan gaan we snel weg." Er klonk een snik in zijn woorden. Er sprongen tranen in Ellis' ogen. Ze had tijdens haar voorlopige hechtenis helemaal niemand mogen zien dan alleen meneer Peters. Ze had zich zo ellendig gevoeld, zo eenzaam. Zelfs de krant en het nieuws op t.v. hadden ze haar onthouden. Ze nam plaats op de passagiersstoel naast vader. „Gaat het?" informeerde hij zorgelijk en keek haar van opzij aan. „Meneer Peters liet ons een uur geleden weten dat we je op dit tijdstip mochten halen bij de uitgang van het politiebureau. Ze kunnen je schuld niet aantonen, zei hij."

„Ik ben onschuldig, pap. Ik heb niets te maken met enige vorm van kindermishandeling. Het was een intens gemene streek van Carola om mij daarvan te beschuldigen. Als ik morgen mijn werk weer hervat, zal ik haar dat eens haarfijn vertellen." Vader reed door de ijzeren poort het parkeerterrein af en draaide de weg op. „Je kunt voorlopig niet terug naar De Regenboog, Ellis. Het bestuur liet ons gisteren telefonisch weten dat je voorlopig op non-actief bent gesteld. Er is erg veel onrust ontstaan bij de ouders van de kinderen en ook bij de plaatselijke bevolking."

„Nee, dat kan niet!" Met een blik van ontzetting keek Ellis naar haar vader. „Dat is niet eerlijk."

„De afgelopen twee dagen heeft er nogal wat negatieve publiciteit in de kranten gestaan omtrent je werk bij De Regenboog. Je moeder en ik adviseren je om zo snel mogelijk naar een andere baan uit te kijken. Het zal daar toch nooit meer worden wat het voorheen was. Iedereen zal jou op dit voorval blijven aankijken, ook al ben je onschuldig." Er klonk een zachte trilling van emotie in vaders stem. Hij zag er aangedaan uit en kuchte.

„Negatieve publiciteit?" Met een verkrampt gezicht draaide Ellis haar gezicht weg van vader, de pijn in haar buik kwam weer opzetten. Haar hart bonkte zwaar, alsof het op hol wilde slaan. Ze was twee dagen van de buitenwereld afgesloten geweest. Onterecht! En nu ze eindelijk weer op vrije voeten kwam, bleek ze in een val van lelijke kletspraatjes te lopen.

Het huilen stond haar nader dan de blijdschap over haar vrijlating.

Toen Henri zijn auto langs de stoeprand parkeerde en er bij Ellis op aandrong om uit te stappen, realiseerde Ellis zich pas dat ze niet voor het ouderlijk huis in Culemborg werd afgezet, maar voor het huis van haar zus Bella, in Buren.

Ze keek haar vader verbaasd aan. „Er stond vanmorgen in Culemborg om negen uur al een journalist van een of andere krant voor de deur. Je moeder en ik willen voorlopig elke confrontatie met de pers vermijden. Ze hebben al genoeg leugenachtige praatjes in omloop gebracht," zei hij, voordat ze het hem kon vragen. Ellis knikte gelaten, zonder aanstalten te maken om uit te stappen. „Er is de laatste dagen veel gebeurd, meisje. Je zult de komende weken tijd nodig hebben om alles te verwerken. Het spijt me verschrikkelijk, dat ik je nu niet naar huis kan brengen. Je moet de komende dagen maar bij Bella logeren, ze heeft het zelf aangeboden. Thuis laten ze je momenteel niet met rust. Ze staan zelfs op de uitkijk, te wachten op je thuiskomst." Henri's stem klonk somber, maar ook bedaard. Bella had hem vanmorgen geadviseerd om Ellis na haar vrijlating rechtstreeks naar Buren te brengen. Hij had haar uitnodiging als een formidabel idee begroet toen hij die opdringerige journalist had weggestuurd.

„Weet Bella..." Ellis slikte het opgekropte brok emotie in haar keel weg.

Ze vond het zo erg dat ze niet naar huis kon worden gebracht, naar haar eigen kamer waar haar eigen spulletjes en kleding waren. En ze verlangde naar Tim. Ze zou diep weg willen kruipen in zijn sterke armen. Maar ze voelde slechts vaders hand op haar schouder.

„Bella, Gert, Karin, Paul en natuurlijk mama, wachten binnen op je. Iedereen heeft de laatste dagen intens meegeleefd, Ellis. Kom, dan gaan we," antwoordde Henri en stapte uit de auto. Bella's voordeur vloog al open. Rika verscheen in de opening en spreidde haar armen wijd uit. Ellis liet zich met gesloten ogen, waarachter lastige tranen brandden, omhelzen. De anderen kwamen er omheen staan. Ellis keek ze even later een voor een aan.

„Waar is Tim?" vroeg ze gesmoord, terwijl ze een traan van haar wang veegde. Ze had zo gehoopt dat hij erbij zou zijn, maar hij was er niet.

„Tim komt vanavond, hij kon zich niet eerder vrijmaken"

Rika praatte op sussende toon, alsof ze Tim wilde verontschuldigen. Maar Ellis liet zich geen rad voor ogen draaien, ze voelde diep vanbinnen een enorme teleurstelling omhoog borrelen. Tim, die in deze situatie geen uurtje vrijaf had kunnen nemen om haar te begroeten, nadat ze twee zenuwslopende dagen op het politiebureau was vastgehouden. Ze kon het niet bevatten. Dát had ze niet van hem verwacht.

Tijdens een kopje koffie vertelde Ellis wat haar deze laatste dagen was overkomen. „Het was echt afschuwelijk, die lange verhoren met steeds dezelfde vragen. En die kille cel op het bureau zal ik ook niet snel vergeten. Het lijkt er nog steeds op alsof het een nare droom is geweest."

„Probeer het maar zo snel mogelijk te vergeten, kind," zuchtte moeder zorgelijk. „Je kunt in ieder geval met opgeheven hoofd verder gaan. Je onschuld is bewezen."

„Ik ben voorlopig wel mijn baan kwijt," fluisterde Ellis, nauwelijks verstaanbaar. „Carola heeft me niet alleen valselijk beschuldigd, ze heeft er ook voor gezorgd dat ik op non-actief ben gesteld. Dat kan ik niet zomaar vergeten."

Ellis vroeg daarna meteen naar de plaatselijke kranten, die voor zoveel negatieve publiciteit hadden gezorgd. Ze moest meerdere malen slikken en moeite doen om het niet uit te gillen toen ze de kopstukken las. In deze artikelen was ze al op voorhand veroordeeld, zelfs nog vóórdat vast was komen te staan waarom baby Kleinveld het zo benauwd had gekregen. De journalist had Carola's leugenachtige aangifte bij de politie blijkbaar meteen als waarheid aangenomen. Wat een afschuwelijk beeld werd er van haar geschetst! Ellis had tijd nodig om alle berichten te verwerken. Er waren misschien wel duizenden mensen die deze krant hadden gelezen. Veelal onbekende mensen, maar ook bekenden. Wat een smaad werd er met deze artikelen op haar goede naam geworpen. Het was haast ondraaglijk! Ellis huilde langdurig.

Het was moeilijk voor de familieleden om haar te troosten en om haar weer nieuwe moed in te praten. Ze probeerden het elk op hun eigen manier. Later vertrokken haar ouders en Karin en Paul weer naar huis. Ellis had zich nog nooit zo ongelukkig gevoeld. Het leek wel of door de gebeurtenis met Harm alles van haar was afgenomen. Toen Irma en Janneke uit school kwamen, vertrok Ellis snel met dikke rode ogen naar de logeerkamer. Ze wilde niet dat de meisjes haar zo zagen. Ze zou niet weten wat ze hen moest vertellen. Moeder had een weekendtas met wat nodige kledingstukken en toiletartikelen achtergelaten voor de duur van enkele dagen; die wilde ze uitpakken, dan had ze meteen iets omhanden. Terwijl ze haar spullen in een kast sorteerde, stond Bella plotseling achter haar. Haar ogen glommen geheimzinnig. „Ellis," zei ze, „ik kreeg zojuist een telefoontje van een cursiste, die net als Dicky op zaterdagmorgen hier de cursus aquarelleren volgt. Die cursiste woont bij Dicky en Jochem in de straat en heeft naar de baby geïnformeerd. Zij heeft mij zojuist opgebeld en wist me te vertellen dat de diagnose van Harm Kleinveld vanmiddag bekend is gemaakt. Hij lijdt aan een zeer ernstige vorm van pseudo-kroep en zijn toestand is op dit moment al iets verbeterd." Ellis bleef stokstijf stil voor de kast staan. Er voer een siddering door haar lichaam. Ze draaide zich daarna langzaam om. „Pseudo-kroep?" Er lag oprechte verbazing in haar stem.

Bella knikte. „Harm was een geval waarbij ze dat moeilijk konden constateren, daarom heeft het onderzoek wat langer geduurd. De meeste kinderen die pseudo-kroep onder de leden hebben zijn minder benauwd dan Harm."

„Wat een geluk dat het nu beter met hem gaat." Ellis haalde opgelucht adem en ze keek met een machteloze blik in haar ogen naar boven. Ze nam enkele seconden de tijd voor een schietgebedje, om God te danken voor de positieve wending in Harms situatie.

„Dicky en Jochem zullen…" Het lukte Ellis niet om verder te praten. Het onderwerp lag zo gevoelig. Tranen van opluchting welden omhoog en lieten zich niet terugdringen. Bella nam haar zus in de armen en klopte op haar schouders.

„Ik ben zó bang geweest dat Harm het niet zou halen," snufte Ellis enkele minuten later, toen ze weer tot bedaren was gebracht. „Ik ben werkelijk dol op dat kereltje. En dan te bedenken dat Carola mij vals heeft beschuldigd van kindermishandeling! Ze zal nu wel op haar neus kijken. Pseudo-kroep is over het algemeen goed te behandelen. Gunst, wat ben ik blij dat het beter gaat met Harm. Zó blij!" Er brak een magere glimlach door in Ellis' betraande ogen.

Rika en Henri kwamen samen thuis, uitgeput door alle emoties.

„Zal ik een kopje koffie zetten, Henri?," vroeg Rika, met trillende stem.

„Nee vrouwtje, dat hoeft niet. We hebben bij Bella al heel wat koffie op. Ga maar eens lekker in die stoel zitten. Je ziet er vreselijk moe uit."

Henri gaf Rika een duwtje in de richting van haar comfortabele stoel die in de hoek van de kamer stond, bij het raam. Daar zat ze 's middags vaak te breien en af en toe naar buiten te kijken.

„Ik weet niet of ik kan blijven zitten, Henri. Ik ben zo… bóós, zo opstandig!"

„Boos?" Henri trok zijn wenkbrauwen verrast op. Rika zag er helemaal niet boos uit, wel verdrietig. Net als hij. „Ja! Ik vind het zo onrechtvaardig wat onze Ellis is overkomen! Ik heb er geen woorden voor. Ik ben zo boos op… op die locatiemanager van De Regenboog. Hoe heet ze ook alweer? Carola… en dan nog iets."

„Klomp," vulde Henri aan. „Carola Klomp. Maar maak je daar nu niet zo druk over, Rika. Ellis is vrij en niet schuldig bevonden. Carola heeft straks héél wat uit te leggen aan het bestuur en haar collega's."

„Ja, maar inmiddels is Ellis voorlopig haar werk kwijt, haar naam is door het slijk gehaald… oooh Henri… ik heb zó met haar te doen!" Rika drukte een zakdoek tegen haar ogen en snikte. „Ze ziet er zo verslagen uit."

Henri sloeg een arm om haar schouder en drukte haar vervolgens troostend tegen zich aan. Hij moest eveneens moeite doen om zijn ogen droog te houden.

„Ik ook, lieverd! Ik heb ook medelijden met onze dochter. Maar ik heb er toch alle vertrouwen in dat het weer goed zal komen met haar. Hier komt ze wel overheen. Ken je dat spreekwoord nog, Rika? Al is de leugen nog zo snel…"

Op Rika's verdietige gezicht brak een magere glimlach door. Ze knikte. „Ja, ik ken het! de waarheid achterhaalt haar wel."

„Dan nóg iets! We mogen ook op onze hemelse Vader vertrouwen en voor Ellis bidden." Henri's ogen lichtten dankbaar op en keken Rika liefdevol aan toen hij deze woorden uitsprak.

„Natuurlijk! Je hebt gelijk. Dat is een hele troost, Henri."

„Ga nu maar lekker in je luie stoel zitten en rust wat uit." Henri leidde Rika naar haar stoel. Met een diepe zucht liet ze zich erin zakken. „Ik hoop dat Ellis weer snel thuis komt.

Staan die journalisten nog op de uitkijk, Henri?"

Henri tuurde de straat af en schudde zijn hoofd. „Ik zie op dit moment niemand."

Rika leunde met haar hoofd achterover en sloot haar branderige ogen. „Misschien dat ze over een paar dagen weer naar huis kan komen. Vind jij het trouwens ook niet raar dat Tim nog niets van zich heeft laten horen?"

Henri nam plaats op de stoel tegenover Rika. Hij keek zorgelijk naar zijn vrouw. Ze maakte zich zo druk over de hele situatie. Ze had al twee nachten geen oog dicht gedaan.

Niet dat hij zich geen zorgen maakte. Maar hij was meer een binnenvetter. Rika praatte al haar zorgen en problemen altijd meteen van zich af. Hij had door de jaren heen geleerd om steeds geduldig naar haar te luisteren. Zijn houding maakte haar rustig.

„Tim is geen knip voor z'n neus waard!" mopperde Henri. „Als ik boos ben op iemand, dan is het wel op Tim."

„Henri toch! Tim wordt straks wel onze schoonzoon, hoor."

„Ellis verdient beter, Rika. Hij had er moeten zijn toen ze vanmiddag op vrije voeten kwam en…" antwoordde Henri, maar brak zijn woorden meteen af, omdat de telefoon luid rinkelde.

Heel even overwoog hij om niet op te nemen. Misschien was het wel weer een journalist die hen lastig wilde vallen met vervelende vragen.

„Neem op, Henri," drong Rika met gesloten ogen aan. „Als het zo'n journalist van de krant is kun je hem meteen op de hoogte brengen van Ellis' onschuld." Het leek wel alsof Rika zijn gedachten kon lezen. „Van Zwieten," baste Henri kortaf toen hij gehoorzaam de hoorn aan zijn oor bracht. „Dag Bella, ja, ik luister…"

Rika opende haar ogen en keek naar Henri's zwijgende gezicht. Daarna zag ze een glimlach over zijn gezicht glijden. „Dank voor je telefoontje, meid. Ik vertel het meteen aan mama."

Henri verbrak de verbinding en keek naar Rika die opstond uit haar stoel.

„En?" drong ze nieuwsgierig aan. „Is er iets nieuws te melden?"

„Ja, over dat ventje van Kleinveld…" Henri zocht koortsachtig in zijn geheugen naar de naam van de baby.

„Harm?"

„Ja, baby Harm. Hij lijdt aan pseudo-kroep, wist Bella te vertellen. Hét bewijs voor Ellis' onschuld!" Rika knikte tevreden. „Ik hoop voor kleine Harm dat hij snel weer opknapt. Hoe triest het ook is, voor Ellis is dit absoluut een positief bericht."

Henri lachte, opgelucht ineens. „Ik heb nu wel zin in een sterke kop koffie, vrouwtje."

„Ik ga snel een potje zetten." Rika dribbelde meteen naar de keuken. Er gleed een last van haar schouders. Het zou allemaal weer goed komen met Ellis. Dat wist ze ineens heel zeker.

Handenwringend zat Ellis op Tim te wachten. Ze had aan het begin van de avond al naar hem uitgekeken, maar de klok wees inmiddels half tien. „Waar blijft hij toch?" had ze enkele malen gezucht. Ze verlangde ernaar om hem te zien en hem deelgenoot te maken van de afschuwelijke beschuldigingen die ze de laatste dagen het hoofd had moeten bieden. Ze zat in de woonkamer met Bella en Gert naar een documentaire op tv te kijken, maar in werkelijkheid zag ze niets anders dan alleen maar beelden. Haar hoofd was er niet bij. Irma en Janneke had ze om half acht naar bed gebracht met een mooi verhaal. Deze keer had ze niets weten te verzinnen, ze had iets voorgelezen uit een boek. En ze had daarna samen met de meisjes een kort gebedje gebeden voor de komende nacht, omdat ze Tim al vroeg verwachtte. Om kwart voor tien werden ze opgeschrikt door het geluid van een autoclaxon voor het huis. Bella schoof de vitrage iets opzij en keek of ze de persoon die erin zat herkende. „O Ellis, het is Tim. Zo te zien is hij niet van plan om binnen komen. Ga maar snel naar hem toe." Ellis sprong op uit haar stoel. Haar hart bonsde wild van opwinding, alsof ze hem al jaren niet had gezien. Ze zag niet meer dat Gert met een boos gezicht naar Bella keek en „wat een lafaard," mompelde. In de gang nam ze snel haar vest van de kapstok en trok de voordeur open. Raar, dat Tim nu niet even binnen wilde komen. Bella had nog wel koffie voor hem bewaard met een lekkere punt zelfgebakken taart. Ze opende het portier van zijn auto.

„Stap in," zei hij onmiddellijk. „Dan gaan we samen een eindje rijden." Ellis gehoorzaamde onmiddellijk, ze was te verbaasd om tegen hem in te gaan en hem in Bella's huis uit te nodigen. Toen ze zat en de autogordel omdeed, trok hij meteen op. Ze keek Tim even van opzij aan, maar hij bleef strak op het wegdek turen dat zijdelings aan haar ogen voorbij flitste. „Tim," ze sprak zijn naam enigszins verontwaardigd uit, „ben je niet blij om me te zien?" Ze zag dat hij zijn lippen op elkaar perste. Tim parkeerde zijn auto buiten de bebouwde kom op een parkeerterrein.

„Ach Ellis," zei hij, nadat hij de motor had afgezet, „natuurlijk ben ik blij om je te zien, maar..." De woorden waren aarzelend uit zijn mond gekomen. Tim zweeg even en schudde zijn hoofd. Hij wreef daarna met beide handen door zijn gezicht. „Het spijt me, dat ik er vandaag niet bij kon zijn. Het spijt me écht, maar..."

„Ik weet het, je werk liet het niet toe." Ellis maakte zelf zijn antwoord af en lachte. Ze was allang blij dat hij er nu was en naast haar zat. Het teleurgestelde gevoel dat ze de hele dag had gehad was verdwenen. Ze wilde juist haar hoofd op zijn schouder leggen toen hij haar met een ernstige blik aankeek.

„Tja, dat is zo. Ik zat tot over m'n oren in het werk," gaf Tim toe. „Maar ik wil je meteen duidelijk maken dat alle publiciteit omtrent jouw situatie momenteel ook veel afbreuk doet aan mijn bedrijf, snap je. We zijn vandaag benaderd door de plaatselijke krant. Ze wilden een interview met mij, omdat ik je persoonlijke vriendje ben. Dat waren ze via slinkse wegen te weten gekomen. Vader heeft met veel moeite die journalist van zich af weten te schudden. Hondsbrutaal zijn die lui."

„Er is niets om je voor te schamen, Tim. Ik ben absoluut onschuldig, hoor." Ellis' stem klonk hoog van verontwaardiging. „Of heb jij soms je oren laten hangen naar al die valse beschuldigingen in de krant?" Tim schudde krachtig zijn hoofd. „Ik heb geen moment aan je getwijfeld, Ellis. Geen moment!" Ellis schraapte haar keel en nam het woord weer. „Harm Kleinveld heeft pseudo-kroep, dat kreeg ik vanmiddag via betrouwbare bron te horen. Ik vond hem drie dagen geleden in zijn bedje, dodelijk benauwd. En ik heb álles gedaan wat in mijn vermogen lag, om dat kind van die benauwdheid af te helpen."

„Ach Ellis, wat hebben ze ons toch aangedaan?" kermde Tim binnensmonds en sloeg van pure machteloosheid met zijn hand op het stuurwiel. „Al die afschuwelijke publiciteit!"

„Het was een hel, dat mag je best weten. Het is vreselijk als je verdacht wordt van een misdrijf, terwijl je toch weet dat je onschuldig bent. Ik mag voorlopig ook niet gaan werken bij De Regenboog. Het bestuur heeft me op non-actief gesteld."

„Nee toch!"

Ellis knikte heftig. Ze probeerde haar tranen tegen te houden en beet op haar lip. Tim floot gelaten door zijn tanden. „Het is zelfs erger dan ik had gedacht! Wat ellendig voor je... en natuurlijk ook voor mij... én de zaak."

„Ik zie uit naar onze vakantie in Spanje, Tim. Even weg van alles. Daar ben ik wel aan toe!" De stilte na haar laatste woorden duurde enkele minuten. Daarna keerde Tim zich van haar af en zei beschaamd: „Het spijt me, meisje, maar die vakantie heb ik geannuleerd. Ik wist namelijk niet precies wanneer je op vrije voeten zou komen. En zakelijk gezien..." Ellis hoorde niets meer. Het bloed suisde door haar hoofd, dat vreemd licht aanvoelde. Tim had de vakantie, waar ze zich zo op had verheugd, afgezegd. Hun huwelijksplannen werden daarmee vanzelf ook meteen op de lange baan geschoven. Ellis huiverde, ze raakte alles kwijt. Zelfs aan de liefde van Tim begon ze te twijfelen. Hij had haar nog niet eens gezoend, of een arm om haar heen geslagen. Het enige dat op dit moment voor hem telde was het belang van 'Duister en Zn.'. Hij en ook zijn ouders, waren bang dat haar bezoedelde naam een smet zou werpen op hun maatschappelijke positie. Tim vroeg haar begrip daarvoor, hij moest ook aan de toekomst denken, zei hij.

„Over enkele weken is iedereen die situatie bij De Regenboog weer vergeten, dan boeken we opnieuw een reisje," beloofde hij daarna royaal toen hij haar teleurgestelde blik opving.

Ellis gaf geen antwoord, ze was even niet in staat om met Tim over een nieuwe reis te praten. Nu Tim het uitstapje naar Spanje op eigen initiatief had geannuleerd, leek het wel alsof de bodem definitief onder haar voeten was weggeslagen.

Tim startte zijn auto, na een pijnlijk moment van stilte tussen hen beiden. Hij reed Ellis terug naar haar logeeradres. „We doen het voorlopig even rustig aan, meisje. We hebben allebei tijd nodig om alles te verwerken," zei hij, terwijl hij vluchtig een zoen op haar voorhoofd drukte. "Wanneer zien we elkaar weer?" fluisterde Ellis, voordat ze uitstapte. Tim haalde zijn schouders op. „Ik bel je nog wel," was zijn ontwijkende antwoord. Ze hoorde hem even later met gierende banden de hoek omrijden.

Toen Ellis de gang van Bella's huis inliep, stond Bella haar al op te wachten.

„En?" informeerde ze voorzichtig. „Was Tim blij om je weer te zien? Wat was zijn reactie en waarom wilde hij niet even binnenkomen?"

Ellis hing haar vestje weer op aan de kapstok.

„Tim maakt zich alleen maar druk om Duister en Zn. Hij is bang dat de zaak er onder zal lijden als in de pers bekend wordt gemaakt dat ik zijn vriendin ben. Een vriendin die volgens de krant kleine kinderen mishandeld. Bah!"

„Belachelijk!" stiet Bella uit. „Dit is nauwelijks te geloven!"

„Tja en onze vakantie heeft hij ook geannuleerd." Ellis graaide naar haar zakdoek en snikte. „Ik had me er zo op verheugd om een weekje weg te gaan... oooh Bella..."

Bella sloeg troostend een arm om de schouders van haar zus. „Dat had ik niet van Tim verwacht, Ellis. Zijn reactie vind ik niet erg netjes. Eerder beschamend!"

„Ik begrijp er ook niets van!" snotterde Ellis. „Ik twijfel nu zelfs aan zijn liefde voor mij... hij was daarnet zo kil, zo afstandelijk."

Bella zweeg enkele minuten en nam daarna Ellis gezicht tussen haar beide handen. Het voelde troostrijk aan. „Ik moet morgen voor mijn aquarellen naar een hotel in Oisterwijk. Ze hebben daar belangstelling voor mijn werk en er komt binnenkort een expositie. Ik heb een afspraak om alles te regelen. Heb je soms zin om met me mee te gaan? Dan ben je er even tussen uit. Pap en mam zorgen na schooltijd voor de meisjes en Gert kookt het avondeten." Ellis sloot even haar betraande ogen, haar hoofd en schouders deden pijn van de spanning. Bella's voorstel klonk heel erg aanlokkelijk. Even weg uit de nachtmerrie, die maar niet ophield te bestaan.

„Ja, ik ga gráág met je mee," antwoordde ze en wenste dat ze op dit moment meteen kon vertrekken.

Tim reed met een vaart terug naar Culemborg. Voordat hij naar zijn ouderlijk huis ging, stuurde hij zijn auto naar een plekje aan de oever van de Lek, waar hij parkeerde. In de duistere avond glinsterde het kabbelende water, in de verte zag hij door de straatverlichting vage contouren van de spoorbrug. Hij voelde zich ellendig, niet in staat om op dit moment zijn ouders al onder ogen te komen. Hij stond namelijk niet in voor zichzelf. Hij was nog steeds boos. Diep vanbinnen worstelde hij met de enorme druk die ze, sinds de arrestatie van Ellis, op hem hadden uitgeoefend. De eerste twee dagen hadden ze beiden nog wel in de onschuld van Ellis geloofd. Maar na het rampzalige krantenartikel, waarin Ellis werd beschuldigd van kindermishandeling, was er in hun vrienden en kennissenkring een ware roddelcampagne ontstaan. De telefoon rinkelde aanhoudend, elke beller wist wel iets negatiefs over De Regenboog of Ellis van Zwieten te vertellen. Vanmorgen, al heel vroeg, hadden zijn ouders hem bij het ontbijt te kennen gegeven dat ze de geloofwaardigheid van Ellis nu wel ernstig in twijfel begonnen te trekken. Waarom zat ze dan nog steeds vast op het politiebureau? Was die goede advocaat dan niet in staat om haar vrij te krijgen?

„Denk je wel aan Duister en Zn., jongen? Dat ben je aan ons verplicht. Ik stel voor dat je de komende tijd eens goed nadenkt over je relatie met Ellis van Zwieten. We kunnen het ons niet veroorloven om een schoondochter met zo'n twijfelachtige reputatie binnen te halen." De woorden van zijn vader hadden hem diep getroffen. „Want dat kan ons namelijk heel wat klanten kosten..."

Tim was een woordenwisseling met zijn ouders niet uit de weg gegaan, maar uiteindelijk kapte hij het gesprek met zijn geïrriteerde ouders toch af. Hij stemde erin toe om de komende tijd zijn relatie met Ellis wat te laten bekoelen.

„We hebben allemaal tijd nodig om dit drama te verwerken,

maar ik houd van Ellis. Ik kan haar niet loslaten. Ik geloof nog steeds in haar onschuld," had hij op sussende toon geantwoord.

Daarna was er een opdringerige journalist aan de deur gekomen, die aanbelde omdat hij een interview wenste met de vriend van Ellis van Zwieten. Speciaal voor het plaatselijke nieuwsblad. Die vriend, dat was hij. Tim Duister! Daar waren ze via allerlei omwegen achter gekomen.

„Ellis is hier bij daglicht voorlopig niet welkom, jongen." Lien was helemaal over haar toeren geweest van die journalist. Haar venijn reageerde ze meteen af op Tim. „Nu staat de pers al hier aan de deur! De mensen zullen er schande van spreken."

Tim was uiteindelijk verbitterd naar zijn werk gereden, het conflict met zijn ouders had de hele dag door zijn hoofd gespookt. Verdraaid, verwachtten ze nu dat hij onmiddellijk een punt achter zijn relatie met Ellis zette?

Dat was wel al te kortzichtig en ook erg ongevoelig. Dat kon hij niet doen. Daar was ze hem te lief voor. Hij was, door de ruzie met zijn ouders, zelfs niet in staat geweest om Ellis van het politiebureau op te halen, toen Henri van Zwieten hem daarover belde.

„Ik kom vanavond wel, het is nu te druk op de zaak," had hij verontschuldigend gezegd. Daarna voelde hij zich schuldig om dat botte antwoord. Het was een leugen geweest. Ondanks de drukte had hij best kunnen gaan. Hij besefte maar al te goed dat Ellis hem in het huis van haar zus verwachtte en dat ze naar hem uitkeek. Maar hij kon zijn ouders beter niet in opspraak brengen door Ellis op klaarlichte dag te bezoeken.

Zelfs de mededeling van Henri, dat Ellis volgens het politieonderzoek onschuldig was aan de benauwdheid van die baby, stemde hem niet eens optimistisch. Dat maakte de krantenartikelen niet ongedaan.

Tim was vanavond gegaan, nadat het allang donker was geworden. Tijdens zijn korte ontmoeting met Ellis had hij ook meteen alles verknald met zijn afstandelijke houding, hij voelde dat intuïtief aan. Maar hij kon niet anders. Hij zat letterlijk en figuurlijk tussen twee vuren in geklemd. Enerzijds was daar Ellis, het meisje dat hij liefhad en met wie hij dolgraag wilde trouwen. En anderzijds waren er zijn ouders, die er op dit moment moeite mee hadden om Ellis als hun toekomstige schoondochter te beschouwen. Tim sloot zijn ogen en dacht lang na over de situatie. Hij wilde zo graag zijn beide ouders en ook Ellis tevreden stellen. Een tijdelijke afstand leek hem op dit moment de allerbeste weg. Ja, dat was misschien wel een goed begin. Ellis had voorlopig ook tijd nodig om de gebeurtenissen rondom haar arrestatie te verwerken. Over een paar weken zou de bui wel weer gezakt zijn, vermoedde Tim. Dan dacht geen mens in Culemborg en omstreken nog aan hetgeen er gebeurd was.

Dan zou ook Ellis' naam gezuiverd zijn van alle nare beschuldigingen. Per slot van rekening was ze toch onschuldig, volgens het politieonderzoek! En nu maar hopen dat dát goede nieuws ook door de pers zou worden opgepakt, zodat er over de juiste toedracht van baby Kleinvelds benauwdheid ook een artikel in de krant zou komen te staan. Bij dat vooruitzicht slaakte Tim een zucht van verlichting. Dat hij daar nog niet eerder aan had gedacht! Een gerectificeerd krantenbericht zou wel eens de oplossing kunnen zijn om zijn ouders wat milder te stemmen. Tims frustratie verdween onmiddellijk. Hij startte zijn auto weer en reed naar huis.

Dicky lag dagenlang op bed. Nadat bekend was geworden dat Harm aan pseudo-kroep leed, stortte ze in van alle spanningen en oververmoeidheid. De huisarts, die Jochem meteen had laten komen, schreef kalmerende tabletjes voor. „Uw vrouw is overspannen, laat haar de komende weken zoveel mogelijk slapen en tot rust komen," had hij geadviseerd, „dan wordt ze vanzelf weer beter." En Dicky sliep uren achtereen, dag na dag. Dat Harm opknapte scheen ze nauwelijks te beseffen. Maar na twee weken krabbelde ze langzaam maar zeker omhoog uit het diepe dal waarin ze zat. Ze vroeg naar Erica, die na een langdurige logeerperiode bij Sanne weer thuis werd gebracht. En naar Harm, die na drie weken in het ziekenhuis te hebben gelegen, weer kerngezond thuis kwam.

„Ik wil niet meer terug naar de zaak, Jochem," deelde ze hem tijdens hun eerste ernstige gesprek onder vier ogen mee. „Ik blijf voortaan bij de kinderen, 'k wil dolgraag zelf voor ze zorgen."

Ze had duidelijk aan Jochems ogen gezien dat hij haar beslissing niet leuk vond.

„Er is uiteindelijk toch niks mis gegaan bij De Regenboog," opperde hij verontwaardigd. „Carola heeft Ellis gewoon ten onrechte beschuldigd van iets dat ze niet heeft gedaan. En tot nu toe hebben de leidsters van het kinderdagverblijf altijd goed voor onze kinderen gezorgd. Dat heb je zelf ook altijd beweerd. De heisa, die is ontstaan rondom Harms benauwdheid, is weer in de doofpot gestopt. En ook Erica heeft het reuze naar haar zin bij Sanne en Kim. Erica heeft aan Kim een leuk vriendinnetje gekregen, dat mag je niet vergeten. Daarbij heeft Sanne te kennen gegeven dat ze de zorg voor Harm ook graag op zich wil nemen, als jij weer gaat werken." Maar niets kon Dicky overtuigen. „Ik blijf bij m'n standpunt, Jochem" had ze gezegd. „Ik ga van onze kinderen genieten. En ook van het leven, er kan zomaar iets naars gebeuren."

Jochem had zich uiteindelijk bij haar beslissing neergelegd. Er was inmiddels een advertentie in de krant verschenen voor een administratief medewerkster, waar al enkele sollicitanten op hadden gereageerd. Dicky was blij dat hij deze keer eens niet naar het geld had gekeken en naar de belangen van de meubelzaak. Zij had definitief voor haar kinderen gekozen, ze wilde voortaan zelf voor alles gaan zorgen en zich dagelijks bemoeien met hun opvoeding. Na deze beslissing voelde ze zich snel sterker worden. Het gejaagde leven van opstaan, douchen, eten en vlug naar De Regenboog rijden om daarna door de drukke ochtendspits naar de meubelzaak te jakkeren, was voorgoed voorbij. De avonden werden ook niet langer meer gevuld met noodzakelijke huishoudelijke karweitjes. Daar wijdde ze zich nu overdag aan, op haar gemak. Ze had immers zeeën van tijd. Ze speelde nu ook veel vaker met haar kinderen, deed dingen met ze waar ze anders nooit aan toe kwam zoals wandelen, fietsen en de dieren van de nabijgelegen kinderboerderij voeden.

Deze drastische levensverandering ging echter niet zomaar

onopgemerkt aan Erica voorbij. Harm was nog veel te klein om te beseffen dat hij niet langer meer dagelijks werd weggebracht, maar Erica herinnerde zich erg veel van de periode die ze als peuter had doorgebracht bij De Regenboog. Toen Dicky haar op een dag in november van school haalde, merkte ze meteen dat Erica behoorlijk sikkeneurig was toen ze dwingend stampvoette en zeurderig jengelde: „Ik wil nú naar juf Ellis, mam. Na schooltijd! Dat heb jij beloofd! Juf Ellis is nog steeds mijn vriendin, hoor!"

Dicky was met stomheid geslagen. Ze herinnerde zich vaag dat ze dat inderdaad beloofd had aan Erica. Maar de naam 'Ellis' was al wekenlang niet meer over hun lippen gekomen. Na Harms ziekenhuisopname en het verbijsterende krantenartikel waarin Ellis werd beschuldigd van kindermishandeling, was Dicky ingestort. Nadien was ze niet meer in staat geweest om aan al die nare gebeurtenissen terug te denken. Ze wist wel van Jochem dat Ellis uiteindelijk part nog deel had gehad aan Harms benauwdheid en dat er sprake van een afschuwelijke vergissing was geweest. Maar van alle gebeurtenissen daarna was Dicky niet op de hoogte gebracht. Jochem had Harm kort na de diagnose bij De Regenboog van de deelnamelijst laten schrappen, Erica van de buitenschoolse opvanglijst gehaald en hun lidmaatschap van de medezeggenschapsraad met onmiddellijke ingang opgezegd.

Dicky had ook geen enkele belangstelling meer gehad voor het reilen en zeilen van De Regenboog. Het was al moeilijk genoeg om haar eigen leven met de kinderen weer op te pakken. Ze voelde zich nog onverminderd schuldig omdat ze jarenlang zo weinig tijd aan Erica en later ook aan Harm had besteed. Altijd was het zakelijke leven belangrijker geweest. Ze piekerde daar nog vaak over. Het was geen goede keuze geweest na Erica's geboorte, om haar en later ook Harm, vijf werkdagen per week weg te brengen. Dat besefte ze inmiddels wel. „Ik wil het…nú!" Dicky schrok op uit haar gedachten en keek in het boze gezichtje van Erica.

„We vragen het vanavond aan papa." Met die woorden probeerde Dicky haar recalcitrante dochter tevreden te stellen.

„Goed!" Erica accepteerde haar antwoord meteen. Een glimlach verscheen op haar gezichtje. „Dan kan papa me vanavond naar juf

124

Ellis brengen. Ze verzint altijd van die mooie verhalen, hè mama? Juf Ellis is toch ook jóuw vriendin?"

Dicky voelde haar hart zenuwachtig bonken. Ze knikte verward naar Erica, terwijl ze de wandelwagen met Harm erin voortduwde.

Terwijl Erica zingend naast haar huppelde en er geen spoor meer was te bekennen van haar sikkeneurige humeur, gingen Dicky's gedachten terug naar de periode dat ze zo ingenomen was geweest met Ellis van Zwieten. Harms pseudo-kroep, de voorlopige hechtenis van Ellis en het krantenartikel, hadden een enorm schokeffect in haar eigen leven teweeg gebracht. Door Erica's vraag besefte ze maar al te goed, dat ze die gebeurtenis nog niet te boven was gekomen. Het leek er wel op alsof ze haar vertrouwen in mensen als Carola Klomp en Ellis van Zwieten was kwijtgeraakt. Ze waakte momenteel als een broedse moederkloek over haar twee kleintjes. Die zorg zou ze nooit meer aan anderen overlaten. Zelfs niet aan de vriendelijke Sanne van Berkel.

Eenmaal thuisgekomen gaf ze Erica een bekertje limonade en een koekje. Harm verorberde met smaak zijn favoriete fruithap, hij viel even later tevreden in slaap toen ze hem in de box had gelegd. Erica speelde in haar speelhoek verder met haar lievelingspoppen, zodat Dicky even tijd vrij kon maken om een damesblad te lezen voordat ze met de voorbereidingen voor het avondeten begon. Ze las met belangstelling een artikel over de diverse schilderijen in het Rijksmuseum in Amsterdam, daarna gleed haar blik als vanzelf naar de kale muren in haar woonkamer. Muren, waaraan een tijd geleden Bella's kleurrijke aquarellen hadden gehangen. Jochem en zij hadden nog steeds geen alternatief gevonden om de muren wat op te vrolijken. Bella's mooie werken had ze in een bui van razernij vernietigd, omdat ze op dat moment niet kon verdragen dat Bella de zus van Ellis was en haar werken hier in huis hingen. Dat was pure wanhoop geweest. Ze had 'de schepping' in een paar minuten tijd om zeep geholpen, maar het had haar niet echt opgelucht. Het tegendeel was gebleken, alles was uiteindelijk voor niets geweest. Ellis bleek onschuldig te zijn. Ach, diep in haar hart had ze dat ook altijd geweten.

Ellis van Zwieten! De kinderjuf, waarvan zij een tijdje geleden vond, dat die vanaf januari Carola's plaats als locatiemanager maar in moest nemen bij het kinderdagverblijf. Zou het drama rondom Harm nog negatieve gevolgen voor de promotie van Ellis hebben gehad?, vroeg ze zich af. En hoe zou het nu met Ellis gaan? Wat moet het vreselijk voor haar zijn geweest om twee lange dagen onschuldig op het politiebureau vast te hebben gezeten? De politie had onderzoek gedaan naar het hoofdkussen, waarmee Ellis haar kleine Harm had willen verstikken, volgens Carola's beschuldiging. Maar er waren geen belastende sporen aangetroffen. Direct daarna was bekend geworden dat Harm aan een levensbedreigende vorm van pseudo-kroep leed. Dicky besefte voor het eerst sinds het gebeurde, dat Ellis ook een verschrikkelijke tijd moest hebben doorgemaakt.

Na Jochems thuiskomst bestormde Erica hem meteen met de vraag of hij haar naar juf Ellis wilde brengen. Net als die middag, na schooltijd, stampvoette Erica om haar woorden kracht bij te zetten. Dicky besefte dat Erica in korte tijd een temperamentvol dwingelandje was geworden. „Dat gaat niet zomaar, jongedame," antwoordde Jochem en nam Erica op schoot. „Een tijdje geleden heb ik gehoord dat juf Ellis niet meer in Culemborg woont."

„Papa, maar jij kan Ellis toch wel ópbellen als ze in een ander huis woont?" Erica liet zich niet snel afleiden, ze keek hem met grote smekende ogen aan en Dicky's belangstelling was ook meteen gewekt.

„Ellis werkt dus niet meer bij De Regenboog?"

Jochem knikte, terwijl Erica zich van zijn schoot liet glijden. Even later stond ze demonstratief met de telefoon in haar handjes. „Bellen, papa... nú!" Jochems ogen bleven even op Dicky rusten. „Ze is na Carola's aangifte op non-actief gesteld door het bestuur," vertelde Jenny me toen ik Erica en Harm uit het ledenbestand liet schrijven."

„Ze was nog wel onschuldig!" fluisterde Dicky ontgoocheld, ze kreeg kippenvel bij het idee dat er Ellis zoveel onrecht was aangedaan.

Ze merkte dat de sympathie, die ze eens voor Ellis had gevoeld, langzaam maar zeker weer terrein won. „Kunnen wij misschien nog iets voor Ellis betekenen, Jochem? Ik uuuh… ook ik moet haar in deze situatie m'n verontschuldigingen aanbieden. Ik ben na dat krantenartikel namelijk erg boos op Ellis geweest. We hebben deze gebeurtenis naderhand ook nooit meer met haar besproken. Jammer, ze was altijd zo lief voor Erica en Harm!" Er stonden tranen van spijt en diepe ontroering in Dicky's ogen.

„Ja, een goed gesprek hebben we naderhand niet meer met haar gehad," gaf Jochem peinzend toe. „Maar dat kwam ook mede door jouw toestand. Dat had je niet aangekund, Dicky. We hebben samen dagenlang bij Harms ziekbed zitten waken, uiteindelijk heeft ons ventje het ook maar nét gehaald. En onze hoofden stonden er toen ook niet naar!"

„We zijn tegenover Ellis ernstig tekort geschoten, ik vind dat we er alsnog alles aan moeten doen om het contact te herstellen." Jochem nam de telefoon uit Erica's handje. „Ik bel Bella Aalbers wel even om informatie. Zij kan ons vast iets meer vertellen over de huidige verblijfplaats van Ellis."

„Oeps… Bella Aalbers? Vertel haar dan alsjeblieft niets over die kapotte aquarellen, Jochem. Ik schaam me diep, dat ik die prachtige werken heb vernietigd en dat ik niet meer naar de zaterdagcursus aquarelleren ben geweest. Ik heb zelfs niets meer van me laten horen!" Dicky voelde haar wangen kleuren toen haar blik even op de kale muur bleef rusten.

„Bel jij juf Ellis op, papa?" jubelde Erica opgewonden, toen ze zag dat haar vader enkele cijfers intoetste.

„Je moet nog even geduld hebben, meiske. Papa doet zijn best voor je." Dicky keek toe en wachtte gespannen af, net als Erica die haar hand vastpakte en er hard in kneep.

10

Na een autorit over de snelweg arriveerden ze om tien uur in Oisterwijk, het groene hart van Brabant. Bella had om half elf een afspraak met de eigenaar van het hotel, dat aan de rand van een uitgestrekt bosgebied gelegen was. Terwijl Bella met een dikke map met foto's van al haar aquarellen het hotel binnenstapte, besloot Ellis om een wandelingetje te gaan maken in de directe omgeving. Ze had er geen behoefte aan om met Bella mee naar binnen te gaan. Niet, nu haar hoofd nog zo vol zat van alles wat haar de laatste dagen was overkomen. Ze was zelfs blij dat ze even een uurtje alleen kon zijn. Ellis snoof de kille herfstlucht diep in zich op en huiverde. De ochtenden waren al rijkelijk koud voor de tijd van het jaar. Aan de bomen hingen talloze roodbruin gekleurde bladeren te bengelen, gereed om af te vallen. Op de bospaden ontdekte ze honderden gevallen eikeltjes, talloze boombladeren die al veel eerder naar beneden waren gevallen, maar ook beukennootjes en wilde kastanjes door elkaar. Het meeste was vertrapt door de vele wandelaars en paarden, of platgewalst door de banden van fietsers. Maar het rook er heerlijk naar het bos. Voor het eerst sinds het begin van deze week kon Ellis zich enigszins ontspannen. Ze kon in deze omgeving tenminste vrij rondlopen, zonder dat iemand haar herkende als de kinderleidster van De Regenboog, die op het politiebureau had vastgezeten op verdenking van kindermishandeling.

Hier, in deze onbekende omgeving voelde ze zich voor het eerst echt tot rust komen. Tussen de bossen door zag ze af en toe het water schitteren van de aanwezige vennen. Er liepen meerdere wandelaars die haar vriendelijk toeknikten en soms groetend een hand opstaken. Bij een verderop gelegen ven, waar het idyllische uitzicht haar fascineerde, streek ze neer op een van de vele bankjes. Ze tuurde peinzend naar het water, waar wilde eenden elkaar achterna zwommen en luidruchtig snaterden. Terwijl dit alles aan haar ogen voorbijgleed vroeg Ellis zich af hoe ze haar leven weer op moest pakken, nu ze voorlopig door haar werkgever op non-actief was gesteld. Toen vader haar de vorige dag van dat bericht op de hoogte bracht, was ze haar zicht op de toekomst kwijt geraakt. Natuurlijk was Carola's aangifte van kindermishandeling niet terecht geweest. Maar die vervelende berichten in de plaatselijke bladen hadden haar daarom wel meteen afgeschilderd als een onbetrouwbare kinderleidster, die haar frustraties dagelijks afreageerde op kleine kinderen. Wat moesten de mensen wel niet van haar denken? Ze zou nog lange tijd tegen de vooroordelen van iedereen aanlopen, dat was zeker.

Vanwege Tims afstandelijke houding gisteravond voelde ze zich nog eens extra verdrietig en diep ongelukkig. Ze was niet alleen door haar collega's in de steek gelaten, maar ook door Tim, de man van wie ze zoveel hield. Het was moeilijk om haar leven weer op te pakken en gewoon verder te gaan, alsof er helemaal niets was gebeurd.

Dat laatste was overigens wel absoluut waar! Als het erop aan kwam wás er ook niets gebeurd! Ze had geen enkel strafbaar feit gepleegd. Ze had alleen maar geprobeerd om haar werk als hulpverlener zo goed mogelijk uit te oefenen. Met haar verpleegkundige achtergrond had ze kleine Harm alleen maar willen helpen. Dat Carola haar van zoiets afschuwelijks als kindermishandeling had beschuldigd, zat Ellis erg hoog.

Sommige mensen waren in staat om een ander mens tot aan de grond toe af te breken. Carola was blijkbaar zo iemand. Het was haar ook gelukt! Ellis voelde zich een gebroken mens, diep gekwetst. Twee dagen in een politiecel omdat ze verdacht werd van kindermishandeling, hadden haar de das omgedaan. Ellis wist nu al dat ze niet in staat was om dit ooit te vergeten. Deze gebeurtenis zou haar een leven lang blijven achtervolgen. Het vertrouwen in de mensen om haar heen, haar familie niet meegerekend, was ze voorgoed kwijt. Dat kwam ook mede door Tims afstandelijke houding.

Tim... Haar hart huilde om hem en om alles wat hij en zijn ouders van die smakeloze krantenartikelen geloofden. Ze waren bang dat dit hun goede naam aan zou tasten. Ellis wist het maar al te goed, ze kon er niet over uit. Ze had zich veilig willen voelen bij Tim en zijn ouders, maar hij had niet eens de moed gehad om haar bij daglicht te ontmoeten.

Ze zuchtte diep. Ze mocht niet stil blijven staan bij alles wat er was gebeurd en ook niet te lang treuren. Ze moest nu allereerst naar een andere baan uitkijken. Dat zou geen eenvoudige klus worden.

Welk ziekenhuis, kleuterbureau of kinderdagverblijf wilde haar in de toekomst nog in dienst nemen, als ze vernamen dat ze twee dagen op het politiebureau had doorgebracht op verdenking van kindermishandeling? Geen één!

Ze zou zich bij elk sollicitatiegesprek weer opnieuw moeten verdedigen en moeten vertellen dat bij het gerechtelijk onderzoek haar schuld niet vast was komen te staan. Mensen waren toch altijd geneigd om het allerslechtste nieuws te onthouden en dát ook te geloven.

Er gleed een traan langs haar wang. Voor het eerst in haar leven zag Ellis als een berg op tegen de toekomst.

Een ruiter te paard kwam plotseling stapvoets door een smal paadje tussen de bomen tevoorschijn. Ellis schrok ervan, het paard brieste en schudde met zijn hoofd en lange manen op en neer. Snel boende Ellis met de mouw van haar jas de tranen op haar wangen droog. Nadat de ruiter weer via een ander pad verdween, stond ze op en liep de weg terug naar het hotel. Omdat er bij de auto nog geen spoor van Bella was te bekennen, besloot Ellis op het terras te gaan zitten en een kopje koffie te bestellen. De zon liet zich inmiddels ook zien en zorgde voor aangename temperaturen.

Ellis nam plaats aan een tafeltje en hief haar gezicht op naar het volle zonlicht. Ze wilde even loskomen van al haar tobberijen en gewoon genieten van dit moment. Er zaten meerdere gasten van het hotel op het terras bij elkaar. Het waren oudere mensen, genietend van hun pensioen. De gesprekken die ze onderling voerden klonken nogal verhit, sommigen waren zelfs boos gestemd. Het gekrakeel leidde Ellis af van haar eigen problemen. Een vage glimlach gleed over haar gezicht.

„Zegt u het maar…" zei een jonge serveerster, die met een boekje en een pen in de aanslag plotsklaps voor haar neus stond.

„O… een kop koffie graag," antwoordde Ellis en knikte naar de groep gasten. „Wat een drukte."

„Ja, het hotel heeft momenteel een tekort aan personeel. We waren om die reden vanmorgen ook wat verlaat met het ontbijt," verklaarde de serveerster zuchtend, terwijl ze een aantekening in haar boekje maakte. „Sommige gasten kunnen daar eindeloos over blijven doorzeuren. Zoiets stuurt hun programma in de war, zeggen de oudjes. En nu zijn ze boos!" De serveerster duwde de pen en het aantekenboekje weer in haar schortzak, rolde veelzeggend met haar ogen en zuchtte. „Een ogenblikje mevrouw, dan haal ik meteen uw koffie." En weg was ze weer.

De groep zeurende gasten stapte even later op. Gewapend met fotocamera's, verrekijkers en routebeschrijvingen, verdwenen de hotelgasten wandelend de bossen in.

„Ze blijven nog een hele week," kreunde het serveerstertje die een kop koffie voor Ellis neerzette en eveneens het groepje gasten nakeek. „Dat belooft wat!"

Ellis glimlachte en haalde haar portemonnee uit haar tas om meteen af te rekenen.

„Dankjewel voor de koffie. De natuur in deze omgeving is bijzonder mooi. Erg bosrijk, met mooie waterpartijen."

„Ja, dat vinden onze gasten ook." Het meisje graaide in een enorme portemonnee die ze met een ketting om haar middel had hangen, naar wisselgeld, . „Er moet alleen met spoed nieuw personeel worden geworven. Het hoogseizoen is dan wel voorbij, maar nu is het superdruk vanwege de gepensioneerde gasten die altijd in het naseizoen komen. Onze vakantiewerkers zijn inmiddels weer naar school, die helpen alleen in het weekend nog mee om wat extra's bij te verdienen. Maar op doordeweekse dagen komen we personeel tekort."

Ellis spitste haar oren en fronste haar voorhoofd. Haar aandacht was ineens gewekt. Het hotel was op zoek naar nieuwe personeelsleden.

„Wat voor personeel wordt er gezocht?" vroeg ze, met een lichte trilling in haar stem.

„Tja, we hebben van alles nodig! Een kamermeisje, om de kamers van de gasten schoon te houden. Voor de bediening zoeken we nog dringend iemand, zodat het ontbijt tijdens de ochtenduren geen vertraging meer op zal lopen. En in de keuken heeft de kok ook wat extra handjes nodig. Als u soms een gegadigde tegen komt, laat hem of haar dan maar vragen naar Sylvia Bos."

„Is dat jouw naam?" vroeg Ellis nieuwsgierig.

„Nee, ik ben Sylvia's dochter. Ik heet Sietske." Sietske keek haar nu met grote vragende ogen aan. „Kent u soms iemand die belangstelling heeft voor een tijdelijk baantje?"

Ellis keek in het open gezichtje voor zich. Achttien jaar, ouder schatte ze het vrijpostige serveerstertje niet. „Misschien," antwoordde ze toen. In haar hoofd gonsde het ineens van allerlei gedachten. Een nieuwe start in een onbekende plaats op neutraal terrein. Ze zag het als de beste oplossing voor dit moment. Niemand kende haar immers in deze plaats en omgeving. Een tijdje weg uit Culemborg en omgeving zou haar goed doen, dat wist ze zeker. Als de tongen daar eenmaal waren verstomd, kon ze alsnog terug keren. En een baantje in dit hotel was toch maar tijdelijk, zoals Sietske aangaf.

„Is Sylvia Bos vandaag ook aanwezig?" vroeg Ellis, met rood gekleurde wangen van opwinding en een keel die ineens dik werd van de zenuwen.

„Ja, ze is samen met de kok in de keuken om de voorbereidingen van een receptie te bespreken," Sietske knikte met haar hoofd richting hotel.

„Ik zoek namelijk zelf een tijdelijk baantje, het lijkt me hier wel wat. Kan ik je moeder zometeen even spreken, Sietske?"

„U?"

„Ja, ik! En spreek me maar gewoon aan met je en jij, Sietske. Mijn naam is Ellis van Zwieten."

Sietskes ogen werden groot als schoteltjes, haar mond viel zelfs een beetje open van verbazing. „Kicken!" zei ze toen, „ik ga mam meteen halen." Sietske holde op een drafje naar binnen. Ellis keek haar geamuseerd na, daarna dronk ze peinzend haar koffie op. Als ze voorlopig in dit hotel mocht beginnen om te bedienen, te helpen, of schoon te maken, was ze meer dan tevreden. Ze wilde voorlopig niet terugkeren naar Culemborg, waar ze het mikpunt was van roddel en kletspraatjes, maar een dikke streep zetten onder datgene wat er was gepasseerd. Ze had tijd nodig om tot zichzelf te komen en om over de toekomst na te denken.

Hotel Vredelust was onderdeel van een veel groter complex. Sylvia Bos en haar man Martijn hadden niet alleen het hotel onder hun beheer, maar ook een nabijgelegen bungalowpark, restaurant en een congrescentrum.

Ze was bij Ellis aan het tafeltje op het terras gaan zitten nadat Sietske haar had gehaald. Een gezette vrouw van middelbare leeftijd, met een verzorgd uiterlijk en strak gekapt haar. Sylvia keek met een heldere, opmerkzame blik de wereld in. Tijdens het korte gesprekje werden direct concrete afspraken gemaakt. Een tijdelijk dienstverband, kost en inwoning vrij, met daarnaast een financiële beloning waarmee Ellis onmiddellijk genoegen nam.

„Kun je morgen al beginnen, Ellis?" informeerde Sylvia, die er geen gras over wilde laten groeien. Ze was duidelijk ingenomen met de gang van zaken. „We hebben dringend hulp nodig."

Ellis stemde ermee in. Sylvia beloofde om de gemaakte afspraken vandaag nog op papier te zetten. Ze zei, terwijl ze opstond, dat ze Ellis morgenvroeg klokslag zes uur, in de keuken van het hotel verwachtte.

„Ik zal je dan persoonlijk inwerken. En Sietske brengt je zo meteen naar je kamer. In het hotel bevinden zich drie logeerkamers voor inwonende personeelsleden. Twee daarvan zijn al bezet, de andere kamer is voor jou. Hij is niet al te groot, maar wel voorzien van alle nodige comfort, zoals een ligbad, telefoon, tv enzovoort. Als je het niet erg vindt ga ik er onmiddellijk weer vandoor, anders loopt binnen alles in het honderd. Ik zal Sietske wel naar je toe sturen." Sylvia groette haar vriendelijk en liet Ellis alleen achter op het terras. Ellis haalde opgelucht adem. In nog geen halfuur tijd was het haar gelukt om een tijdelijke betrekking te vinden die voor de nodige afleiding zou zorgen! Ze kon het nauwelijks geloven. Het leek wel alsof ze droomde. Sylvia had geen lastige vragen gesteld over haar vorige werkgever. Ellis voelde een zware last van haar schouders glijden. Ze kon hier, op deze plaats, een nieuw begin maken. Tranen van ontroering sprongen in haar ogen.

Vanuit het hotel kwam Sietske op haar toegelopen. Om de mond van het meisje speelde een tevreden glimlach.

„Ik heb van mijn moeder begrepen dat jij voorlopig in het hotel blijft logeren, net als Mark van de keuken en Sjors van afdeling recreatie."

„Ja, dat klopt! Ik kom niet uit deze omgeving. Het is te ver om op en neer te rijden, snap je?" Ellis knipperde zo onopvallend mogelijk haar ogen droog.

Sietske knikte. „Zal ik je dan maar meteen je kamer laten zien?"

Ellis stond op en volgde het meisje dat haar witte schort met de grote beurs had afgedaan. Onderweg keek Ellis uit naar een glimp van Bella, die wel erg lang wegbleef. Maar nergens kon ze iets van haar aanwezigheid ontdekken. Aan de achterkant van het hotel, naast de keuken, wees Sietske haar de logeerkamers voor het personeel aan. Ze gaf Ellis de sleutel van de middelste kamer.

„Die is voor jou, Ellis. Kijk maar even rustig rond. Ik zorg wel voor schone handdoeken en meer van dat spul. Mam vertelde dat je meteen wilde blijven om morgenvroeg al te beginnen."

„Ja, dat is de bedoeling. Dank je, Sietske." Ellis opende de deur en liep de eenvoudig ingerichte kamer binnen, terwijl Sietske haastig weghotde. Ellis keek bedenkelijk naar het saaie interieur, er hing absoluut geen sfeer in de kleine ruimte. Maar ze was natuurlijk zelf mans genoeg om de kamer netjes te decoreren en wat plantjes te kopen. De badkamer zag er daarentegen luxe uit, evenals de radio-cd speler en de t.v. Ellis hoefde zich in haar vrije tijd beslist niet te vervelen. Een driftige klop op haar voordeur deed Ellis opschrikken. De deur zwaaide meteen open en ze keek in het verbaasde gezicht van Bella.

„Ellis... ik was je kwijt! En nu hoorde ik Sylvia Bos tegen Martijn het verhaal vertellen dat ze iemand op het terras had aangenomen voor de bediening in het hotel. Ik kon m'n oren niet geloven toen ik tot de ontdekking kwam dat ze het over jou had."

Ellis glimlachte verlegen en schokschouderde. Het was slechts een hulpeloos gebaar. De tranen zaten ineens weer hoog.

„Ja, er is in een klein halfuurtje tijd veel gebeurd, Bella. Maar ik heb me voorgenomen om een poosje weg te gaan uit Culemborg. En in hotel Vredelust komen ze toevallig enkele personeelsleden tekort. Het is maar tijdelijk…" Haar stem klonk hees, ze boende met de muis van haar hand over haar betraande wangen. „Ik doe dit niet vanwege jullie, want ik besef maar al te goed dat iedereen me wil helpen. Maar ik doe dit voor mezelf. Ik wil een nieuwe start maken in een omgeving waar ze niet over me zullen kletsen, want dat kan ik op dit moment niet verdragen. Ik moet loskomen van wat er gebeurd is. Daarna ben ik waarschijnlijk weer in staat om naar huis te gaan."

Bella sloeg haar armen liefdevol om Ellis heen. „Ach El, heb je het er dan zo moeilijk mee? Pap en mam zullen dit verschrikkelijk vinden, hoor. We willen je allemaal zo graag helpen om je leven weer op te pakken. Weglopen lost helemaal niets op. Die geruchten en kletspraatjes zijn immers maar van tijdelijk aard. Uiteindelijk zal het tot iedereen doordringen dat je onschuldig bent en dat de krantenartikelen leugenachtig en opgeklopt waren."

Ellis kneep haar ogen dicht. Ze wurmde zich vervolgens uit Bella's omarming om haar neus te snuiten. Daarna keek ze in de bezorgde ogen van haar zus.

„Mijn besluit staat vast. Laat me nu maar! Voorlopig blijf ik een tijdje in dit hotel werken, als het me niet bevalt kan ik altijd nog naar huis komen." Ze duwde de zakdoek in haar broekzak. Er verscheen een waterig lachje om haar mond. „Morgenvroeg, klokslag zes uur, kan ik al beginnen."

„Maar je hebt niets bij je! Geen kleding of toiletartikelen. Hoe wil je dat dan doen?" Bella was altijd praktisch ingesteld.

„Ik bel pap wel op. Misschien kan hij vandaag iets voor me regelen zodat mijn spullen hier komen. Of Karin?" Opperde Ellis.

„Bel Karin maar. Pap heeft vandaag geen tijd. Hij en mam zorgen na schooltijd voor Irma en Janneke." antwoordde Bella. „Ik vind dat je wel erg snel een beslissing hebt genomen, El. Maar gelukkig kan ik af en toe een oogje in het zeil houden. Ik mag van Martijn Bos namelijk een expositie organiseren in het congresgebouw hier in de buurt. En in het hotel komen ook enkele aquarellen van me te hangen. Ik heb een contract ondertekend voor de duur van drie maanden." Bella's bezorgde ogen glinsterden alweer.

„Leuk voor je! Als jouw aquarellen in het hotel hangen zal ik vast het gevoel krijgen dat jij elke dag bij me bent."

„Ik kom je elke week opzoeken," beloofde Bella. „Kom, laten we wat gaan eten. Martijn heeft ons een lunch aangeboden. Daarna moet ik nog wat voorbereidend werk doen in het congrescentrum."

Ellis volgde Della en draaide de deur van haar kamer op slot. „Laat maar open!" hoorde ze Sietske vanuit de verte roepen. „Ik moet het bed nog opmaken." Het meisje kwam aangesneld met een stapeltje linnengoed op haar armen. „De sleutel deponeer ik wel bij de receptie. Oké? Kamer nummer 3. Niet vergeten, hoor!" Ellis knikte. „Bedankt Sietske." Daarna liep ze naast Bella naar het restaurant waar Sylvia en Martijn Bos op hen zaten te wachten.

„Leuk, dat jullie zussen zijn," kirde Sylvia genoeglijk. „Neem plaats, dan laat ik een kop soep opdienen."

Ellis verontschuldigde zich even. „Ik moet eerst wat regelen om mijn spullen vandaag nog hier te krijgen," zei ze.

Na tien minuten keerde ze terug naar het restaurant, waar de anderen nog steeds geduldig op haar zaten te wachten.

„En? Is het gelukt?" informeerde Bella. Ellis glimlachte voldaan.

„Alles is geregeld. Karin brengt mijn bagage aan het begin van de avond naar Vredelust."

Vervolgens lepelde ze, na een moment van stil gebed, haar kop soep met smaak leeg. Ze keek uit naar morgen. Een nieuw begin! Maar o, wat zou ze haar werk met de kinderen missen. Net als Tim, ze zou hem eveneens missen. Er sprongen weer tranen in haar ogen en haar maag kromp ineen. Ze schoof de lege soepkop van zich af. Haar eetlust was op slag verdwenen en ze bedankte vriendelijk voor de rest van de lunch, die bestond uit belegde broodjes en een smakelijke huzarensalade.

Hotel Vredelust was zo'n populaire locatie, dat alle kamers wekelijks waren volgeboekt met gasten uit binnen- en buitenland. Ellis deed haar werk met veel toewijding, het leidde haar af van haar problemen. Ze leerde behendig met overvolle dienbladen rondlopen en lange bestellingen van frisdrankjes en diverse soorten bier te onthouden. De eerste dagen deden haar voeten dan ook pijn van het vele heen en weer lopen. Ze kreeg soms stiekem wat tipgeld van de vakantiegangers toegestopt, die duidelijk in hun sas waren met de aardige serveerster.

Soms was dat erg moeilijk, niet alle klanten waren aardig. Sommigen waren zelfs in staat om het bloed onder je nagels vandaan te halen. Inmiddels was Bella ook al twee keer op werkbezoek geweest. Nadat ze alles in gereedheid had gebracht voor de expositie die tijdens de herfstvakantie van start zou gaan, wipte ze bij Ellis aan. Tijdens haar eerste bezoekje waren Rika en Henri ook van de partij geweest. De tranen hadden bij het weerzien rijkelijk gevloeid, maar haar beide ouders waren trots op Ellis geweest.

„Dapper van je, lieverd, om zo verder te gaan. Maar we missen je thuis wel, hoor! Het is zo stil om ons heen," had Rika, met betraande ogen, bij het vertrek gezegd.

Tijdens Bella's tweede bezoekje, vanmiddag na werktijd, overhandigde ze Ellis een envelop. „Van Tim," zei ze. De toon van haar stem klonk grimmig, toen ze vervolgde, „die heeft hij gisteravond laat in onze brievenbus gestopt. Gert en ik wilden juist naar bed gaan toen we zijn auto voor ons huis zagen stoppen. Hij weet natuurlijk niet dat jij hier verblijft, of heb je hem onlangs nog gesproken?" Ellis schudde ontkennend haar hoofd. Ze had de envelop niet geopend tijdens Bella's aanwezigheid. En ook nu, nadat Bella weer naar Culemborg was afgereisd, kon ze de moed niet opbrengen om de brief van Tim te lezen. Ze legde hem op haar nachtkastje neer en nam het besluit om eerst een lange boswandeling te maken. Iets dat ze momenteel dagelijks deed en waarvan ze eindeloos kon genieten. Haar favoriete plekje, op een bankje nabij een ven met bossen eromheen, was altijd haar eindbestemming.

Van Mark Evers, de kok van het restaurant, kreeg ze vaak een zakje met broodrestjes mee om de wilde eenden te voeren. Vanaf het bankje keek ze dan toe hoe de altijd hongerige beesten het brood verorberden. Tijdens die momenten miste ze haar werk met de kinderen het meest. Haar gedachten dwaalden steeds weer af naar de leuke momenten met Erica en Harm en alle andere peutertjes. Wat zouden ze een plezier beleven aan het voeren van deze eenden!

Ze vroeg zich af hoe of het nu met de kinderen zou gaan. Zou Harm weer beter zijn? Vast wel! De medicijnen tegen pseudokroep hadden hem er vast weer bovenop gekregen. Ze dacht ook vaak aan Dicky en Jochem en de andere ouders. Waardevolle contacten en vriendschappen, die ze van de ene op de andere dag was kwijtgeraakt. Zelfs Tim had na die avond van haar vrijlating niets meer van zich laten horen, vertelden haar ouders. Geen telefoontje of bezoekje. Helemaal niets!

De brief die Bella haar vanmiddag had gegeven, was het eerste teken van leven geweest, na twee lange weken. Ellis zuchtte, diep en zorgelijk. Elke keer als ze aan Tim dacht werd haar keel dik van emotie en nervositeit. Ze boog haar hoofd, ze was niet eens in staat geweest om zijn brief te lezen. Het ontbrak haar aan moed. Wat had hij haar eigenlijk te vertellen? Ze werd ineens bang. Vreselijk bang, om straks misschien wel het bericht te lezen dat Tim zijn relatie met haar wilde verbreken. Geen trouwplannen meer en geen gezamenlijke toekomst.

Ellis duwde haar vuisten tegen haar voorhoofd, alsof ze Tim zo uit haar gedachten kon wissen. Maar hij bleef haar helder voor ogen staan. Ze realiseerde zich hoe breekbaar alles was wat ze liefhad. Ze had vooral liefde, troost en steun van Tim verwacht! Maar hij had haar niets van dat alles gegeven. Hij had haar zelfs in de steek gelaten en was uit haar leven verdwenen, alsof ze een besmettelijke ziekte onder de leden had.

Ze kneep haar ogen dicht om opkomende tranen te bedwingen. De teleurstelling over zijn houding woog zwaar. „O Here, help mij om niet bitter te worden…" stamelde ze. „Ik ben onschuldig en wil de toekomst met Tim zo graag open en eerlijk tegemoet gaan. Ik kan het niet verdragen dat hij zich van me afkeert..."

Het geluid van ratelende wielen en ritselende boomtakken verstoorden plotseling de vredige stilte en Ellis keek geschrokken op. Een slanke man, met een kalend voorhoofd en dun rossig haar, naderde haar. Hij trok een grote bolderwagen achter zich aan waarop een vierkante bak stond.

„Goedenavond..." groette hij vriendelijk.

„Ook goedenavond," antwoordde Ellis. Haar stem klonk bibberig, het was kil geworden nu ze al een tijdje zo stil op het bankje had gezeten. De man bleef voor haar staan.

„Het wordt zo donker, je kunt hier maar beter niet te lang meer blijven."

Ellis knikte en keek in zijn gezicht dat bedekt was met talloze sproeten. Zijn ogen waren opmerkelijk groen van kleur. Hij zag er niet echt aantrekkelijk uit, deze vreemde man. Waar bemoeide hij zich overigens mee? Op deze plaats kon ze tenminste rustig nadenken en haar gedachten en verdriet de vrije loop laten. Hier werd ze zelden gestoord.

„Ik zal eraan denken, dank je," antwoordde ze kort.

De man knikte en liep daarna meteen verder. De bolderwagen rammelde. Ellis keek hem na. De vierkante bak op zijn wagen zag er vrolijk geverfd uit. Met kleurige letters stond er De schatkist op geschilderd. Ellis fronste haar wenkbrauwen en grinnikte ineens. De kist zorgde voor afleiding. Haar zorgen weken erdoor naar de achtergrond.

„De schatkist," zei ze hardop. „Dat is opmerkelijk!"

Ze sprong op en liep aarzelend op een afstandje achter de man aan. Hij had gelijk, het was al behoorlijk schemerig geworden. Maar haar nieuwsgierigheid was eveneens gewekt. Ze wilde wel eens zien waar de man met die schatkist naar toe reed. En hij liep waarachtig ook nog dezelfde richting uit, naar hotel Vredelust. Daar moest zij ook zijn.

De man, die meteen merkte dat ze een eindje achter hem aan liep, hield halverwege het bospad zijn pas in. „Ben je bekend in deze omgeving? Er verdwalen soms toeristen, zie je!" Ellis kwam naast hem staan. „Ik werk sinds twee weken in hotel Vredelust, de directe omgeving is mij inmiddels wel bekend. Maar je hebt gelijk, het is bijna donker."

„Ha, dat is leuk," lachte de man schalks, „dan zijn we collega's!" Hij liet het handvat van de bolderwagen los en stak haar zijn hand toe.

„Sjors Bakker. Aangenaam. Ik ben zelfstandig medewerker van het bureau voor recreatie en toerisme in deze omgeving. Ik verzorg voornamelijk entertainment voor de kinderen in het hotel en bungalowpark van de familie Bos. De komende week is het herfstvakantie, we verwachten dan veel kinderen." Ellis schudde zijn hand. „Ik ben maar gewoon... serveerster," glimlachte ze, „en ook dól op kinderen..." De spontane woorden waren eruit voordat ze er erg in had. Ze bloosde verlegen en hoopte dat deze Sjors haar geen verdere vragen zou stellen.

„Kom maandagmiddag maar eens naar mijn voorstelling kijken. Poppentheater De Schatkist is erg populair, er zullen vast veel kinderen op af komen. Ik kan trouwens wel wat hulp gebruiken."

Ellis ogen flitsten naar De Schatkist. „Een poppentheater? Maar dat is geweldig!" Haar stem klonk enthousiast. Ze voelde haar hart ineens opgewonden tekeer gaan. Zijn poppenspel zou vast en zeker talloze kinderen opvrolijken.

Ellis zag het al voor zich. Al die verwachtingsvolle gezichtjes met mondjes die open vielen van verbazing. Wat een voldoening moest Sjors van zijn werk hebben.

„Ik uuuh... ik weet het nog niet," stamelde ze dan. „Ik zou je dolgraag willen helpen, maar ik moet 's middags bij goed weer op het terras serveren. Dat moet elke middag!" Ellis beet op haar lip van spijt.

Sjors haalde zijn schouders op. „Misschien een andere keer," zei hij toen en trok weer aan zijn wagen. Samen liepen ze naar het hotel.

Tot Ellis' grote verbazing volgde hij haar naar de logeerkamers voor het personeel, achter het hotel.

„Ik zie wel dat jij ook intern bent," stelde hij vast toen ze de sleutel uit haar zak haalde om de deur te openen. „Als ik in deze plaats en omgeving werk, heb ik altijd logeerkamer nummer één tot mijn beschikking."

„Dat is leuk, dan ben je voorlopig mijn buurman," glunderde Ellis. Haar ogen dwaalden weer af naar De Schatkist.

„Zal ik je de inhoud van die kist eens laten zien," vroeg Sjors toen hij haar nieuwsgierige blikken volgde.

„O graag!" Ellis' stem klonk gretig, ze wist het. Maar ze kon er niets aan doen. Kinderwerk boeide haar mateloos.

Het uur dat daarop volgde maakte Ellis kennis met de meest dierbare vrienden van Sjors, zoals hij ze voorstelde.

Pop Stanly, een heuse politieman; pop Nora, een verpleegster; pop Bil, een bandiet; poppenvader Karel; poppenkind Jolijn; er zat zelfs een pop bij met een hondenkop, Dribbel.

Ellis was werkelijk met stomheid geslagen. In de schatkist zat ook een theater dat Sjors in een handomdraai in elkaar kon zetten.

„Wat een schitterend beroep heb jij, Sjors. Ik zou wel willen dat..." haar stem stokte. Ellis slikte moeilijk.

„Tja, het is mijn lust en mijn leven om kinderen bij mijn theaterverhalen te betrekken en ze blij te maken." Zijn woorden ontroerden Ellis. Ze dacht aan de kleintjes van De Regenboog. Als ze daar nu werkzaam was geweest had ze er alles aan gedaan om Sjors Bakker met zijn poppen ook eens uit te nodigen voor een voorstelling. Wat zouden de kleintjes ervan genieten.

Gelukkig wisten Sylvia en Martijn Bos niets over haar verleden, niets van haar gevangenschap op het politiebureau en de vernietigende vooroordelen van de mensen. Er sprongen tranen van verdriet in haar ogen.

„Wat krijgen we nu?" hoorde ze Sjors vanuit de verte verbaasd roepen. „Tranen!"

Hij trok onmiddellijk twee poppen over zijn handen heen en dook achter de bank. Poppenkind Jolijn en poppenvader Karel voerden een lachwekkende dialoog met elkaar op. Het verdriet week meteen van Ellis gezicht, ze liet zich gewillig meevoeren met het fantasieverhaal van Sjors en ze schaterde het even later uit om de malle capriolen die hij met zijn poppen opvoerde.

„Dank je, Sjors," hikte ze, toen hij het spel beëindigde en achter de bank vandaan kroop. „Ik ben vreselijk nieuwsgierig naar meer van je opvoeringen."

Heel even schaamde ze zich voor haar tranen van zo-even. Maar Sjors kwam er niet op terug en vroeg nergens naar.

„Misschien dat Sylvia je maandagmiddag een uurtje vrijaf kan geven, je kunt het haar allicht vragen."

Ellis knikte. Dat doe ik, nam ze zich voor. Dan werk ik desnoods maandagavond wel een uurtje langer door.

Toen ze naar haar eigen kamer liep en de deur opende, was het alsof ze Sjors al heel lang kende. Zijn poppentheater had een ontwapenende uitwerking op haar, alsof ze iets gemeen hadden.

In ieder geval hielden ze beiden van het werken met en voor kinderen, dat was duidelijk. Ellis had zich sinds weken niet meer zo happy gevoeld als op dit moment.

Neuriënd vulde ze de waterkoker om een kopje thee te zetten. Onderwijl zette ze de t.v. aan om zo meteen naar het journaal te kunnen kijken. Toen ze met een dampend glas thee naar de buis liep, viel haar oog plotseling op Tims brief die nog steeds op het nachtkastje lag. Haar opgewekte humeur maakte meteen plaats voor angstige voorgevoelens. Even aarzelde ze, maar toen nam ze de envelop toch op en ritste hem open. Ze haalde een handgeschreven brief eruit en las:

Lieve Ellis,

Het spijt me, dat ik niet eerder in staat ben geweest om je te bellen of te schrijven. Het is de laatste twee weken namelijk erg druk geweest op de zaak. Mijn ouders en ik hebben inmiddels de indruk gekregen dat jouw situatie bij De Regenboog weinig invloed heeft gehad op onze zakelijke belangen. Daar ben ik erg gelukkig mee, dat begrijp je wel! Ik heb er nog heel even aan gedacht om een gerectificeerd berichtje in de krant te laten plaatsen, in verband met je onschuld betreffende baby Kleinveld. Maar, volgens mijn ouders kan ik beter geen slapende honden wakker maken, een gerectificeerd bericht brengt je naam opnieuw in opspraak en dat willen we liever voorkomen. Zakelijke belangen, moet je maar denken. Zand erover, dat is de beste remedie. De mensen in Culemborg zijn het voorval zo goed als weer vergeten. Er wordt niet langer meer over de kin-dermishandeling van die baby gepraat. Daarom wil ik heel graag weer een afspraak met je maken. Wat denk je van aanko-mend weekend? (volgend weekend ben ik verhinderd vanwege een wandeltocht die de wandelvereniging heeft georganiseerd. Dit evenement wil ik niet missen.) Misschien dat we tijdens een dineetje weer eens heel voorzichtig over onze toekomst kunnen praten.

Ellis, bel me a.u.b. zo snel mogelijk op. Ik mis je, liefste!

Tim.

Ellis las de brief nog eens en legde het papier daarna op bed. Ze zou zich nu opgelucht moeten voelen, omdat Tim blijkbaar nog steeds van haar hield en hij een toekomst met haar nog steeds zag zitten. Maar de verwachte opluchting bleef uit. Ze ging voor het raam staan en tuurde de duistere avond in. De parkeerplaats van het hotel stond weer vol met auto's van gasten die voor een bedrijfsdiner en een overnachting waren gekomen. In de verte hoorde ze de nieuwslezer zeggen dat het Amerikaanse leger Afghanistan was binnengetrokken om terroristische eenheden uit te schakelen. Maar de ernst van dit wereldnieuws ontging haar. Alle ellende in de wereld kon haar op dit moment niets schelen. Ze had voorlopig genoeg aan haar eigen portie tegenslag.

Om al op kort termijn terug te gaan naar Culemborg, zag ze absoluut niet zitten. Zelfs niet voor een dineetje met Tim. Diep vanbinnen was ze opgelucht dat hij haar niet had afgewezen door een einde aan hun relatie te maken. Maar écht blij, zoals ze had verwacht dat ze zou zijn, was ze ook niet. Dat kwam door de toonzetting van zijn brief. De woorden waren zó oppervlakkig en berekenend geweest.

Alsof Lien en Arno over zijn schouder hadden meegekeken toen hij deze woorden aan haar schreef. Hij had de envelop gisteravond laat bij Bella in de brievenbus geschoven.

In het donker, zodat niemand hem had kunnen zien. Hij schaamde zich blijkbaar nog steeds voor haar. Ellis huiverde bij deze bittere gedachten. Ze sloeg haar beide armen om haarzelf heen en bleef naar buiten kijken. Niet lang daarna besefte ze dat ze de komende weken nog niet op Tims uitnodiging wilde ingaan. Ze was er bij lange na nog niet aan toe, omdat ze ineens ernstig twijfelde aan zijn liefde voor haar.

Hier, in Oisterwijk, voelde ze zich voorlopig veilig. Ze zou Tim de komende week wel een brief terug schrijven en het hem vertellen. Zijn dringende vraag om hem zo snel mogelijk te bellen, negeerde ze. De kans dat ze zich tijdens zo'n telefoongesprek door hem liet overhalen om tóch naar huis terug te keren, was levensgroot aanwezig. Ze had meer tijd nodig om alles te verwerken. Het was nu nog te vroeg om met Tim over een gezamenlijke toekomst te praten. Een toekomst met hem joeg haar op dit moment meer angst aan dan enkele weken geleden.

11

Carola vertelde Alida meer dan eens wat er bij De Regenboog was voorgevallen en waarom ze naar het politiebureau was gegaan om aangifte te doen. Dat deed ze niet alleen vanwege Alida's vergeetachtigheid, maar voornamelijk om zichzelf er steeds opnieuw van te overtuigen dat haar bedoelingen goed waren geweest. Dat de politie Ellis daardoor twee dagen lang op het bureau had vastgehouden, was uiteindelijk háár bedoeling niet geweest. Maar het oude dametje genoot nog steeds van het heldhaftige verhaal en gaf Carola steeds complimentjes over haar opmerkzaamheid en goede zorg voor de kinderen. Het krantenartikel lag al enkele weken netjes uitgeknipt voor Alida's neus op tafel, als een kostbaar kleinood.

„Wat een opluchting dat jij die afschuwelijke collega hebt betrapt op kindermishandeling," zei Alida, zo vaak als Carola erover sprak. „Dat er mensen zijn die zulke nare dingen doen, begrijp ik niet! Het is maar goed dat de politie haar heeft opgepakt."

Carola liet Alida maar kletsen. Het deed haar goed dat het oude buurvrouwtje vierkant achter haar stond, hier hoefde ze zich tenminste niet schuldig te voelen over de benarde situatie waarin ze Ellis op slinkse wijze had gemanoeuvreerd. Dat Ellis na het politieonderzoek en de gestelde diagnose van pseudo-kroep weer op vrije voeten was gekomen omdat haar geen blaam trof, hield Carola wijselijk voor zich. Ze had liever niet dat Alida dat bericht te horen kreeg. De plaatselijke kranten die eerder zo hard van stapel liepen om een smeuïg sensatieverhaal te publiceren, hadden geen interesse meer getoond voor het vervolg in deze zaak. De onschuld van Ellis was blijkbaar niet belangrijk genoeg geweest om daar alsnog enige ruchtbaarheid aan te geven.

Hier, bij Alida, die van alle laatste nieuwtjes verstoken bleef, voelde Carola zich de populaire locatiemanager. Overdag op haar werk, lag het allemaal wat anders. Nadat de diagnose van Harm daar bekend was geworden en het duidelijk werd dat Ellis onschuldig was, hadden Miranda en Jenny haar dagenlang met blikken van verwijt gevolgd. Per slot van rekening had zíj Ellis bij de politie aangegeven. Carola probeerde er al die tijd luchtig mee om te gaan. Ze begreep dat haar collega's voorlopig tijd nodig hadden om deze vervelende gebeurtenis te verwerken. Dat vond zij niet zo heel erg, ze had immers alle tijd van de wereld. Het hoofdstuk 'Ellis van Zwieten' behoorde nu in ieder geval tot het verleden. Het was voorbij! Haar aanwezigheid vormde geen enkel gevaar meer voor de positie van wie dan ook. Inmiddels was de sollicitatieprocedure in een verder gevorderd stadium gekomen. Uiteindelijk kreeg Miranda van het bestuur te horen dat ze was uitgekozen voor de functie van locatiemanager. Carola feliciteerde haar uitbundig, ze kocht bij de bloemist een enorm boeket bloemen en overhandigde dat aan Miranda. „Gefeliciteerd, meid! Ik hoop op een prettige samenwerking als ik in januari naar de buitenschoolse opvang vertrek. Tijdens de vergaderingen met het bestuur en de medezeggenschapsraad zullen we elkaar nog wel regelmatig treffen. En ik ben natuurlijk altijd bereid om je met raad en daad bij te staan."

Miranda schokschouderde. Ze was blij met haar benoeming, maar niet van harte. Het straalde er niet vanaf.

„Als Ellis er nog was geweest, hadden ze mij vast niet gekozen," zuchtte ze.

„Je moet het verleden maar laten rusten, Miranda. We kunnen de klok nu eenmaal niet terugdraaien. Het bestuur stond erop om Ellis meteen op non-actief te zetten." Carola's woorden klonken scherp. Het moest nu maar eens afgelopen zijn met al dat gedoe rondom Ellis van Zwieten. „Over een poosje, als iedereen het voorval met Harm Kleinveld is vergeten, krijgen we vast weer nieuwe aanmeldingen. Onder jouw leiding zal het aantal kinderen weer snel toe nemen. Daar heb ik alle vertrouwen in."

„Ik hoop het." Miranda's woorden klonken weinig overtuigend.

Later die middag werd Carola onverwacht door meneer Wessel uitgenodigd voor een ingelaste vergadering, die dezelfde avond nog was belegd door enkele leden van de medezeggenschapsraad. Hoewel Carola buurvrouw Alida had beloofd om haar gezelschap te houden, moest ze deze afspraak noodgedwongen verzetten.

„Ik kom na de vergadering nog wel even bij je aan, Alida," beloofde ze.

Met gemengde gevoelens reed ze die avond tegen achten naar de vergaderruimte van het bestuur waar ze altijd bij elkaar kwamen. Ze wist niet wat ze ervan moest verwachten. Meneer Wessel had aangekondigd dat de stand van zaken rondom juffrouw van Zwieten geëvalueerd moest worden. Enkele verontruste ouders hadden hierom gevraagd. Een vreemde zaak, vond Carola. Ellis zou voorlopig niet terugkeren, de gebeurtenissen lagen nog erg gevoelig bij veel ouders en waarschijnlijk ook bij de plaatselijke bevolking. Maar ze probeerde haar twijfel te verbergen door aan haar nieuwe functie te denken. De medezeggenschapsraad wilde met deze bijeenkomst misschien ook wel meer vorm aan de buitenschoolse opvang geven. Er moesten nog plannen worden gemaakt, kranten worden benaderd en personeel worden geworven. De situatie rondom Harm Kleinveld had voor de nodige vertraging gezorgd. De Regenboog was wekenlang in opspraak geweest. En het bestuur had alles uit de kast moeten halen om de negatieve praatjes in de kiem te smoren. Dat was na vandaag, wat Carola betrof, definitief achter de rug. Nu bekend was geworden dat Miranda haar taak over zou nemen, werd het tijd om over te gaan tot actie voor de buitenschoolse opvang. Ze zou er vanaf januari wel even aan moeten wennen om met schoolgaande kinderen te werken, realiseerde Carola zich. Ze was al jarenlang gewend aan de allerkleinsten. Na een eerste kopje koffie opende meneer Wessel de vergadering en kondigde aan dat deze bijeenkomst speciaal was belegd omdat de medezeggenschapsraad Carola's verhaal als eindverantwoordelijke in de zaak van Harm Kleinveld met betrekking tot juffrouw van Zwieten graag een keer uit haar mond wilde horen. Carola keek hierop verbijsterd in het rond! Waarom bleef iedereen toch zo doorzeuren over Ellis van Zwieten?

„Wat is uw beweegreden geweest om al zo snel naar de politie te gaan, juffrouw Klomp? Bent u niet te hard van stapel gelopen met alle beschuldigingen? Achteraf gezien treft juffrouw Van Zwieten geen enkele blaam. Sterker nog, we weten momenteel zelfs van Dicky Kleinveld dat zij alles is het werk heeft gesteld om haar baby te helpen. Was u dát dan niet opgevallen, toen u in de deuropening toekeek hoe ze met dat benauwde kindje bezig was?" Carola hoorde de scherpe ondertoon in de stem van een van de ouders. Ze voelde een diepe warme kleur naar haar wangen stijgen en likte langs haar lippen, niet in staat om een antwoord op deze onverwachte vraag te geven. Haar hersens werkten koortsachtig. De mensen in de zaal staarden haar grimmig aan.

Meneer Wessel nam nu het woord. „Tja, even ter verduidelijking, er is onder enkele ouders enige onvrede ontstaan met betrekking tot deze situatie. Dicky Kleinveld, die hier overigens niet aanwezig is, heb ik vanmiddag nog telefonisch gesproken. Juffrouw Van Zwieten heeft inderdaad haar best gedaan om Harm te helpen. Achteraf gezien vind ik dat wij als bestuur veel te snel onze conclusie hebben getrokken. Uw aangifte bij de politie heeft ons van meet af aan op het verkeerde been gezet."

Carola slikte, er trok een mistige waas aan haar ogen voorbij. Ze haalde daarna diep adem en haalde haar schouders op.

„Ik heb gewoon mijn plicht gedaan, meneer Wessel. Ik heb Ellis zelf zien staan met dat kussen in haar hand en Harm was zó vreselijk benauwd! Het kon niet anders dan... dan..."

„U hebt de situatie verkeerd ingeschat. En dáár heeft de pers lucht van gekregen. Die lui zijn altijd uit op een sensationeel verhaal. Maar de politie heeft geen bewijzen voor kindermishandeling gevonden en de diagnose van de kinderarts was duidelijk. Een ernstige vorm van pseudo-kroep! Levensgevaarlijk, dat wel. Maar het werd niet veroorzaakt door een misdadige handeling van juffrouw van Zwieten."

„Dat kan allemaal wel waar zijn, maar ik heb op dat moment naar eer en geweten gehandeld," antwoordde Carola geagiteerd. „Jochem Kleinveld riep mij diezelfde dag nota bene nog ter verantwoording. Er was in deze situatie een grondig onderzoek nodig. Jochem wilde duidelijkheid. En terecht! Dat onderzoek heb ik hem ook meteen toegezegd en dat wilden wij als personeelsleden ook graag! We wilden allemaal graag weten wat er met Harm was gebeurd. Vandaar dat ik de politie heb ingelicht."

In de zaal ontstond nu enige commotie. Enkele ouders staken hun hand op en vroegen zwaaiend om de aandacht van voorzitter Wessel.

„U hebt de politie niet ingelicht, juffrouw Klomp. U hebt misbruik gemaakt van de situatie en áángifte gedaan van kindermishandeling, dat is heel wat anders dan vragen om een onderzoek. Ik vind dat we juffrouw Van Zwieten alsnog onze excuses moeten aanbieden, nu vaststaat dat zij onschuldig is," riep een ouder die niet op zijn beurt kon wachten, met verongelijkte stem. „We hebben haar zelfs de kans ontnomen om locatiemanager te worden van De Regenboog. Juf Van Zwieten had namelijk óók gesolliciteerd net als haar beide andere collega's. Meneer Wessel heeft ons daar tijdens een vergadering van op de hoogte gesteld en om advies gevraagd."

Andere ouders vielen de man meteen bij. Carola voelde haar maag samenkrimpen. Wat gebeurde hier eigenlijk? Ze had gedacht dat de episode rondom Ellis van Zwieten nu definitief voorbij zou zijn! Zeker nu Miranda de functie van locatiemanager toebedeeld had gekregen. Dit was toch geen evaluatie van de situatie? Hier kreeg zij publiekelijk de zwarte piet toegespeeld! De gebeurtenis leefde blijkbaar nog steeds heel erg bij de leden van de medezeggenschapsraad. Dat was iets wat Carola duidelijk had onderschat. Ondanks de warmte huiverde ze toen meneer Wessel het idee lanceerde om haar zo snel mogelijk te rehabiliteren. De medezeggenschapsraad stemde onmiddellijk unaniem in met zijn voorstel.

„Gaat u hiermee ook akkoord, juffrouw Klomp?" De kritische blik van meneer Wessel bleef op Carola's gezicht gericht. Carola voelde haar hart zwaar bonzen, ze schokschouderde nogmaals en voelde zich verward. Als ze nu 'ja' zei, gaf ze ruiterlijk toe dat zij de situatie verkeerd had ingeschat en dat betekende op dit moment het allerergste wat haar hier kon overkomen, namelijk: gezichtsverlies. „Ik trek de onschuld van Ellis van Zwieten nog steeds ernstig in twijfel, hoor…" antwoordde ze met gejaagde, onzekere stem. Misschien lukte het haar wel om met dit antwoord nog onrust bij de aanwezige medezeggenschapsraad te zaaien. Ze keek afwachtend de zaal in, misschien dat een enkele ouder haar alsnog het voordeel van de twijfel wilde geven. Niemand reageerde.

„Maar als het moet... dan... dan... nou ja, het belang van De Regenboog gaat bij mij boven alles!" hakkelde ze daarna snel.

Meneer Wessel fronste zijn wenkbrauwen. „Ik zal morgen een keurige brief aan juffrouw Van Zwieten opstellen, die we allemaal gezamenlijk zullen ondertekenen. Ik zie dit als een belangrijke daad in het belang van De Regenboog en de buitenschoolse opvang die in januari van start gaat. Ik reken daarbij ook op u, juffrouw Klomp!" Carola knikte kort, hoewel ze het absoluut niet met meneer Wessel eens was. De andere vergaderpuntjes gingen aan haar altijd zo opmerkzame geest voorbij. Ouders en bestuur vroegen zich af hoe ze het vertrouwen van de ouders weer terug konden winnen, zodat ze de zorg voor hun kindertjes weer opnieuw in de handen van het personeel van De Regenboog durfden te leggen, na alles wat er was gebeurd. Maar Carola kon zich niet langer meer concentreren. Haar hoofd tolde van allerlei gedachten. Tijdens deze avond had de medezeggenschapsraad samen mét meneer Wessel een motie van wantrouwen onder haar neus geduwd. Ze stond er ineens alleen voor en elke aanwezige ouder stelde háár verantwoordelijk voor wat er met Ellis was gebeurd. Wat zou de brief van meneer Wessel straks bij Miranda en Jenny teweeg brengen?, vroeg ze zich wanhopig af. En zou Ellis door deze brief een kans maken om als kinderleidster terug te keren? Ze was immers voor onbepaalde tijd op non-actief gesteld. Een terugkeer behoorde nog altijd tot de mogelijkheid. Carola beet haar kiezen op elkaar. Ze besefte dat ze veel te ver was gegaan met haar beschuldigingen aan het adres van Ellis. Veel te ver! Het was wrang dat haar aangifte zo uit de hand was gelopen. Ze had het effect vooraf niet kunnen voorzien. En als ze er nu achteraf op terugkeek was het allemaal voor niets geweest. De populaire Ellis van Zwieten bleek ondanks alles nog steeds bijzonder geliefd te zijn bij de ouders van de medezeggenschapsraad. Ze namen het uiteindelijk allemaal voor haar op. Niemand uitgezonderd!

Carola voelde zich door meneer Wessel voor gek gezet en in de steek gelaten. Het was haar nu al duidelijk, dat hij als bestuurslid in de toekomst geen enkel vertrouwen meer in haar handelwijze zou hebben. En de aversie van de medezeggenschapsraad was door zijn aanpak nu ook helemaal tegen haar – de niet geliefde Carola Klomp – gericht. Ze voelde het van hen afstralen door de manier waarop ze naar haar keken. Ze was enorm teleurgesteld in alle ouders en meneer Wessel. Ze had gedacht dat haar aangifte bij de politie enkel winst op zou leveren. Dat zij – Carola – zelfs een compliment zou krijgen vanwege haar uitstekende optreden in crisissituaties. Maar uiteindelijk besefte ze, dat ze alles had verloren. En het ergste was, dat ze er met niemand over durfde te praten. Zelfs niet met Alida, die nu al naar haar uitkeek en op haar thuiskomst zat te wachten. Carola's hart kromp ineen toen ze aan het oudje dacht. Nee, Alida moest het voorlopig maar een poosje zonder haar gezelschap zien te redden. Ze kon haar vriendin nu niet onder ogen komen. Het zou nog wel een poosje duren voordat ze Alida weer wilde zien om haar alles te vertellen. En op haar werk bij De Regenboog durfde ze zich morgen ook niet te vertonen. Wat een afgang als daar bekend werd gemaakt, waarover deze avond was gesproken. Dat zíj, na een dienstverband van jaren, de zwarte piet kreeg toegeschoven en Ellis naam zonder slag of stoot zou worden gezuiverd. Dat was onacceptabel!

Koortsachtig zocht Carola in gedachten naar een oplossing om haar goede naam niet kwijt te raken, maar kon uiteindelijk geen zinvol excuus bedenken. Ze namen het haar allemaal erg kwalijk dat ze Ellis bij de politie had aangegeven. Ze las het vanavond in ieders ogen. En niet te vergeten, overdag in die van Miranda en Jenny. Ze geloofden haar verhaal niet meer en trokken het ernstig in twijfel. O, wat haatte ze de ouders van de medezeggenschapsraad toch! Maar óók meneer Wessel, die haar deze avond als een attractie op had laten draven om te functioneren als de kop van Jut. Met deze afgang en het wantrouwen van iedereen kon ze niet verder leven.

Het was afgelopen met haar werk voor de kindertjes van De Regenboog en ook haar verdere carrière bij de buitenschoolse opvang was bij voorbaat al gedoemd te mislukken, realiseerde ze zich.

Deze conclusie bezorgde haar ontstellend veel pijn. Met dit gezichtsverlies viel immers niet te leven, daar kon ze niet tegenop boksen. Het zou haar altijd blijven achtervolgen. Ze moest zo snel mogelijk maatregelen nemen en een nieuwe baan gaan zoeken. Misschien wel in een ander deel van het land.

Dicky had Erica bij school afgezet en was weer naar huis gereden. Harm zat in zijn autostoel op de achterbank, hij keek met grote ogen naar buiten. Ze gespte hem los en nam hem mee naar binnen. Daar kwam ze net op tijd aan om de rinkelende telefoon op te nemen. Het was meneer Wessel. Met Harm op haar arm hoorde ze hem over de laatste ontwikkelingen praten. Twee dagen geleden was er een ingelaste vergadering geweest van de medezeggenschapsraad. Tot haar spijt had Dicky deze vergadering niet bij kunnen wonen. Meneer Wessel had haar voor die avond wel uitgenodigd en haar het woord willen geven om iets te vertellen over Harms ernstige benauwdheid en ziekte. Jochem en zij waren geen lid meer, maar voor deze vergadering wilde meneer Wessel graag een uitzondering maken. De medezeggenschapsraad was na alle opschudding tot de conclusie gekomen dat Carola Klomp wel erg voorbarig had gehandeld met haar aangifte van kindermishandeling bij de politie. Men twijfelde aan deze grove beschuldiging en wilde duidelijkheid. Ellis was door Carola's aangifte immers meteen op non-actief gezet met alle vervelende gevolgen van dien. Niemand zat graag onschuldig vast op een politiebureau, ook Ellis niet! Gelukkig was Ellis onschuldig uit de strijd gekomen, maar het had haar veel gekost. Om over alle negatieve publiciteit in de kranten maar niet te spreken.

Dicky stemde meteen in met een brief die meneer Wessel namens het bestuur en de medezeggenschapsraad aan Ellis wilde schrijven. Dat was een goed idee! Ze wilde dolgraag haar eigen handtekening zetten naast alle andere. Men wilde Ellis eensgezind excuses aanbieden en zich verontschuldigen voor de impulsieve manier waarop er gehandeld was.

„Ik kan de brief zelfs persoonlijk aan Ellis overhandigen, als u daar prijs op stelt," merkte Dicky op. „Over twee dagen hebben

Jochem en ik een afspraak met haar. Dat hebben we geregeld via haar zus, Bella Aalbers."

„Grandioos!" riep meneer Wessel luid in haar oor. „Er is echter na u nog wel een persoon die de brief moet ondertekenen, hoor. En dat is juffrouw Klomp! Zij heeft zich daags na de vergadering ziek gemeld en we hebben daarna niets meer van haar vernomen. Waarschijnlijk een griepje!"

„Ach heden, dat is vervelend," zuchtte Dicky. Ze was verguld met het plan dat ze de brief persoonlijk aan Ellis mocht overhandigen, maar daar hoorde vanzelfsprekend ook Carola's handtekening onder te staan. Júist die van Carola!

„Ik weet waar Carola woont. Zal ik er met de brief langsgaan, zodat ze hem kan ondertekenen, meneer Wessel?"

„Mmm, dat is misschien wel een goed idee."

„Dan kom ik nu bij u langs, als het u gelegen komt. Daarna rijd ik meteen door naar Carola Klomp voor haar handtekening."

Dicky legde de telefoon weg en nam Harm weer mee.

„Kom op, lieverd. Werk aan de winkel! Over twee dagen mag je ook mee naar Ellis, net als je zus." Dicky glimlachte naar het kereltje dat met zijn handjes in haar haren graaide en er hardhandig aan trok. Zijn favoriete spelletje.

Nadat Jochem enkele dagen geleden contact had gezocht met Bella, was er veel gebeurd. Bella wist hem te vertellen waar Ellis momenteel verbleef. Ze had hem meteen toegezegd dat ze Ellis zou bellen om een afspraak voor een ontmoeting te organiseren. Een dag later had Bella Jochem weer teruggebeld om te vertellen dat Ellis hen graag wilde ontmoeten voor een gesprek.

„Jullie zullen zelf naar Oisterwijk moeten rijden, Jochem," had ze er achteraan gezegd. „Ellis wil voorlopig niet naar Culemborg terugkeren. Ook niet voor een gesprek. Ze heeft veel te verwerken, maar dat begrijp je waarschijnlijk wel."

Natuurlijk begreep Jochem dat. Dicky keek uit naar die ontmoeting. Erica was ook erg enthousiast geweest toen ze te horen kreeg dat ze met hen mee mocht. Ze had op school al een mooie tekening voor haar beste vriendin gemaakt. Dicky had op haar beurt bij de juwelier voor Ellis een setje zilveren oorknopjes met pareltjes erin gekocht. Als blijk van haar vriendschap en waardering, hoewel ze besefte dat het slechts een gebaar was en het de ellende waarmee Ellis was opgezadeld niet kon wegnemen.

Een halfuurtje later reed Dicky met de brief van meneer Wessel naar Carola's appartementencomplex. Harm was in zijn autostoel in slaap gesukkeld. Voor het gebouw, op de parkeerplaats, zag ze Carola's auto staan. Dicky vroeg zich af of Carola misschien ernstig ziek was, of alleen maar last had van een griepje. Ze zou het zo weten als ze oog in oog met Carola kwam te staan. De griep heerste namelijk volop, ze hoorde het dagelijks op school van andere moeders, als ze na schooltijd bij de schoolpoort op Erica stond te wachten. De lift bracht haar met een slapende Harm in haar armen naar de tweede etage. Ze drukte twee keer op Carola's voordeurbel. Na enkele minuten probeerde ze het nog eens. Maar er gebeurde niets. Er werd niet opengedaan en de gesloten gordijnen bewogen ook niet. Carola was blijkbaar niet thuis, óf niet in staat om de voordeur open te doen. Dicky wilde zich juist omdraaien en weer weglopen toen een jonge vrouw met een witte schort van de thuiszorg, haar wenkte en vervolgens aansprak.

„Kent u Carola Klomp soms ook?" vroeg ze belangstellend. „Ik wil niet nieuwsgierig zijn, maar mijn cliënte die ik op alle doordeweekse ochtenden verzorg, maakt zich erg ongerust. Carola heeft al bijna twee dagen niets meer van zich laten horen. Dat is hoogst ongebruikelijk."

Dicky trok haar wenkbrauwen op. Harm kreunde zachtjes en knipperde wat met zijn ogen, maar sliep daarna ongestoord verder. Zijn gewicht begon loodzwaar aan te voelen in Dicky's armen. Ze zuchtte en verlegde het kereltje voorzichtig naar haar andere arm.

„Tja, ik ken Carola klomp vrij goed. Ze is locatiemanager van kinderdagverblijf De Regenboog. Maar het lijkt erop dat ze nu niet thuis is, hoewel haar auto beneden op de parkeerplaats staat geparkeerd! Ik weet wel dat ze zich bij haar werkgever heeft ziek gemeld. Het kan natuurlijk ook zijn dat ze vanwege ziekte niet in staat is om de deur te openen."

„Ze neemt zelfs de telefoon niet op!' zuchtte het zustertje met een stem waarin wanhoop klonk. „Mijn cliënte is op van de zenuwen, dit is werkelijk niet normaal. Carola is áltijd bereikbaar voor mevrouw Blom. Ze zien elkaar dagelijks. Carola verleent zeven dagen per week mantelzorg, ziet u."

„Vreemd!" vond Dicky. Ze drukte nogmaals op Carola's bel. Maar ook nu kwam er geen reactie. Er schoot haar plotseling iets te binnen.

„Heeft uw cliënte misschien een reservesleutel van Carola's appartement. Het zou voor ons een mogelijkheid zijn om binnen te komen. Misschien heeft Carola wel dringend hulp nodig!"

Het zustertje knikte kort. „Ik ga het mevrouw Blom meteen even vragen," antwoordde ze en holde haastig weg.

Dicky probeerde via de gesloten overgordijnen in Carola's kamer te kijken. Maar dat lukte niet. Ze klopte voor alle zekerheid ook nog een keer stevig op het raam, zodat Harm wakker schrok en begon te huilen.

„Carola, ben je daar?" riep ze luid.

Ook nu kwam er geen reactie. Het zustertje kwam hijgend terug. Ze hield een sleutel in haar hand die ze triomfantelijk omhoog stak. „Dat was een goed idee! Mevrouw Blom had er een in haar tas zitten. Die is voor noodgevallen, zei ze."

„Zullen we dit dan maar als een noodgeval beschouwen?" stelde Dicky aarzelend voor, terwijl ze probeerde Harm te kalmeren.

De zuster knikte. „Ja, ik denk dat er iets aan de hand is en dat Carola dringend onze hulp nodig heeft. Ik heb er geen andere verklaring voor."

„Ik wacht hier wel even." Dicky wilde niet met een huilende Harm achter de zuster aan het appartement inlopen.

Niet veel later kwam de zuster weer terug. Opgewonden en lichtelijk in paniek. „Carola ligt in bed, en… het ziet ernaar uit dat we een ambulance moeten waarschuwen. Het gaat niet goed met haar, ze is niet wakker te krijgen. Zo raar!" Dicky stormde geschrokken achter de zuster aan naar binnen. Terwijl de zuster in de woonkamer naar een telefoon zocht om hulp in te schakelen, liep Dicky direct door naar Carola's slaapkamer. In een oogopslag zag ze Carola op haar rug liggen. Stil, met bleke wangen. Haar ogen dwaalden vervolgens naar het nachtkastje, waarop ze openge-scheurde medicijndoosjes zag liggen. Ze hield haar adem enkele seconden in en begreep meteen wat er was gebeurd. Ze duwde Harms hoofdje zachtjes opzij, alsof ze hem wilde beschermen voor wat haar ogen zagen. Hij snikte nog na en graaide daarna kraaiend met zijn handjes naar haar haren. Dicky verliet de slaap-kamer, het beeld van een verstilde, bleke Carola stond op haar net-vlies gegrifd.

Wat een afschuwelijke ontdekking! Carola die, zoals het ernaar uitzag, alle medicijnen tegelijk had ingenomen. Waarom? vroeg Dicky zich angstig af. Wáárom had Carola dat nu gedaan? Had ze dan geen hoop meer gehad, geen zicht meer op de toekomst.

„Er komt een ambulance," hoorde ze de zuster zeggen.

„Ik hoop dat het niet te laat is. Heb je die medicijndoosjes gezien op haar nachtkastje?" Dicky's stem trilde van emotie, ter-wijl Harm uit alle macht aan haar haren trok.

De zuster schudde haar hoofd en stormde geschrokken Carola's slaapkamer weer in.

„Ze leeft nog!" hoorde Dicky vanuit de slaapkamer roepen. „Ze heeft een zwakke polsslag, nauwelijks voelbaar..."

Dicky haalde ietwat opgelucht adem en probeerde Harms hand-jes uit haar haren los te maken. In de verte hoorde ze de jankende sirene van een ambulance naderen.

Tim begreep maar niet waarom Ellis hem niet belde. Zijn brief had hij vijf dagen geleden in de brievenbus van haar logeeradres bij Bella laten glijden. Die had Ellis nú toch zeker al wel gelezen? Hij was ervan overtuigd geweest dat ze hem de dag erna al zou bellen, maar dat was niet gebeurd. Hij had tot op heden helemaal nog niets van haar gehoord. Geen enkel teken van leven. De afge-lopen dagen had hij herhaaldelijk naar de telefoon gekeken en de drang om haar zélf op te bellen met moeite weerstaan. Het was niet aan hem om haar nu te bellen, maar andersom. Híj had haar die brief gestuurd en nu wachtte hij op háár reactie. Het was zater-dag vandaag, hij had deze avond min of meer gehoopt op een dineetje bij kaarslicht, samen met Ellis. Maar zoals het er nu naar uitzag, stelde ze geen prijs op een snelle ontmoeting.

Tim voelde zich ernstig tekort gedaan, hij was er zo benieuwd naar hoe ze het nu stelde. Zou ze de grootste schok al hebben verwerkt?, vroeg Tim zich af. Het was niet niks om onschuldig op een politiebureau te worden vastgehouden. En dan al die negatieve berichten eromheen. De baan, waar ze zo van hield, was ze voorlopig ook kwijt! Die gebeurtenis had haar vast en zeker danig van haar stuk gebracht, anders had ze hem allang weer opgebeld. Ze was altijd zo dol op hem geweest!

Tussen de middag overhandigde Lien hem een envelop. „Dit zat bij de post! Een brief van Ellis, denk ik. Er staat geen afzender op, maar het is wel haar handschrift. Het poststempel is niet afkomstig uit deze omgeving. Vreemd, hoor!"

Tim griste de envelop uit haar handen en scheurde hem onmiddellijk open.

Zijn ogen lazen de regels. Lien had gelijk, hij hield een brief van Ellis in zijn handen. Hij fronste zijn wenkbrauwen.

Lieve Tim,

Ik heb je brief ontvangen via Bella, hoewel ik niet meer bij haar logeer. Ik ben daar daags na mijn vrijlating weggegaan en sinds drie weken werk ik in de bediening in een hotel. Ik heb het daar behoorlijk druk mee. Tim, mijn vertrek uit Culemborg was echt nodig. Ik voel me hier in Oisterwijk enigszins tot rust komen en probeer alles een beetje te verwerken. Dat lukt ook al aardig! Maar, ik ben voorlopig nog niet van plan om huiswaarts te keren. Het lijkt me dan ook beter om pas over een paar weken op je uitnodiging in te gaan. Tegen die tijd bel ik je voor een afspraak. Groet je ouders van me.

Liefs van Ellis.

Tim liet de brief zakken en probeerde zijn teleurstelling weg te slikken. Hij wist niet eens dat Ellis weg was gegaan bij Bella. Zoals hij in deze brief las werkte ze in het plaatsje Oisterwijk. Daar had ze hem niet eens over ingelicht. Vreemd, dat ze dat niet had gedaan. Haar ouders of Bella hadden hem toch ook wel even kunnen bellen om het door te geven!

Nou ja, eigenlijk kon hij het hen ook niet kwalijk nemen. Hij had zelf ook niets meer van zich laten horen, omdat hij al die tijd niet wist waar hij uitcindelijk goed aan deed. Tijdelijk afstand nemen had hij als de beste oplossing gezien. Maar, hád hij daar nu goed aan gedaan?, vroeg hij zich af. Lien keek hem onderzoekend aan. „En…" vroeg ze nieuwsgierig, „hoe gaat het met Ellis?" Hij haalde zijn schouders op. „Al wat beter, schrijft ze. U krijgt de groeten van haar. Over enkele weken spreken Ellis en ik samen weer wat af, als alle commotie rondom haar arrestatie weer weg-geëbd is uit het plaatselijke sociale leven." Lien knikte, duidelijk opgelucht. Er gleed meteen een royale glimlach over haar gezicht. „Het is goed dat jullie elkaar naar aanleiding van die spraakma-kende situatie een tijdje niet zien.

Dan weet je straks tenminste wat je aan elkaar hebt."

„Ik houd van Ellis, mam. Ik had haar vanavond graag willen zien, maar zij vindt het nog te vroeg. Ze heeft meer tijd nodig."

„Begrijpelijk! Ellis is tenminste een verstandige vrouw, Tim. Maar je hoeft vanavond niet te gaan zitten kniezen, jongen. Koster Verhoeven en zijn vrouw komen een hapje bij ons eten. Ze zullen je gezelschap erg op prijs stellen, want Marjet komt ook mee. Een bijzonder aardig meisje om eens mee te praten, vind je niet?"

Tim schudde zijn hoofd, hij had het kunnen weten dat Lien mis-bruik zou maken van Ellis' afwezigheid. Ze liet geen kans onbe-nut om hem alsnog aan Marjet Verhoeven te koppelen.

„Ik ga vanavond een eind lopen," beet hij zijn moeder toe. „Volgende week is er in het noorden een marathonloop. Ik wil me goed voorbereiden."

„Dat kun je Marjet niet aandoen, Tim!" De stem van Lien klonk verontwaardigd, Tim zag een boze flikkering in haar ogen.

„Ik voel er niets voor om vanavond over allerlei kerkenwerk te praten. 'k Heb momenteel genoeg andere dingen aan m'n hoofd."

Tim liep geïrriteerd naar de deur, de brief van Elllis duwde hij in de binnenzak van zijn colbertje. Wat dacht Lien wel niet? Hij was dertig jaar en wilde niet altijd op zo'n kinderachtige manier door haar gestuurd worden.

„Kun je dan wat eerder naar huis komen? Een uur of negen, mis-schien? De familie Verhoeven blijft doorgaans nooit langer dan tot tien uur, want morgen is het zondag. Meneer Verhoeven neemt zijn taak als koster heel serieus. Hij is altijd al klokslag acht uur in het kerkgebouw te vinden om alle voorbereidingen voor de dienst te treffen. Het getuigt van goed fatsoen als je je gezicht heel even laat zien."

Voordat hij de deur dicht deed keek Tim zijn moeder aan. Ze gaf het nooit op en wilde ook altijd het laatste woord. Als hij nu niet op haar verzoek inging, kreeg hij dat verwijt nog wekenlang voor z'n voeten geworpen. Hij zuchtte van ergernis en gaf zich dan gewonnen.

„Oké, ik doe m'n best," antwoordde hij korzelig en trok de deur daarna met een ferme klap dicht. Even later liep hij in zijn sporttenue de weg af, om een afstand van vijftien kilometer te overbruggen. Tijdens het lopen voelde hij de broodnodige ontspanning door zijn lijf tintelen. Zolang hij liep, voelde hij zich tenminste in z'n element. Hij wilde even nergens aan denken, niet aan de zaak en niet aan Ellis die hem zo'n teleurstellend briefje had gestuurd. Maar ook niet aan het bezoek dat hij vanavond rond de klok van negen in de huiskamer van zijn ouders zou aantreffen.

Aan een gesprek met Marjet Verhoeven had hij absoluut geen behoefte. De kilometers gleden met gemak onder zijn veerkrachtige voeten weg.

12

Ellis keek naar alle kleurrijke poppen die in De Schatkist op een rij lagen. Sjors was erg zuinig op zijn vrienden, zoals hij ze altijd vertederd noemde. Hij had er veel meer dan ze tijdens hun eerste kennismaking had gezien. Allerhande poppen met fijne porseleinen gezichtjes, olijke kapsels, karakteristieke uitstralingen, in fel gekleurde kledij gestoken. Zijn eerste optreden in het hotel was meteen een enorm succes geweest. Alle aanwezige hotelkinderen, plus een aantal kleintjes die met hun ouders in het bungalowpark een eindje verderop logeerden, zaten vol spanning in het zaaltje en leefden stuk voor stuk mee met het verhaal. Sylvia had Ellis toestemming gegeven om het laatste halfuurtje bij de uitvoering te gaan kijken.

„Ik neem de bediening dan wel even van je over," had ze vriendelijk gezegd. „Sjors is geknipt voor zijn werk. Dat zul je wel zien." Sylvia had gelijk. Ellis raakte diep onder de indruk van het poppentheater, waarachter Sjors door middel van zijn poppen een spannend verhaal opvoerde. Een groter talent met zo'n liefdevol hart voor kinderen had Ellis nog niet eerder ontmoet. Later, toen de kinderen allang weer door hun ouders waren opgehaald en Sjors het theater voorzichtig afbrak, bood ze hem een kop koffie aan. Voorzichtig legde hij alle poppen terug op hun speciale plaatsje in De Schatkist.

„Ik weet niet precies hoe ik het je moet zeggen, Sjors, maar het was meesterlijk. Je bent een geboren poppenspeler. Ik heb het laatste halfuurtje intens genoten."

Sjors fronste even zijn wenkbrauwen en haalde, duidelijk verlegen met haar compliment, zijn schouders op.

„Ach," zei hij schuchter, „de kinderen hebben ervan genoten. Zág je dat, Ellis? Zág je die verrukkelijke smoeltjes? Daarom doe ik dit werk ook zo graag. Kleine kinderen zijn altijd open, eerlijk en vreselijk leergierig. Het meest fantastische van mijn werk is om kinderen gelukkig maken met woord en spel!"

„Ik wilde wel dat ik íets van jouw talent mocht bezitten. Wanneer is je volgende optreden?" Ellis was nieuwsgierig, de volgende keer zou ze zijn optreden vanaf het begin willen zien. Dat moest ze dan van tevoren wel met Sylvia regelen.

„Je hebt me eerder verteld dat je ook dol bent op kinderen, Ellis. Zou je het leuk vinden om af en toe de stem van pop Nora en poppenkind Jolijn te vertolken en achter de kast met me mee te spelen. Soms mis ik de stem van een vrouw in het geheel."

Met het dienblad in haar hand keek Ellis in de doordringende groene ogen van Sjors. Een felrode kleur steeg naar haar wangen.

„Ik? Je bedoelt... maar..." hakkelde ze verlegen, „er is toch niks mis met jóuw stem, Sjors. Ik kan me niet voorstellen dat..."

„Je onderschat jezelf. Ik heb zelden mensen ontmoet die zo enthousiast hebben gereageerd op mijn werk als jij steeds doet. Jij hebt evengoed een groot hart voor kinderen, ik weet zeker dat je het kunt."

„Ik weet het niet, ik durf niet zo goed," antwoordde Ellis aarzelend. Haar hart bonsde hevig toen ze zei: „Ik heb enkele weken geleden zoveel narigheid meegemaakt. Werken met kinderen vind ik op dit moment erg moeilijk. Misschien komt het terug, als ik wat meer zelfvertrouwen krijg."

Sjors plaatste het deksel op De Schatkist en dronk daarna van zijn koffie.

„Vertel me wat je dwarszit als het om kinderwerk gaat. Wat is eigenlijk je beroepskeuze, je opleiding? Ik kan me namelijk niet voorstellen dat je het werk hier in het hotel altijd wil blijven doen. Dat is niets voor jou!"

Ellis zoog peinzend op haar wangen. Niemand in deze omgeving kende haar en de werkelijke reden van haar verblijf hier. Er was niemand die haar aansprak op de negatieve berichtgeving in de krant, waarin ze stond afgeschilderd als de juf die kleine kinderen mishandelde. Dat kon ze Sjors op dit moment niet zomaar vertellen. Ze was dan wel onschuldig, maar als mensen erachter kwamen dat ze twee dagen in een politiecel had doorgebracht om die reden, bracht dat zijn werk als poppenspeler vast ernstig in gevaar.

„Ik heb een opleiding tot verpleegkundige met kinderaantekening voltooid en verder kan ik je er niets over vertellen. Dat ligt erg gevoelig, Sjors. Sorry hoor!" antwoordde ze schor. Er glinsterden tranen in haar ogen en haar lippen beefden.

„Dat geeft niet," glimlachte Sjors en legde zijn hand heel even op haar schouder. „Soms is het wel eens goed om een poosje weg te zijn uit je omgeving en afstand te nemen van je werk. Zo is het mij ook vergaan."

„O…"

Sjors dronk het laatste slokje koffie op en zette het kopje nadenkend terug op het dienblad. „Ik ben de oudste zoon uit een boerenfamilie. Omdat ik geen plannen had om op volwassen leeftijd de boerderij van mijn vader over te nemen, hebben mijn ouders ervoor gezorgd dat ik een opleiding kon gaan volgen voor het nobele beroep van onderwijzer. Ik was van jongs af aan al begaan met andere kinderen, wilde ze altijd van alles leren en uiteindelijk bleek ik op het voortgezet onderwijs ook bijzonder creatief en fantasierijk te zijn. Omdat mijn ouders erg op status gericht waren ben ik uiteindelijk het onderwijs ingegaan, ik wilde hen niet teleurstellen. Ze hadden het allerbeste met me voor en stippelden trouwhartig mijn toekomst uit, zoals ze dat later ook voor mijn broertje en zusje deden. Mijn vader vond het erg belangrijk dat ik geschiedenis op het voorgezet onderwijs zou gaan doceren. Dat was namelijk zijn eigen onvervulde jongensdroom geweest en die zag hij maar wat graag in vervulling gaan in mijn leven. Vanaf het begin draaide het lesgeven op een middelbare school al uit op een fiasco. Mijn uitstraling had ik blijkbaar niet mee. Mijn sproeten en mijn dunne rossige haardos werden al snel het mikpunt van talrijke pesterijen. Zo erg zelfs, dat… ik… een paar keer de klas ben uitgelopen. Ik bleek niet opgewassen te zijn tegen die vernederende pesterijen."

„O Sjors, wat erg!" Ellis zag aan de uitdrukking in zijn ogen dat het hem nog steeds raakte.

Hij glimlachte vaag en schudde toen mistroostig zijn hoofd. „Uiteindelijk ben ik na twee jaar vechten tegen de bierkaai ernstig overspannen geraakt en weggegaan. Ik bleek absoluut niet geschikt te zijn om les te geven aan het voorgezet onderwijs en de orde onder recalcitrante pubers te handhaven, vond de directie. Tja…"

„En toen?" Ellis keek hem afwachtend aan. Sjors, die jaren gepest was vanwege zijn sproeten en uitstraling! Ze merkte dat er een warm gevoel van medelijden haar hart binnensloop.

„Het heeft me meer dan een jaar gekost om op te knappen. De hele situatie had me erg aangegrepen, ik twijfelde voortdurend aan mezelf en ik kreeg een negatief zelfbeeld.

In dat jaar ben ik me gaan verdiepen in wat ik zelf graag zou willen doen, want ik wilde absoluut niet meer terug voor de klas en geschiedenislessen geven. Ik wilde ook nooit meer met oudere kinderen werken, dat stond voor mij als een paal boven water! Jongere kinderen, tot twaalf jaar, dát is een categorie waar ik heel graag mee werk. Een oude poppenkast, die op de straat bij het grove huisvuil op een afvalwagen stond te wachten, bracht me op een grandioos idee. Zo werd uiteindelijk mijn poppentheater geboren. Ik heb De Schatkist helemaal zelf ontworpen en met mijn beide handen gemaakt, inclusief alle poppen. Iets wat achteraf gezien een heilzame werking had voor mijn herstel.

„Heb je dan geen enkele opleiding gevolgd voor dit werk, Sjors?" vroeg Ellis zich verbaasd af.

Sjors knikte. „Het toerisme hier in Nederland bleek al snel volop kansen te bieden voor mijn liefhebberij. Toen ik dat ontdekte ben ik meteen een opleiding gaan volgen voor recreatie, toerisme en entertainment. En nu wordt ik overal in het land gevraagd, maar elk jaar ben ik vanaf de herfstvakantie tot na de voorjaarsvakantie in het Brabantse land te vinden. Er is hier altijd volop werk."

„Waarom heb je er niet voor gekozen om op een basisschool les te geven? Daar bevindt zich namelijk ook de doelgroep waarvoor je zo graag wil werken. Jongere kinderen, tot twaalf jaar!" vroeg Ellis zich af.

Sjors zuchtte diep en schudde daarna zijn hoofd met een pijnlijk vertrokken gezicht. „Gepest worden vanwege je uiterlijk, komt erg hard aan, Ellis. Dat beschadigt iets vanbinnen, wat je je levenlang niet meer kwijtraakt. Ik heb na mijn ziekte het risico niet durven nemen om op de basisschool weer voor de klas te staan. Bang, om opnieuw het doelwit te worden van allerlei vervelende geintjes. Daarbij waren mijn voorstellingen met De Schatkist erg succesvol. Met dit werk hoef ik mijn gezicht namelijk niet te vertonen, mijn handen zijn het belangrijkste onderdeel van mijn lichaam geworden. Zij vertegenwoordigen mijn poppen en brengen elke persoonlijkheid stuk voor stuk tot leven op een wijze zoals ik dat graag wil. Er is niemand in de zaal die zich stoort aan mijn sproeten, de kleur van mijn haar of mijn gifgroene ogen. Ze komen allemaal voor mijn theaterspel en de spannende avonturen die ik mijn poppen laat beleven. Ik blijf zelf veilig achter de schermen, snap je. Maar ondanks het verleden ben ik een tevreden man hoor. En dat wilde ik je nu graag zeggen. Soms gaan de dingen in het leven gewoon anders dan je verwacht."

„Ik vind het een hele prestatie, zoals jij je door die moeilijke periode heen hebt geslagen. Het heeft je heel wat gekost."

„Ja, maar ik hoop dat mijn verhaal jou ook een beetje zal helpen. Soms helpt het al om erover te praten." Sjors keek haar uitdagend aan. Toen Ellis niet meteen reageerde stond hij op en ging rustig verder met het opruimen van zijn spullen. Ellis schoof nerveus zijn lege koffiekopje over het dienblad heen en weer.

Ze kon er niet toe komen om hem deelgenoot te maken van haar grote verdriet. Ze was juist hier in Oisterwijk gebleven om afstand van te nemen van al het onrecht dat haar was aangedaan. Erover praten zou betekenen dat alle emoties weer naar boven kwamen.

Sylvia stond plotseling achter hen. „O Ellis, er is telefoon voor je. Bella vraagt naar je."

Ellis keek geschrokken op, haar gedachtegang werd abrupt onderbroken. „Dat is mijn zus," verontschuldigde ze zich tegenover Sjors. „Misschien dat ik je straks na werktijd nog zie."

„Mijn aanbod is nog steeds geldig, Ellis. Nora en Jolijn zullen heel blij zijn met jouw stem. Denk er nog eens over na," herinnerde hij haar nog snel aan zijn verzoek.

Ellis knikte verward en liep daarna meteen achter Sylvia aan naar de telefoon die achter de bar hing. Het dienblad met het lege koffiekopje van Sjors deponeerde ze behendig bij de vuile glazen naast de tapkast. Daarna nam ze de hoorn op die aan het telefoontoestel hing. „Hoi Bella, met mij. Waar heb ik je onverwachte telefoontje aan te danken? Vertel eens!"

Ellis luisterde naar de opgewonden stem van Bella en werd heel erg blij van binnen, terwijl de minuten op de klok langzaam wegtikten.

„Natuurlijk vind ik het fijn dat Dicky, Jochem en de kinderen me willen bezoeken. Ze komen me een brief overhandigen, zei je?" Ellis kon opeens geen woord meer uitbrengen, de brok in haar keel bleef groeien. Wat was er allemaal gebeurd in Culemborg, dat het bestuur en de medezeggenschapsraad van De Regenboog haar nu zomaar een brief hadden geschreven? Wat wilden ze haar nú nog vertellen?

Woensdagmiddag, klokslag twee uur, zag Ellis de bekende auto van Jochem en Dicky Kleinveld het parkeerterrein van hotel Vredelust opdraaien met Erica's gezichtje plat tegen het raam gedrukt. Haar oogjes zochten de bosrijke omgeving af en bleven uiteindelijk op Ellis rusten. Het meisje sprong op, klopte Dicky op haar schouder en wees. Ellis zwaaide naar haar gasten, terwijl haar hart pijnlijk tegen haar borstbeen sloeg van spanning. Zo meteen zou ze oog in oog komen te staan met Dicky en Jochem. Ze zag dat Dicky baby Harm uit zijn autostoeltje tilde en met een glimlach op haar af liep. Maar Erica sprong het eerst in haar uitgespreide armen. „O, juf Ellis… eindelijk, hoor! ik heb op school een hele mooie tekening voor u gemaakt."

„Dag lieverd, wat fijn om jullie weer te zien." lachte Ellis, terwijl er tranen in haar ogen sprongen toen ook Dicky haar met Harm op haar arm omhelsde. Ellis nam Harm meteen van Dicky over.

„Wat ziet hij er goed uit!" stelde ze opgelucht vast.

„Harm is weer helemaal gezond," bevestigde Dicky met twinkelende ogen. „We hebben je allemaal zó gemist, Ellis. Fijn om je weer te zien."

Jochem kwam er nu ook bij en gaf Ellis een hand. Ze liet haar gasten vervolgens het hotel en de directe omgeving zien. „Dan weten jullie meteen waar ik momenteel woon en werk. Is het hier niet fantastisch?"

Dicky en Jochem konden niet anders dan dat beamen. „Idyllisch, zoals het hotel erbij ligt. Het lijkt wel een sprookje!" merkte Dicky vol bewondering op.

„Een mooie locatie om de kerstvakantie door te brengen," opperde Jochem. Ellis knikte opgetogen en lachte schalks.

„Er is nog plaats, maar je moet wel snel een kamer bespreken als je het serieus in overweging neemt om hier de kerstvakantie door te brengen, anders zijn anderen je voor." adviseerde ze. „Vredelust is namelijk erg populair."

Jochem maakte direct een notitie in zijn agenda. Erica bleef in het speeltuintje naast het terras spelen. Vanwege het sombere weer besloot Ellis met Dicky en Jochem niet op het terras, maar binnen te gaan zitten. Sietske bediende hen en vanuit het raam konden ze meteen een oogje op Erica houden, die gezelschap had gekregen van enkele andere kinderen. De tekening van haar kleine vriendinnetje lag voor haar, die zou ze straks in haar kamer op de kastdeur plakken. Het kadootje van Jochem en Dicky, de mooie zilveren oorbellen, had ze ook al uitgepakt. Ellis voelde zich duidelijk heel verlegen met dit vriendelijke gebaar. Onder het genot van een kopje koffie vertelde Dicky alles over Harms ernstige ziekte en zijn herstel.

„Het spijt ons enorm, dat Harms pseudo-kroep zulke nare gevolgen heeft gehad voor jou. Uiteindelijk ben je daardoor zelfs voorlopig je baan kwijt geraakt. Is er misschien iets wat Jochem en ik nog voor je kunnen doen, Ellis?" Dicky had haar hand dwingend op de arm van Ellis gelegd.

Ellis haalde aarzelend haar schouders op. „Wat er gebeurd is, kan niemand meer ongedaan maken. Ik ben dolblij dat Harm weer gezond en wel voor me zit." Ze keek naar het gezichtje van Harm, die in zijn wipstoeltje lag en zijn oogjes al dicht had. Langzaam sukkelde hij in slaap. Heel even herinnerde ze zich zijn grijsblauwe benauwde gezichtje weer, zijn gierende ademhaling en de doodsangst die ze zelf had gevoeld toen ze zonder succes getracht had om hem te helpen. Ellis scheurde zich los van dat afschuwelijke beeld. Het was een nare herinnering met zoveel ellendige gevolgen. Ze huiverde.

„Nee, we kunnen de tijd niet terug draaien," bemoeide Jochem zich er nu ook mee. „Maar we kunnen met z'n allen wel iets doen om jouw naam van alle blaam te zuiveren." Hij trok een grote envelop uit zijn zak en schoof die over de tafel naar Ellis.

„Een brief van meneer Wessel en de medezeggenschapsraad. We zijn er allemaal van overtuigd dat Carola Klomp niet correct heeft gehandeld en dat juist háár aangifte bij de politie ons allemaal op het verkeerde been heeft gezet."

Ellis nam de envelop aan, haar handen beefden en de tranen zaten plotseling hoog. Ze las de brief die erin zat en zag de tientallen handtekeningen.

„Geweldig," fluisterde ze ontroerd. „Iedereen heeft getekend. Zijn ze er ook allemaal écht van overtuigd dat ik… dat ik onschuldig ben?" Ze kon het nauwelijks geloven. Bella had door de telefoon wel door laten schemeren dat er een brief met Dicky en Jochem meekwam waarin meneer Wessel en de medezeggenschapsraad hun verontschuldigingen aanboden. Maar al die persoonlijke handtekeningen raakten diep vanbinnen toch een tere snaar. In haar hart welde plots een oprecht dankgebed op. Ze had zich tijdens de afgelopen weken zo ontzettend in de steek gelaten gevoeld door al deze mensen, maar ook een beetje door God. Waarom had Hij zoveel misverstanden in haar leven toegelaten, terwijl zij in deze situatie naar eer en geweten had gehandeld? Ze begreep het niet. Maar deze brief, met al die bekende namen, deed haar zo goed. *Dank u Heer, deze handtekeningen maken zóveel goed. Ik zie nu in dat U mij niet vergeten bent…*

Er gleden langzaam enkele tranen langs haar wangen. Dicky reikte haar een papieren zakdoekje aan.

„Droog je tranen maar, Ellis. We moeten je nog iets vertellen. Het gaat over Carola, zij is helaas niet in staat geweest om deze brief ook te ondertekenen." Ellis wreef langs haar wangen en snoot haar neus. Daarna hoorde ze tot haar grote verbazing wat voor drama zich in Carola's appartement had afgespeeld. „Carola heeft het gelukkig overleefd, de dosis slaaptabletten die ze had ingenomen was gelukkig niet dodelijk. Ze is sinds vorige week na haar ziekenhuisopname tijdelijk overgebracht naar de PAAZ-afdeling voor verdere behandeling. Ze is nog steeds danig in de war en behoorlijk overstuur. Het zal enige tijd duren voordat ze weer volledig hersteld is."

„Niet te geloven!" bracht Ellis ontzet uit. „Waarom heeft ze zoveel slaaptabletten ingenomen?"

„Volgens de arts, die meneer Wessel daarover informeerde, komt het voort uit de gebeurtenissen van de laatste tijd," vertelde Dicky gedreven verder. „Carola schijnt al een poosje met een enorm schuldgevoel rond te lopen omdat ze de situatie op die bewuste dag verkeerd heeft aangepakt. Dat wat er met jou is gebeurd, heeft zij blijkbaar niet écht zo gewild. Het liep vreselijk uit de hand toen de pers er lucht van kreeg en de politie je vasthield op het bureau. Carola had op dat moment in moeten grijpen, maar dat deed ze niet. Ze was zelfs opgelucht toen ze van meneer Wessel te horen kreeg dat jij voorlopig niet op de werkvloer terug mocht komen. Nou ja, om een lang verhaal kort te maken, die vergadering met de medezeggenschapsraad was voor Carola uiteindelijk de bekende druppel. Ze zag het daarna niet meer zitten, omdat niemand meer in haar versie van het verhaal geloofde. En terecht, want jouw onschuld werd bewezen door het politieonderzoek én de diagnose die de arts bij Harm stelde. De leden van de medezeggenschapsraad schoven in de vergadering de schuld daarom ook min of meer op Carola af en die slaaptabletten heeft ze uiteindelijk ingenomen als een schreeuw om hulp en aandacht. Verder spelen haar jeugd en opvoeding ook een grote rol in dit alles. Het is veel te ingewikkeld voor ons om daarover te oordelen. Maar de verwachting is wel dat het te zijner tijd goed komt met Carola."

„Pfff…" pufte Ellis met felrood gekleurde wangen van spanning. Ze was helemaal ondersteboven van wat Dicky zo-even had verteld. „Dat is niet mis! Ik snap eigenlijk ook nog steeds niet wáárom ze zo snel naar de politie is gestapt om aangifte van kindermishandeling te doen. Het heeft zóveel narigheid teweeg gebracht in mijn leven en nu ook in het hare." Ellis keek met een gekweld gezicht naar Dicky en Jochem.

„Sorry, hoor! Maar jullie zijn de eersten waarmee ik nu eens uitgebreid over de situatie kan praten. Ik moest dit gewoon even kwijt. Ik heb er de laatste weken zo mee geworsteld. Ik heb mezelf zo ellendig gevoeld, omdat ik verdacht werd van kindermishandeling!"

Jochem sloeg even troostend een arm om haar schouder. „Geeft niet, Ellis. Vertel ons maar met een gerust hart hoe je je voelt. Dicky en ik begrijpen het volkomen. En wij vinden je een geweldige kinderleidster, je hebt alles gedaan om ons kind te redden. Daar zijn wij je erg dankbaar voor."

„Fijn," zuchtte Ellis met tranen van ontroering in haar ogen. „Ik heb ook veel steun aan Bella, hoor. Ze komt me twee keer per week opzoeken."

„Dat is geweldig," glimlachte Dicky. „Hoewel ik me toch een beetje schaam ten opzichte van je zus."

Dicky vertelde in het kort wat er met haar drie schilderwerken was gebeurd toen de situatie met Harm in een crisis terecht kwam.

„Bella weet nog helemaal niets. Ik durf het haar ook niet te vertellen, Ellis. Ik schaam me diep! Het waren zulke schitterende schilderstukken. Ik heb er nu zo'n spijt van. En naar de aquarellessen op zaterdagochtend ben ik ook niet meer geweest."

„Tja, het waren inderdaad mooie aquarellen," fluisterde Ellis ontdaan, omdat ze wist wat voor waarde deze werken voor Dicky hadden. Maar ook voor Bella, ze had er met zoveel toewijding aan gewerkt.

„Dicky, luister…" Ellis' ogen lichtten ineens blij op. Ze fluisterde niet langer. „In het congresgebouw, een eindje verderop, hangen momenteel nogal wat aquarellen van Bella. Een expositie, waar veel belangstelling voor is van mensen uit deze omgeving. Misschien kunnen we daar nu even naartoe lopen, zodat je weer wat werk van haar hand kunt zien. En in de zaal hiernaast hangen ook vier schilderstukken, waarvan er twee vrij recentelijk zijn geschilderd."

„Nou, dat laten we ons geen tweede keer zeggen," reageerde Jochem enthousiast en stond meteen op van zijn stoel. „Kom, we gaan kijken, er hangt vast iets tussen wat ons aanspreekt."

Harm werd uit zijn wipstoeltje opgepakt, Erica in de speeltuin van een schommel getild en even later liepen ze gezamenlijk naar het congresgebouw. Erica bracht tijdens de korte wandeling luid zingend de nieuwste kinderliedjes ten gehore, die ze op school had geleerd. De volwassenen zongen uit volle borst mee, zelfs Harm kraaide van plezier.

Een uur later kwamen ze het congresgebouw weer uit. Dicky stopte een briefje waarop ze enkele nummers had genoteerd in haar tas.

„Zodra we thuis zijn, neem ik contact op met Bella," nam ze zich voor. „Ik zal allereerst opbiechten wat ik in een vlaag van woede met haar andere aquarellen heb gedaan. Daarna bestel ik die drie nieuwe, die we binnen hebben gezien."

Jochem knikte. Hij was het volkomen eens met haar. Elk schilderwerk van Bella was de moeite waard. Een kunstwerk!

Nadat ze allemaal nog wat frisdrank hadden gedronken in het restaurant van Vredelust, maakten Jochem en Dicky aanstalten om samen met hun kinderen naar huis te gaan.

„We houden kontakt, Ellis. Zodra je binnenkort weer eens naar Culemborg komt, reken ik op een bezoekje."

Ellis knikte, knuffelde Erica en Harm, schudde Jochems hand en kuste Dicky op haar wang. „Bedankt, voor jullie bezoek.

Het heeft me werkelijk goed gedaan. Tot ziens!" Ze zwaaide net zo lang totdat de auto tussen de bomen verdween.

Met een opgelucht gevoel liep ze naar haar kamer. Erica's tekening, het doosje met de zilveren oorbellen en de envelop met de handtekeningen erin hield ze stevig in haar hand. Ze had zich sinds lang niet zo gelukkig gevoeld. Wat was het fijn geweest om de Kleinveldjes weer te zien. Vooral kleine Harm... Erica...

'Dank U Heer, voor deze fijne dag. Voor al het goede dat U geeft...' prevelde ze vanuit een dankbaar hart.

Voordat ze de sleutel in het slot van haar kamerdeur stak hoorde ze Sjors roepen. „Hallo buurvrouw. Ben je zó diep in gedachten verzonken dat je je buurman niet eens ziet staan?"

Ellis keek op. „O Sjors, wat leuk... ik uuuh... ik had je inderdaad nog niet opgemerkt," hakkelde ze opgetogen. Blij, om hem zo onverwacht te zien.

„Heb je er al over nagedacht, Ellis? Je krijgt toestemming van Sylvia om deel te nemen aan mijn voorstellingen in het hotel, áls je tenminste mee wil werken."

„Bedoel je..." Ellis keek Sjors hoopvol aan. In zijn groene ogen lag een blik van verwachting.

„De stem van pop Nora en Jolijn. Ja, dat bedoel ik. Doe je het?" Er gleed een ontspannen glimlach over het gezicht van Ellis.

„Oké, Sjors. Ik wil het graag proberen. Maar als het niks wordt, dan..."

„Afgesproken! Ik weet zeker dat het een succes zal worden. Jij bent net zo dol op kinderen als ik. Wij voelen elkaar haarfijn aan. Enfin, let maar op. Ik zag je vanmiddag wel met dat kleine meisje dat samen met haar ouders op bezoek was! Een vrolijk kind. Jullie zongen uit volle borst. Was dat soms je nichtje?"

Ellis schudde haar hoofd. „Nee, Erica is geen nichtje, maar mijn allerbeste vriendinnetje. Sjors, als je even tijd hebt wil ik je graag iets vertellen over de moeilijke periode waar ik enkele weken geleden doorheen ben gegaan."

„Weet je zeker dat je erover wil praten? Laatst was je zo gesloten, zo bedrukt."

„Ja, dat weet ik nu zeker. Ik vind dat jij het móet weten als er straks sprake zal zijn van enige samenwerking tussen ons."

Ellis duwde haar kamerdeur open. „Kom binnen, ik zet eerst een kop thee. Misschien wil jij Erica's tekening even ophangen aan de kastdeur."

Sjors nam de tekening aan en liep voor haar langs naar binnen. Nee, hij was niet moeders mooiste, flitste het door Ellis hoofd. Geen vrouw zou hem nakijken. Maar hij had een heel goed karakter. Dat stond er niet altijd op aan de buitenkant, realiseerde Ellis zich nu. Vaak moest je mensen beter leren kennen voordat je zag hoe ze werkelijk zijn. Neem nu Tim: Tim had een knap gezicht en was altijd goed gekleed. Een perfecte uitstraling, dat was zijn imago. Maar Tim was geen man om op te steunen. Hij had geen beschermende arm om haar heen geslagen en geen troostende woorden gesproken toen ze hem zo nodig had.

Ach, het deed niet eens zo'n pijn meer, zoals ze nu aan hem dacht.

Ze stond op het punt om Sjors in vertrouwen nemen, omdat ze wist dat ze hem kon vertrouwen. Hij had haar ook in vertrouwen genomen en zich kwetsbaar opgesteld door openlijk over zijn eigen verleden te vertellen. Maar het kwam ook vanwege het bezoek vanmiddag. Dicky en Jochem hadden haar opgebeurd, in haar onschuld geloofd, net als alle anderen die hun handtekening hadden geplaatst ander de brief van meneer Wessel. Dat goede nieuws moest ze met iemand delen. Sjors was de enige aan wie ze het wilde vertellen. Ze overhandigde hem een kop thee en ging in een stoel tegenover hem zitten. Een warm gevoel van blijdschap stroomde door haar lichaam. Ze was benieuwd naar zijn reactie."Sjors, mijn werkgeefster heeft een poosje geleden aangifte van kindermishandeling gedaan. Ze hebben me daarvoor twee dagen in hechtenis genomen... op het politiebureau..."

Sjors luisterde, zonder haar in de rede te vallen. En Ellis keek naar zijn ogen, waarin zoveel medeleven en compassie lag.

Ogen, die haar niet veroordeelden, maar vanaf het eerste woord voor honderd procent in haar verhaal geloofden.

13

Carola lag op bed en staarde naar het plafond van haar eenpersoonskamer op de PAAZ-afdeling. Het was middag, ze had haar warme maaltijd net genuttigd. Ze verbleef hier nu al vijf weken tussen patiënten die allemaal een psychische aandoening onder de leden hadden. Net als zijzelf overigens. De psychiater had vastgesteld dat ze aan een ernstige depressie leed. Maar ze hechtte niet zoveel waarde aan zijn diagnose. De voorgeschreven anti-depressiva slikte ze wel trouw elke dag. Ze wilde alles in het werk stellen om zo snel mogelijk naar huis te worden gestuurd. Elke dag voelde ze zich sterker worden, een teken dat de medicatie aansloeg. En het leven leek minder uitzichtloos dan enkele weken geleden. Alleen de psychiater liep niet zo hard van stapel. Hij vond dat ze nog te onrustig was, ze maakte een erg gejaagde indruk, zei hij. Dat moest eerst verdwijnen. Ze had hem erop geattendeerd dat ze bij thuiskomst een nieuwe betrekking wilde zoeken om in haar levensonderhoud te kunnen voorzien, maar hij had zorgelijk zijn hoofd geschud. „Veel te snel," was zijn conclusie deze ochtend geweest tijdens het laatste consult. „Zet dát voorlopig maar uit je hoofd."

Carola wist dat ze zich bij deze uitspraak neer moest leggen, maar dat was nu zo moeilijk. Met de hoeveelheid slaaptabletten die ze thuis had ingenomen op het moment dat ze haar toekomst niet meer zo helder voor zich zag, had ze blijkbaar naar de buitenwereld het signaal afgegeven dat ze suïcidaal was. Maar dat was niet echt haar bedoeling geweest, net zoals het niet echt haar bedoeling was geweest dat Ellis toentertijd werd vastgehouden op het politiebureau. Vervelend, dat die gebeurtenis zo uit de hand was gelopen, net als dit. Ze had gewoon wat extra slaappillen ingenomen om eens goed te kunnen slapen. Na de vernederende vergadering, waarin meneer Wessel en de medezeggenschapsraad haar aangifte van kindermishandeling door Ellis van Zwieten ernstig in twijfel hadden getrokken, was ze in overspannen toestand huiswaarts gekeerd. Daar was ze beroerd geworden vanwege de afwijzing en minachting die iedereen die avond ten toon had gespreid. Ze had zich na een slapeloze nacht de volgende ochtend ziek gemeld en zich in haar woning verschanst als was het een bunker. Ze durfde niemand onder ogen te komen, zelfs buurvrouw Alida niet. De telefoon die verschillende keren rinkelde had ze volkomen genegeerd, net als de voordeurbel. Voor de nodige boodschappen had ze geen moed gehad. Na twee dagen en nachten piekeren en tobben wist ze wat haar te doen stond. Ze moest niet langer wachten, maar zo snel mogelijk haar ontslag bij meneer Wessel indienen. Een moeilijke beslissing, omdat haar leven dan helemaal op z'n kop kwam te staan, maar ze wist dat het niet anders kon. Ze kon geen locatiemanager meer worden van de buitenschoolse opvang, ze had het vertrouwen van de medezeggenschapsraad eens en voor altijd verspeeld. Dat besef was tijdens de vergadering al ontstaan en haar steeds bijgebleven. Ze had geen andere keus! Hoewel ze enorm haar best deed lukte het toch niet om een zinnig woord op papier te krijgen. In haar hoofd was ze zo vreselijk moe van al dat gepieker en de slapeloze nachten waarin ze maar lag te woelen en te draaien. Evenals haar lijf, dat wel uitgeput leek te zijn. Maar de slaap wilde toch niet komen, hoe ze ook haar best deed. Toen ze de derde nacht klaarwakker uit bed stapte, zocht ze in het medicijnkastje naar een doosje met slaappillen. Pillen, die ze altijd voor Alida achter de hand had, want af en toe belde het oudje haar uit bed omdat ze niet kon slapen. Dan gaf Carola haar altijd twee pillen met een glas water, waarop Alida steevast in een diepe slaap viel. Nu wilde ze het zelf ook eens uitproberen, ze was aan het eind van haar latijn. In het kastje vond ze enkele lege doosjes waarin slaaptabletjes hadden gezeten. Omhulsels, die ze nooit had weggegooid. De inhoud van het medicijnkastje zag er helemaal rommelig uit. Alles lag door elkaar. Carola had de doosjes eruit gehaald, kapot gescheurd en op haar nachtkastje gelegd. In een vijfde doosje zaten echter nog enkele strips met pillen. Ze drukte ze er op goed geluk allemaal uit. Het kon beslist geen kwaad om er wat extra van in te nemen. Ze had al nachtenlang geen oog meer dicht gedaan en een keer de klonk rond slapen zou de vermoeidheid meteen verjagen. Het belangrijkste was, dat ze dan even nergens aan hoefde te denken. Carola spoelde een handjevol pillen weg met twee glazen water. Ze was daarna snel in een hele diepe slaap gesukkeld en vervolgens in het ziekenhuis op de eerstehulppost wakker geworden. Daar hadden ze haar maag leeggepompd, bloed geprikt en haar een injectie gegeven.

„U hebt geluk gehad, mevrouw. We zijn er op tijd bij," had een verpleegster haar met een ernstig gezicht verteld. „En u krijgt snel deskundige hulp!"

„Ik wil geen hulp," had ze gehuild. „Ik wil alleen maar met rust gelaten worden." Ze was erg overstuur geweest.

Er was een arts aan haar bed verschenen, later kwam ook een maatschappelijk werker bij haar kijken en weer een paar uur later een psycholoog. Carola kreeg het niet voor elkaar om al deze mensen te overtuigen van haar gelijk. Ze was immers helemaal niet suïcidaal! Die paar slaappillen stelden in werkelijkheid helemaal niets voor. De arts had haar een dag later verteld dat de ingenomen slaapmedicatie inderdaad niet tot een vroegtijdige dood zou hebben geleid, maar de situatie waarin ze verkeerde vond hij uiterst zorgwekkend.

„Ik vermoed dat u aan een depressie lijdt. Het lijkt mij het beste dat u tijdelijk op de PAAZ-afdeling wordt opgenomen," had hij voorgesteld. Zijn collega, psychiater van Doorn, had zijn voorzichtige diagnose bevestigd. En die tijdelijke opname duurde nu al vijf lange weken. Carola had er inmiddels schoon genoeg van. Ze verlangde naar huis, naar haar eigen spullen en het weidse uitzicht vanuit haar woonkamer. En haar auto, daar maakte ze zich ook erg bezorgd over. Ze hoopte niet dat het vervoermiddel onderwijl het doelwit was geworden van vandalen.

Meneer Wessel kwam elke week trouw even bij haar op bezoek, om te kijken hoe ze het maakte. Dat was aardig van hem, maar erg pijnlijk voor haar, omdat het haar er steeds aan herinnerde hoe hij haar tijdens de laatste vergadering in de kou had laten staan. Bij zijn laatste bezoek had ze alle moed bijeen geraapt en geïnformeerd naar haar collega's van De Regenboog, Jenny en Miranda. Maar hij was niet erg toeschietelijk geweest met zijn antwoorden.

Daarna was hij begonnen over Ellis van Zwieten en dat Dicky Kleinveld alle handtekeningen had overhandigd.

„Daar wil ik liever niet meer over praten," had ze bitter gereageerd. Meneer Wessel had daarop een diepe zucht geslaakt en gezwegen.

En nu lag ze hier op bed naar het plafond te staren en te piekeren over de situatie waarin Ellis terecht was gekomen door haar ziekelijke jaloezie. Die bittere reactie van zo even had ze in werkelijkheid niet echt zo gemeend. Diep in haar binnenste wilde ze er maar wat graag over praten. Misschien kon ze alsnog iets rechtzetten en goed maken. Meneer Wessel zou Ellis misschien háár baantje als locatiemanager bij de buitenschoolse opvang aan kunnen bieden om alle geleden schade te herstellen. Het was niet zo dat ze het Ellis van harte gunde, maar Carola was toch niet van plan om haar dienstverband nog langer voort te zetten. De situatie waarin ze zich gemanoeuvreerd had, was niet meer goed te praten. Wat overbleef was gezichtsverlies en daarmee kon ze nu eenmaal niet leven. Elke collega en iedere ouder zou haar nog jarenlang met een scheef oog aan blijven kijken, die gedachte stond als een paal boven water. Dat was een onverdraaglijk vooruitzicht.

Carola zuchtte diep en draaide zich op haar zij, met het gezicht naar de muur. Ze doezelde langzaam weg, om daarna op te schrikken van een luide klop op haar kamerdeur. Ze kwam half overeind en keek verbaasd in het vriendelijke gezicht van Alida Blom die in een rolstoel zat en voortgeduwd werd door de zuster van de thuiszorg. Op het nachtkastje had Carola al vijf 'van harte beterschap' kaarten liggen, allemaal afkomstig van Alida. Nu zat ze, onverwacht, in levende lijve voor haar. Carola had het niet durven hopen. Dat lieve oude mensje, waar ze de laatste jaren zo aan gehecht was geraakt, had de nodige moeite gedaan om haar leuke kaarten te sturen en haar te bezoeken. Ze had Alida de laatste weken erg gemist en het aan niemand durven zeggen.

De zuster gaf Carola een hand. „Dag Carola, ik hoop dat we niet ongelegen komen. Maar mevrouw Blom wilde je per se zien. Helaas was ze niet in staat om eerder te komen vanwege een griepje, maar nu ze opgeknapt is, wilde ze niet langer wachten. Ik heb haar met de auto gebracht. Nu jij een poosje weggevallen bent als mantelverzorgster, heb ik de eer om haar elke dag wat langer te helpen." Carola glimlachte en streek haar haren in model. Daarna gaf ze Alida een zoen. „Binnenkort mag ik naar huis," zei ze. „Dan zit u niet alleen tijdens de kerstdagen en kan ik weer voor u zorgen."

De zuster trok zich daarna discreet terug uit Carola's kamer.

„Ik ben zo blij om je weer te zien, Carola," snikte Alida geëmotioneerd, maar herstelde zich daarna meteen. „Ik heb je zó gemist," vervolgde ze hartstochtelijk. „Gerda heeft me alles verteld. Ook van de kinderleidster die helemaal geen baby heeft mishandeld."

„Gerda?" Carola fronste haar wenkbrauwen, terwijl ze Alida's wangen liefdevol droog wreef met haar zakdoek. „Wie is Gerda?"

„De zuster van de thuiszorg! Zij heeft je die ochtend in bed gevonden en het lukte haar niet om je wakker te krijgen. Gerda was helemaal in paniek! Mevrouw Kleinveld, de moeder van die benauwde baby, was er ook bij."

„Oooh…"

„Het was een vergissing, hè? Die baby was bij nader inzien niet mishandeld, maar gewoon ernstig ziek. Gerda vertelde me later dat de kranten een overdreven verhaal hadden geschreven. Ik heb die uitgeknipte stukken maar weggegooid." Alida observeerde haar gezicht en Carola kreeg het Spaans benauwd. Zou Alida Blom haar nu ook afvallen en de rug toe keren. Carola's hart kromp ineen. Als dat gebeurde was ze iedereen kwijt, dan had ze niemand meer over om op terug te vallen. Met haar versplinterde familie had ze allang geen kontakt meer, straks zou ze haar collega's kwijt raken én ook alle kindertjes. Een eenzame toekomst grijnsde haar toe. Ze knikte terneergeslagen en sloot haar ogen in afwachting van Alida's reactie.

„Ach, het is vreselijk triest," stelde Alida vast. „Maar een vergissing is nu eenmaal menselijk. Je hebt het vast niet met opzet gedaan. Zo onmenselijk ben jij toch niet!"

„Ik had die hele heisa kunnen voorkomen, dat wel," zei Carola met hese stem. „Dat heb ik niet gedaan, Alida. En daar… daar heb ik enorm veel spijt van."

Ze vertelde tegen Alida dat ze van plan was om haar baan bij het kinderdagverblijf op te zeggen. „Ik zoek een nieuwe uitdaging, zodra ik weer opgeknapt ben. Het bestuur moet Ellis mijn nieuwe baan bij de buitenschoolse opvang maar aanbieden." Carola glimlachte krampachtig bij deze laatste woorden.

„Misschien wil je er dan eens over nadenken om bij de thuiszorg te gaan werken, dan mag je vast voor mij zorgen. Ik heb jou het liefst een hele dag om me heen, Carola. Je bent als een dochter voor mij."

Carola straalde ineens en voelde voor het eerst sinds weken weer een gelukzalige warmte door haar lijf tintelen. „O, Alida, wat ben je toch een schat!" Ze omhelsde het oude mensje en wist niet of ze nu moest huilen of lachen van blijdschap. Alida hield van haar, door dik en dun, dat voelde ze. Geen afwijzing, geen veroordeling, maar een nieuwe kans.

Samen met Sjors nam Ellis enkele theaterverhalen door en repeteerde de dialogen die zij met de stem van pop Nora moest uitspreken. Sjors gaf haar een paar bruikbare adviezen om de pop zo soepel mogelijk op haar hand te laten bewegen. En beiden hadden ze voor aanvang van de eerste voorstelling al het grootste plezier. Het spel met de theaterpoppen maakte haar laaiend enthousiast. Ellis was verrukt over de door Sjors geschreven verhalen. Die bleken stuk voor stuk erg spannend te zijn, maar ook ontroerend mooi met een juiste dosis humor erin verwerkt.

„Ik vind het een eer om met je samen te werken," verzuchtte ze na het eerste succes. Alle kinderen in de zaal hadden met open mondjes gekeken en geluisterd. Op de achterste rij in de zaal hadden Sylvia en Martijn Bos ook toegekeken. Het applaus en gejoel, met de daarbij behorende indianenkreten van de kinderen vertelde genoeg. Ze wilden meer verhalen uit De Schatkist zien en horen. Ellis genoot van het succes. Ze liet zich alle complimenten welgevallen, maar de grootste eer kwam Sjors toe. Hij was de grote animator, de stuwende kracht achter het populaire poppentheater. En nu mocht ze delen in dat succes. In stille momenten vergeleek ze hem vaak met Tim. Ze zou willen dat Tim iets meer van Sjors' spontane karakter in zich had.

Ze herinnerde zich nog vaak het moment dat ze Sjors had ingelicht over de valse beschuldiging van Carola en haar verblijf op het politiebureau. Nadat ze haar verhaal aan hem had verteld, voelde ze zich duidelijk opgelucht. Hij had stilletjes geluisterd, af en toe geknikt en haar later een schouderklopje gegeven. „Beschuldigd van kindermishandeling? Dat is niet niks, Ellis! Probeer die gebeurtenis maar snel achter je te laten nu je onschuld is bewezen. Strek je uit naar de toekomst. Je tijdelijke verblijf in dit hotel geeft je voorlopig de nodige moed om verder te gaan. Er komt op zekere dag wel iets anders op je weg. Iets, wat Hij hierboven voor je in petto heeft. Iets moois! Zo is het mij ook vergaan." Daar had Ellis toen nog geen moment aan gedacht. Het was tot nu toe moeilijk geweest om aan een mooie toekomst te denken. Haar voorlopige hechtenis met alle nare gevolgen knaagden nog vaak van binnen. Daar was ze nog lang niet overheen.

Op het laatst had ze Sjors ook deelgenoot gemaakt van haar relatie met Tim. Zijn ogen hadden haar vol mededogen aangekeken toen ze vertelde dat ze zo teleurgesteld was in de man die ze lief had.

„Ik begrijp dat je wereld op zijn kop staat," zei Sjors toen ze uitverteld was. „Ik kan natuurlijk niet tussen jullie beiden komen en vertellen wat je wel of niet moet doen, Ellis. Maar diep in je hart weet je zelf wat de juiste weg is. Vraag maar aan God of Hij je voor de verkeerde weg wil behoeden."

Dat had Ellis vanaf dat moment gedaan. Ze modderde in deze situatie al zolang alleen aan. Ze mocht haar hulp toch ook van de Here God verwachten? Ze realiseerde zich daarna steeds vaker dat ze de wekelijkse kerkgang miste. Haar ouders hielden haar uiteraard wel telefonisch op de hoogte van alle ontwikkelingen binnen de kerkgemeenschap, maar dat was toch anders dan het persoonlijk contact. Als compensatie keek ze nu wekelijks op haar kamer naar een tv uitzending waarin koormuziek ten gehore werd gebracht met daarnaast een korte overdenking uit de Bijbel.

Zo regen de weken zich aaneen. Drie keer per week organiseerde Sjors een theatervoorstelling waarbij ze actief werd betrokken. De voorstellingen beperkten zich niet langer meer tot de activiteitenzaal in het hotel. Na verloop van twee weken speelden ze ook in een zaal op het terrein van het nabijgelegen bungalowpark. En zelfs een keer voor de kinderen van een plaatselijke basisschool.

Sylvia had heel loyaal de arbeidsuren van Ellis in de bediening aangepast, zodat ze ongestoord haar gang kon gaan.

„Jij bent al net zo'n talent als Sjors," had Sylvia bewonderend gezegd. „Jullie vormen samen een prachtig duo in het poppentheater, dat wil ik alleen maar stimuleren. Enkele ouders hebben volgend jaar alweer een kamer besproken, mits het poppentheater dan ook van de partij is." Ellis was verguld met dat prachtige compliment. De uren die Sylvia haar vrijaf gaf, haalde ze tijdens de ochtenduren weer in door de kamers van de gasten mee schoon te maken.

Elke theatervoorstelling bleek opnieuw een groot feest te zijn. Niet alleen voor de aanwezige kinderen, maar ook voor Sjors en haarzelf. Inmiddels vertolkte Ellis de stem van meerdere poppen, want de fantasie van Sjors bleek onuitputtelijk. Hij schreef nieuwe verhalen en breidde zijn poppencollectie uit met meerdere exemplaren die allemaal een eigen unieke persoonlijkheid kregen. Ellis ging zo op in haar werk, dat ze in korte tijd in staat was om alle narigheid achter zich te laten. Ze bloeide op, kreeg kleur op haar wangen, lichtjes in haar ogen en kon weer onbevangen genieten van elke nieuwe dag. Bella bevestigde dat onomwonden na een kindervoorstelling die ze samen met Irma en Janneke op een woensdagmiddag had bijgewoond.

„Als ik je zo bezig zie met Sjors en zijn poppentheater, ben je weer helemaal de oude Ellis. Wat een geluk dat je deze man hebt ontmoet!"

„Het is ook fantastisch, Bella. Ik ben weer net zo gelukkig en in m'n element als toen ik bij De Regenboog werkte. Er komen zoveel kindertjes op De Schatkist af." Het straalde van Ellis' gezicht af.

„Fijn om te horen, zusje. Maar je moet er toch eens over nadenken om een paar dagen naar huis te komen. Pap en mam en ook Karin en de anderen, we missen je enorm. We bezoeken je hier af en toe wel, maar dat is toch anders. En Tim? Denk je nog wel eens aan hem? Hoe gaat het nu verder met jullie?"

Ellis zuchtte en knikte. Er gleed een schaduw over haar gezicht. „Natuurlijk denk ik er bij tijd en wijle aan om naar Culemborg terug te gaan. En ook aan Tim, hij wacht al een tijdje op mijn telefoontje omdat hij me graag wil spreken over de toekomst. Maar er is nog geen tijd voor geweest, zie je? Ik ben zo druk bezig met die theatervoorstellingen. Tja, je hebt wel gelijk, ik moet niet te lang meer wachten en snel wat van me laten horen."

Bella glimlachtte. Daarna riep ze Irma en Janneke tot de orde, de meisjes holden steeds uitgelaten om hen heen. Vervolgens haakte ze haar arm in die van Ellis en samen liepen ze naar de uitgang van het hotel. Bella maakte aanstalten om naar huis te gaan. Ze zocht onderwijl in haar tas naar de autosleutels.

„Dicky volgt sinds een paar weken weer de zaterdagcursus aquarelleren. Het is fijn om haar alle technieken bij te brengen. Ze heeft aanleg," vertelde Bella verder en rammelde met haar bosje sleutels. „Als ik de komende week hier mijn expositie beëindig, gaan drie van mijn schilderijen rechtstreeks naar haar huis."

„Ik weet welke ze heeft uitgekozen," bekende Ellis. „Jammer van die andere aquarellen. Ik vind het ook vervelend voor jou dat het zo is gelopen, je was er zo trots op."

„Tja, een mens kan in een vlaag van woede vaak onherstelbaar veel schade aanrichten. Enfin, Dicky vroeg me onlangs nog hoe jij het stelde. Jochem heeft in dit hotel namelijk een kamer geboekt voor twee dagen in de kerstvakantie. Ze hopen je hier dan aan te treffen, vooral Erica kijkt ernaar uit."

Ellis trok haar wenkbrauwen op. „Ach, Erica is een lieverdje!" zei ze vertederd. „Dat ze hier naartoe komen vind ik leuk, maar tijdens de kerstdagen ben ik wel vrij! Ik kijk straks bij de receptie eerst in de agenda welke data de Kleinveldjes geboekt hebben. Als ik binnenkort naar Culemborg kom, ga ik wel even bij ze aan. Dat heb ik beloofd."

Bella legde een hand op Ellis' schouders en zoende haar op beide wangen. „Kom maar zo snel mogelijk een paar dagen naar huis, meisje! We zien ernaar uit. O ja..." verschrikt sloeg Bella een hand voor haar mond. „Dicky wist me ook te vertellen dat Carola Klomp vorige week van de PAAZ-afdeling is ontslagen en weer thuis is. En het belangrijkste nieuwtje is, dat Carola haar ontslag heeft ingediend bij De Regenboog."

„Dat meen je niet!", stiet Ellis verbijsterd uit. „Zoiets zou Carola nóóit doen. Ze was er zo op gebrand om in januari bij de buitenschoolse opvang te beginnen."

„Tóch is het zo, Carola zoekt een andere baan. Een nieuwe uitdaging," wist Bella met zekerheid te zeggen.

„Ik kan het nauwelijks geloven," zuchtte Ellis terwijl haar gedachten almaar om Carola Klomp bleven cirkelen. Wat afwezig knuffelde ze haar nichtjes gedag en zwaaide even later de auto van Bella na.

Zou Carola haar ontslag soms hebben ingediend vanwege de situatie die zich had afgespeeld rondom haar arrestatie? Of had meneer Wessel namens het bestuur zijn vertrouwen in haar functie als locatiemanager na die vergadering soms opgezegd?

Het liet Ellis niet los. 's Avonds, tijdens de avondmaaltijd die ze met Sjors nuttigde in het restaurant, vertelde ze hem wat ze van Bella gehoord had.

„Er gebeurt blijkbaar heel wat bij het thuisfront," antwoordde hij tussen de soep en het hoofdgerecht in. „Wanneer wil je een paar dagen vrijaf nemen, Ellis? Dan kan ik daarmee rekening houden bij de voorstellingen."

Ellis haalde haar schouders op. „Ik pas me wel aan, Sjors. Kan het soms volgende week?"

Hij knikte aarzelend. „Dan moet ik twee voorstellingen alleen voor m'n rekening nemen, maar dat lukt wel. Regel het ook maar meteen met Sylvia, dan kan zij Sietske op tijd in schakelen voor wat klusjes in het hotel."

„Hè, wat jammer dat ik twee voorstellingen moet missen." Ellis keek teleurgesteld. Ze wilde heel graag een paar dagen naar huis gaan, maar de voorstellingen met Sjors en haar poppen zou ze erg missen. "Ik kan ook tijdens een andere week naar huis gaan," stelde ze haastig voor.

„Nee, het is belangrijk dat je zo snel mogelijk naar huis gaat. Bella heeft gelijk. Je familie mist je en Tim wil je vast ook graag zien," antwoordde Sjors op gebiedende toon. „Je moet ook een beetje aan je toekomst denken, meisje. Ik vertrek in het voorjaar weer met De Schatkist naar de vakantieoorden aan de kust. Hoewel ik dolgraag..." Sjors maakte zijn zin niet af.

„Wat wil je dolgraag?" drong Ellis aan.

„Ach niets... ik denk er alleen maar aan dat ik onze samenwerking dan erg zal missen." Sjors schepte peinzend een paar aardappelen op zijn bord. Ellis keek daarbij onderzoekend naar zijn vertrouwde gezicht, zijn vriendelijke ogen en alle sproetjes die precies bij hem pasten. Er stond er zelfs eentje op het puntje van zijn neus. Ze kreeg het ineens koud bij de gedachte dat er straks weer een moment aan zou breken dat ze dit hotel moest verlaten. Maar dat was nog niet het ergste. Het werk met Sjors en zijn poppentheater was momenteel het allerbelangrijkste deel van haar leven geworden. Ze wilde er niet aan denken om dit straks allemaal weer te moeten missen.

„Sjors, kan ik in het voorjaar niet met De Schatkist mee naar de kust?"

Hij liet zijn bestek van schrik op het bord kletteren. Heel even zag ze een hoopvolle schittering in zijn groene ogen oplichten, maar die doofde al snel.

„Jij hebt je toekomst nog voor je, Ellis. Denk eens aan Tim en aan 'Duister en Zn.' en daarbij... ik ben financieel niet eens in staat om een personeelslid in dienst te nemen."

Ellis boog haar hoofd en knipperde enkele lastige tranen weg. Hè, waarom reageerde ze nu zo emotioneel?

Ja, Tim zou vast voor problemen zorgen als ze met een poppentheater naar de kust vertrok, daar was ze van overtuigd.

Maar dat kon haar op dit moment niet zo bijster veel schelen. Tim was ver weg en al wekenlang niet meer vertrouwd met haar leven. Op het meest kritieke moment had hij haar gewoon aan haar lot over gelaten vanwege zijn ouders en al hun zakelijke belangen.

„Ik weet nog niet zeker of ik wel met Tim verder wil," mompelde ze peinzend voor zich uit. „Er is zoveel gebeurd wat hij niet weet. Hij schaamt zich vast voor mij nu ik als serveerster in een hotel werk en me inzet voor jouw poppentheater. Dat is ver beneden zijn niveau."

„Praat eerst met hem, Ellis. En volg dán de stem van je hart," adviseerde Sjors haar met klem.

Na een lange avond drankjes serveren kwam ze weer terug op haar kamer. Ze schopte haar schoenen van haar vermoeide voeten en ontdekte een envelop op de grond, vlak bij de voordeur. Die had Luuk, de receptionist, naar binnen geschoven. Hij had het haar vanmorgen al verteld, maar ze was het vergeten. Ze raapte de envelop op en keek naar de voorkant, waarop ze het bekende logo van kinderdagverblijf De Regenboog zag staan.

Voorzichtig scheurde ze de envelop open en haalde er een brief uit, afkomstig van meneer Wessel.

Geachte juffrouw Van Zwieten, las ze. Het zweet brak Ellis aan alle kanten uit. Haar ogen vlogen over de regels en bleven daarna strak gericht op die ene zin: *'wilt u deze brief beschouwen als een oprecht eerherstel...* Langzaam gleden er tranen over haar wangen. Eerherstel? Wat bedoelde meneer Wessel eigenlijk?

In een eerdere brief hadden ze hun verontschuldigingen aangeboden waarbij ook een lange lijst met handtekeningen had gezeten. Daar was ze heel erg blij mee geweest. Maar met deze brief werd niet alleen haar naam, maar ook haar functie daadwerkelijk in ere hersteld. Ze deden haar namelijk een aantrekkelijke voorstel.

'Namens het bestuur en de medezeggenschapsraad wil ik u de openstaande functie aanbieden van locatiemanager voor ons nieuwe project: de buitenschoolse opvang voor kinderen vanaf vier jaar. Wij zijn ervan overtuigd dat u over de nodige capaciteiten beschikt om deze functie naar behoren te vervullen. '

De letters van de brief dansten voor haar ogen en belemmerden haar om verder te lezen. Ellis drukte de brief tegen zich aan en veegde enkele tranen van haar wangen.

Een baan als locatiemanager... het werd zomaar in haar schoot geworpen. Het was duidelijk dat ze haar weer op de werkvloer terug wilden zien en er een eind kwam aan haar huidige situatie. Het werkverbod werd met deze aanbieding duidelijk opgeheven. Ellis kreeg het warm bij dit vooruitzicht. De toekomst zag er ineens weer rooskleurig uit.

Een nieuw project, een nieuwe uitdaging. En daarbij hadden ze háár medewerking op het oog. Zoals ze wel vaker deed, ging ze voor het raam staan en tuurde de duistere nacht in. Ze durfde op dit nachtelijke uur niet bij Sjors aan te kloppen om hem te vertellen van deze brief en de baan die haar werd aangereikt. Sjors was al om tien uur naar zijn kamer gegaan, hij wilde vroeg naar bed had hij gezegd. Ze kon hem morgen dit goede nieuws ook wel vertellen, dat hoefde niet per se op dit moment. Ze wist bij voorbaat al dat Sjors blij voor haar zou zijn, hij zou haar aanmoedigen erop in te gaan en de baan te accepteren. Maar nu haar gedachten bij Sjors waren, temperde haar vreugde over de nieuwe baan toch enigszins. Als ze het voorstel van meneer Wessel accepteerde betekende het wel dat ze over enkele weken al aan de slag moest. Het sinterklaasfeest hadden ze vorige week gevierd, Kerst was reeds in aantocht. Met ingang van januari zou de buitenschoolse opvang van start gaan en dan zou ze haar werk in dit hotel en de periode met Sjors en De Schatkist definitief achter zich laten. Dan kon ze niet langer meer meewerken aan de avonturen met haar lievelingspoppen, geen plezier meer met Sjors beleven achter de coulissen van het kleurige theaterdecor. De verwachtingsvolle smoeltjes van de kinderen zou ze ook vreselijk missen, net als hun uitbundige applaus na elke voorstelling.

Ellis slaakte een diepe zucht. Haar grootste blijdschap over de brief van meneer Wessel was plotsklaps verdwenen. Dat lag niet aan de aangeboden baan bij De Regenboog of meneer Wessel. Dat kwam omdat ze ineens twijfelde. Ze bevond zich op een kruispunt in haar leven en besefte dat ze zelf een richting moest kiezen.

Die nacht sliep ze slecht. Ze woelde zich om en om. Droomde over haar leven in Culemborg en trouwde met Tim. Maar toen Sjors met alle theaterpoppen op de bruiloft kwam om haar te feliciteren begon ze hartstochtelijk te huilen van spijt.

Op dat moment schrok Ellis wakker. Ze zat rechtop in bed, met de droom nog glashelder op haar netvlies. Haar hart bonsde en ze transpireerde zo hevig, dat ze het dekbed van zich wegsloeg.

Wat ze gedroomd had was namelijk datgene waar iedereen uiteindelijk op hoopte. Haar terugkeer naar Culemborg, een mooie baan bij De Regenboog en een trouwerij met Tim Duister.

Eind goed – al goed!

En zo zou het waarschijnlijk ook zijn gegaan als ze Sjors niet op haar levenspad had ontmoet.

Maar ze had Sjors nu eenmaal wel ontmoet, hem leren kennen als een lieve vriend die vanaf het begin al zijn dierbare vrienden met haar wilde delen. Hij had haar in vertrouwen genomen over het pijnlijkste deel uit zijn leven. Sjors had geen geweldige uitstraling of een knap gezicht, maar hij had wel alles in zich wat ze zo vreselijk miste bij Tim. O, wat een pijnlijk besef!

Ellis slaakte een diepe zucht. Ze herinnerde zich de woorden van Sjors weer toen ze hem had verteld over de angstige uren op het politiebureau. *'Er komt op zekere dag wel iets anders op je weg. Iets, wat Hij hierboven voor je in petto heeft.'*

Ellis slikte moeizaam het brok in haar keel weg. Ze trok haar knieën op en sloeg haar armen erom heen. Ze kneep haar ogen dicht en bad: 'O God, wat heeft U voor mij in petto? Moet ik terugkeren naar huis en naar Tim? Of...'

'Diep in je hart weet je zelf wat de juiste weg is...' Deze wijze woorden van Sjors flitsten ineens klaar en duidelijk door haar hoofd, alsof iemand in haar kamer stond en ze hardop uitsprak. Ze schrok ervan en opende haar ogen weer.

Ja, diep in haar hart wist ze ineens precies wat ze wilde! Ze hoefde er niet eens langer over na te denken. Het was helemaal niet moeilijk om de stem van haar hart te volgen.

Ze nam zich voor om zo snel mogelijk een paar dagen naar huis gaan en met Tim te praten over de toekomst. En vervolgens ook met meneer Wessel, die haar naam van alle blaam wilde zuiveren en haar door middel van deze brief een geweldige baan aanbood.

Opgelucht, omdat ze ineens heel zeker wist wat ze wilde, liet ze zich weer in haar kussens zakken. Ze geeuwde en huiverde plotseling van de nachtelijke kou. Het dekbed trok ze vervolgens over zich heen en niet veel later viel Ellis in een diepe slaap.

14

Ellis vertrok eerder dan gepland op zaterdagmiddag met het openbaar vervoer naar het station van 's-Hertogenbosch. Daar moest ze overstappen op een stoptrein. Sylvia was na ruggenspraak met dochter Sietske akkoord gegaan met drie aaneengesloten vrije dagen voor Ellis. Sietske had onmiddellijk toegezegd dat ze tijdens de afwezigheid van Ellis 's avonds graag wilde meehelpen met de bediening in het restaurant. Het extraatje dat ze daarmee verdiende kon ze goed gebruiken. Sylvia bracht Ellis persoonlijk met een auto naar het busstation, zodat Ellis niet het hele eind met haar weekendtas hoefde te zeulen.

„Geniet ervan!" gebood Sylvia hartelijk. „Wij zullen je op Vredelust in ieder geval missen, net als alle aanwezige gasten. En natuurlijk Sjors ook!" Sylvia's ogen glinsterden geheimzinnig. „Vergeet niet dat je een aanwinst bent voor zijn 'Schatkist', Ellis. Groet Bella van ons en tot ziens!" Met een overvloed aan woorden had Sylvia afscheid van Ellis genomen en haar uitgezwaaid.

In de hobbelende bus liet Ellis haar gedachten de vrije loop. Diep vanbinnen voelde ze een vage angst groeien om weer terug te keren naar Culemborg. Angst voor alle starende ogen, het onvermijdelijke geklets en de veroordelende blikken. Per slot van rekening had Carola's aangifte bij de politie voor heel wat opschudding gezorgd. Of zou iedereen het alweer vergeten zijn? Tot op heden had geen enkele krant een berichtje geplaatst over haar bewezen onschuld. De zaak was namelijk met een sisser afgelopen en voor de pers blijkbaar niet interessant genoeg meer . Terwijl ze wel stonden te wachten bij het politiebureau toen ze na twee dagen weer op vrije voeten kwam. Wat een rare wereld! Goed bericht hoorde klaarblijkelijk niet meer in de krant te worden vermeld. Wat wrang voor onschuldige slachtoffers!

Op het station in 's-Hertogenbosch stapte Ellis uit de bus. Haar ogen zochten naar het treinstation, maar een claxonerende auto vroeg plotseling haar aandacht. Het was Bella, die met haar busje langs de stoeprand parkeerde. „Vlug El, stap in," siste ze vanachter het stuur naar Ellis. „Ik mag hier niet stoppen of parkeren. Als de politie dit ziet..."

Ellis begreep onmiddellijk dat er haast geboden was. Ze slingerde haar weekendtas op de achterbank en sprong met een lenige beweging naast haar zus. De autodeur sloeg ze met een ferme klap dicht. Bella gaf onmiddellijk gas en reed door het drukke verkeer naar de snelweg.

„Dit is een geweldige verrassing," zei Ellis blij. Ze hoefde niet meer verder te reizen met het openbaar vervoer. „Waar heb ik dit eigenlijk aan te danken?"

„Ik kon een uurtje voor je vrijmaken. Sietske Bos vertelde me door de telefoon dat je net met haar moeder naar het station in Oisterwijk was vertrokken om op de bus te stappen." Bella keek haar zijdelings aan, er speelde een glimlach om haar mond. „En daarbij kon ik het niet over m'n hart verkrijgen om je alleen naar huis te laten komen na alles wat je in Culemborg voor je kiezen hebt gehad."

„Fijn, dat je daaraan hebt gedacht. Ik zie er inderdaad als een berg tegenop om zo weer thuis te komen. Als ik na mijn vrije dagen weer vertrek neem ik m'n eigen wagentje mee. Dan kan ik tenminste gaan en staan waar ik wil."

„Praat je nú al over je vertrek?" vroeg Bella verontwaardigd. „Die baan bij De Regenboog laat je toch zeker niet schieten? Je klonk zo opgetogen door de telefoon, toen je mij vertelde over de brief van meneer Wessel. En uuuh... reken er maar op dat we de pers in zullen lichten over dit opmerkelijke feit. 'Eerherstel voor Ellis van Zwieten' Ja, dát moet als kop in de krant komen te staan."

Bella fantaseerde graag, wist Ellis. Ze keek stilletjes naar het landschap dat aan haar oog voorbij trok. Ze besefte dat iedereen inderdaad van haar verwachtte dat ze haar normale leven weer op zou pakken. Zelfs Bella, die haar toch regelmatig had bezocht, ging voorbij aan het feit dat haar leven niet stil was blijven staan toen ze drie maanden geleden naar Oisterwijk was vertrokken. Ze was daar opnieuw begonnen, eerst aarzelend en bang voor de toekomst, zonder enig zelfvertrouwen. Maar er waren nieuwe mensen op haar levenspad gekomen, die haar een kans hadden gegeven om in haar dagelijks onderhoud te voorzien. Aardige, gastvrije mensen, zoals Sjors. Ellis voelde het in haar binnenste gloeien. Tranen van diepe ontroering prikten in haar ogen. Was dat nu leiding van Hogerhand geweest? Haar vriendschap met Sjors en al zijn prachtige poppen, die ze zelfs al een beetje als de hare beschouwde, waren het allerbelangrijkste deel van haar leven geworden. Meer nog dan het werk bij De Regenboog.

Wonderlijk, dat ze in korte tijd al zoveel genegenheid voor Sjors koesterde. Er was eigenlijk niemand die dat wist. Het was op dit moment haar stille hartsgeheim.

Thuis vloog de voordeur open toen Bella haar busje op de parkeerplaats tot stilstand bracht. Hun ouders kwamen meteen op Ellis toegelopen.

Ze omhelsden haar, Rika pinkte een traan van ontroering weg en Henri haakte zijn arm door de hare.

„Kom, 't is veel te koud om lang buiten te blijven staan." Ellis lachte, ze was blij om haar ouders weer te zien en het huis waarin ze was opgegroeid. De buurt en de omgeving was haar even vertrouwd als altijd.

Maar toch!

Was het nu verbeelding, of zag ze het echt? De vitrage van de buren aan de overkant bewoog lichtjes, alsof iemand erachter stond te gluren. Ellis slikte en liet zich gewillig naar binnen leiden. Iedereen in de buurt was natuurlijk op de hoogte van alle gebeurtenissen. Zou het overal al bekend zijn dat ze geen schuld had aan Harms benauwdheid?

Alsof Rika haar gedachten kon lezen wees ze Ellis op een groot bloemstuk, dat op het dressoir stond.

„Voor jou, Ellis. Namens alle buurtjes! Toen ik de buurvrouw gisteren vertelde dat je een paar dagen naar huis zou komen, hebben alle buren blijkbaar hun hoofden bij elkaar gestoken. Vanmorgen kwam de overbuurvrouw dit afgeven. Speciaal voor jou!" Rika bukte zich over de kleurige bloemen heen en nam het kaartje in haar hand.

„Hier, lees maar," moedigde ze Ellis aan.

Ellis las met gefronste wenkbrauwen. 'Ellis, welkom thuis! Veel geluk voor de toekomst. Namens alle buren.'

Ellis beet op haar lip, zojuist had ze nog gedacht dat de buren haar misschien wel met een scheef oog aan zouden kijken. Maar dat bleek niet het geval te zijn. Ze was gewoon overgevoelig en ook nog een beetje achterdochtig. Gevoelens, die niet helemaal terecht waren, dat bleek wel weer.

„Wat ontzettend aardig, mam," zei ze beschaamd, met tranen in haar ogen.

Rika dribbelde al naar de keuken voor de koffie en Henri klopte demonstratief op een stoel. „Ga zitten meidje en vertel. Je moeder en ik hebben begrepen dat je alsnog een baan aangeboden hebt gekregen bij De Regenboog voor buitenschoolse opvang. Daar moet je ons maar snel iets meer over vertellen."

Toen de koffiepot op tafel stond en Rika en Bella eveneens aanschoven besloot Ellis om hen meteen op de hoogte te brengen van haar beslissing voor de toekomst. Toen ze klaar was met haar verhaal viel er uiteindelijk een lange stilte.

Tim nam de rinkelende telefoon aan. Hij trok wit weg, toen hij haar bekende stem hoorde. „Hallo Tim, met mij... Ellis!"

Het duurde even voordat hij reageerde. De laatste weken had hij zich regelmatig afgevraagd waarom het toch zolang duurde voordat hij iets van haar hoorde. Na die ene brief waren er heel wat weken stilzwijgend verstreken. Had ze nu echt al die tijd nodig gehad om de narigheid te vergeten? Hij begreep haar vlucht naar Oisterwijk ook niet, ze had evengoed bij haar zus Bella kunnen blijven om alles te verwerken. In plaats daarvan had ze een minderwaardig baantje aangenomen in een hotel. Dat laatste had hij wijselijk verzwegen voor zijn ouders om elke vorm van discussie te vermijden. De toekomstige bruid van de mede-directeur van Duister en Zoon liep in hun verbeelding nu eenmaal niet als een serveerstertje rond met een dienblad. Die liet zich door ándere sloofjes bedienen.

„Ellis... dat is onverwacht! Hoe gaat het met je?" vroeg hij kort. Tim besefte dat zijn vraag er niet al te hartelijk uitkwam. Ellis had het blijkbaar niet in de gaten en vroeg hem onmiddellijk naar een afspraak voor een ontmoeting.

„Als het kan, zo snel mogelijk..." voegde ze er nog aan toe.

„Ik heb maar drie vrije dagen."

Tim aarzelde. De komende avond waren zijn ouders bij meneer en mevrouw Verhoeven uitgenodigd. Lien had er bij hem op aangedrongen om ook met hen mee te gaan, dat was leuk voor Marjet. Zij zou eveneens thuis zijn en rekende min of meer op enige belangstelling van zijn kant. Marjet was natuurlijk reuze benieuwd naar de marathontocht die hij met de wandelvereniging net na nieuwjaarsdag van plan was om te gaan lopen, veronderstelde Tim. Hij kon haar nu de exacte tijd van het startschot al doorgeven, daar was ze erg nieuwsgierig naar. Ze leefde met hem mee en had brede belangstelling getoond voor alle medailles die hij inmiddels in de wacht had gesleept. De genoegdoening in Lien's ogen was hem niet ontgaan toen hij meteen instemde om ook mee te gaan. De afgelopen weken had hij Marjet vaker in zijn ouderlijk huis aangetroffen en hij was tot de ontdekking gekomen dat ze best een aardig meisje was. De gezamenlijke gesprekken waren tot nu toe een verfrissende douche voor hem geweest. Dat kwam natuurlijk omdat hij zijn contact met Ellis in deze periode zo miste en ook hun onderlinge conversatie.

En Marjet had buitengewoon veel belangstelling voor zijn wandelsport en zijn werk. Daarnaast had ze ook een heldere kijk op het kerkenwerk. Dit alles tot grote verbazing van Tim, omdat hij haar altijd zo verkeerd had beoordeeld. Marjet was helemaal geen saaie troel, maar een vriendelijke, ondernemende jonge vrouw. Ze wist als geen ander het beste in hem naar boven te halen.

Tim zuchtte onhoorbaar. „Goed, vanavond om acht uur," zei hij en negeerde een vaag gevoel van teleurstelling omdat hij vanavond dan niet met zijn ouders mee kon naar de familie Verhoeven. Hij hield zich voor dat hij blij moest zijn om Ellis na een lange periode weer te zien. Lien reageerde nukkig op deze mededeling, maar ze hield verder haar mond.

Tim reed tegen de klok van achten de straat in waar Ellis met haar ouders woonde en voelde zich opgewonden en nerveus. Hij had haar al zolang niet meer gezien. Hij zocht koortsachtig in zijn hoofd naar de juiste woorden om haar te begroeten. Ellis deed de deur zelf open en troonde hem meteen mee naar de warme woonkamer, waar hij Rika en Henri een hand gaf. Dit korte bezoekje bracht hem enigszins in verlegenheid. Sinds de bewuste gebeurtenis bij De Regenboog had hij ook geen contact meer met haar ouders gezocht. Hij had niet één keer gebeld om eens naar Ellis te informeren. In dat soort zaken was hij ernstig tekortgeschoten, besefte hij. Het was niet erg netjes geweest, Rika en Henri van Zwieten hadden als ouders toch ook heel wat voor hun kiezen gehad.

Ellis stelde voor om maar meteen te gaan. „Een hapje eten in het centrum," zei ze. „Ik heb al een tafeltje gereserveerd bij ons favoriete restaurant."

Tim volgde haar gedwee. In de auto keerde hij zich naar haar toe en kuste haar behoedzaam op haar lippen.

„Het is goed om je weer te zien, lieverd."

„Ja, het moest er een keer van komen," antwoordde Ellis. Hij merkte direct dat ze zijn kus niet van harte beantwoordde, maar snel haar hoofd afwendde.

„Je komt binnenkort toch weer voorgoed naar huis, hoop ik? Het heeft nu wel lang genoeg geduurd, dunkt me." Zijn stem klonk lichtelijk geïrriteerd.

„Zo meteen vertel ik je alles," beloofde ze. Zwijgend reed hij naar het centrum en parkeerde zijn auto voor het restaurant waar nog een plaatsje vrij was.

„Wat neem jij?" vroeg hij toen ze de menukaart al een poosje had bekeken.

„Geen uitgebreid diner, Tim. Ik kies voor een soepje en een klein pasteitje. Ik heb eigenlijk geen honger, ik moet je iets vertellen."

Hij observeerde haar met een blik van wantrouwen. Zou ze nog boos op hem zijn omdat hij tijdelijk wat afstand had genomen van de pijnlijke situatie rondom haar persoontje?

De ober serveerde twee borden soep terwijl Tim met stijgende verbazing naar Ellis luisterde. Ze verbrak in korte bewoordingen heel kordaat haar relatie met hem. Haar woorden klonken hem zelfverzekerd, haast zakelijk, in de oren.

Ellis vertelde hem dat zijn afstandelijke handel en wandel tijdens haar voorlopige hechtenis en de periode daarna haar aan het denken hadden gezet. Ze was inmiddels een ander leven begonnen met nieuwe vrienden, bij wie ze zich nu gelukkig voelde. Het was maar beter zo.

Tim schudde meewarig zijn hoofd. Ze sjouwde in een hotel met dienbladen rond en speelde in een achterlijk poppentheatertje mee, om kleine kinderen en hun ouders te vermaken. Een ander leven, had ze gezegd! Ze deed hem meer aan een circusartiest denken.

Nee, dit was niet iets waar hij trots op kon zijn. Jammer! Ellis had nog wel zo'n goede opleiding in het ziekenhuis genoten en ze kon op de maatschappelijk ladder een heel eind klimmen. Maar ze zette alle ambitie om hogerop te komen zomaar aan de kant.

„Ik vind het erg, Ellis. Heus..."

„Bespaar me je verontschuldigingen. Jij vindt je weg wel in het leven, Tim. Daar ben ik niet bang voor. We moeten alleen nog iets regelen om de bij elkaar gespaarde uitzet te verdelen."

Tim knikte. Ja, Ellis had gelijk. Hij zou zijn weg wel vinden in het leven. Er was een tijd geweest dat hij werkelijk heel gek op haar was, maar na die afschuwelijke gebeurtenis bij De Regenboog was dat langzaam veranderd en minder geworden. Die situatie had een enorme invloed gehad op zijn gevoelens voor haar. Merkwaardig was dat! Dáárom was hij natuurlijk ook niet echt enthousiast geweest toen ze hem belde, besefte hij nu. Hij voelde zich op dit moment eerder opgelucht, omdat Ellis het blijkbaar zelf ook had ingezien.

Het bespaarde hem in ieder geval een scène met zijn ouders omdat hij Ellis waarschijnlijk nooit zover had kunnen krijgen om in zijn kerk te trouwen.

„Dan wil ik nu graag afrekenen," stelde Tim ineens abrupt voor. „Voordat jij belde was ik namelijk uitgenodigd bij goede kennissen van mijn ouders. Het is niet te laat om daar alsnog heen te gaan." Hij dacht meteen aan Marjet. Ze zou vast aangenaam verrast zijn als hij zo meteen, net na negen uur, nog bij de familie zou binnenlopen. En morgenvroeg, dan zou hij heel demonstratief naast haar in de kerkbank gaan zitten. Dan mocht iedereen weten dat hij haar graag mocht. Vooral zijn ouders! De goedkeuring van zijn ouders was hem veel waard. Tim glimlachte bij die gedachten. Ondanks zijn volwassen leeftijd hechtte hij toch veel waarde aan hun goedkeuring. Dat viel niet langer te ontkennen. In zijn verkeringstijd met Ellis had hij er steeds voor moeten vechten, dat hoefde hij nu niet meer te doen. Zijn ouders wilden niemand liever dan Marjet Verhoeven als zijn aanstaande vrouw. In hun toekomstdromen zagen ze Marjet als de meest geschikte vrouw voor hun enige zoon, moeder van hun kleinkinderen én actief inzetbaar voor Duister en Zn. Het drong nu pas ten volle tot hem door, ze gunden hem de allerbeste vrouw! En dat was Marjet Verhoeven.

Hij betaalde de rekening, gaf de ober een royale fooi en bracht Ellis weer naar huis. Hij wenste haar voor de toekomst het allerbeste toe.

Het was warm in de kerkzaal, het onderwerp van de preek op deze derde adventszondag ging over vergeving. Zeven maal zeventig maal. Oei, dat was nogal wat! Was een mens wel tot zoiets in staat? vroeg Ellis zich af toen ze aan de laaghartige daad van Carola dacht.

Ze had Carola nadien niet meer gezien of gesproken, maar de gedachten die ze over haar had waren weinig positief. Door Carola's aangifte was ze twee dagen van haar vrijheid beroofd geweest, zoiets ging niet in je kouwe kleren zitten. De dagen in die kleine cel met al die verhoren stonden in haar geheugen gebrand. Dit nam ze Carola nog steeds kwalijk en het was heel moeilijk om haar die achterbakse streek te vergeven. Ze had zó haar best gedaan om Harm er weer bovenop te helpen!

De dominee bracht het onderwerp erg boeiend, het duurde alleen veel te lang voor Ellis. Ze kon er niets aan doen, maar haar gedachten gleden na verloop van tijd weg. Nadat ze tot de conclusie was gekomen dat ze nog steeds boos was op Carola, dwaalden haar gedachten naar Tim. Het was moeilijk geweest om een punt achter haar relatie met hem te zetten. De teleurstelling en het verdriet om zijn afstandelijke houding deden nog steeds pijn in haar hart.

Hij had ook weinig toenadering gezocht, slechts een vluchtige kus op haar lippen. Zijn reactie was een en al verbazing geweest toen ze hem had verteld dat ze naast haar werk als serveerster af en toe meewerkte in een poppentheater. Ze had de bedenkelijke blik in zijn ogen gelezen. Maar hij had gezwegen en haar keuze om hun relatie te verbreken haast als vanzelfsprekend aangenomen. Zijn gedachten waren op dat moment ook mijlenver weg geweest, dat had Ellis in de afwezige blik van zijn ogen gelezen.

Had hun wederzijdse liefde dan zo weinig voor hem betekend? Blijkbaar wel, constateerde ze. Als er genoeg liefde was geweest had Tim vast anders gereageerd. Dan was hij voor haar opgekomen en had hij voor haar geknokt om de waarheid zo snel mogelijk boven de tafel te krijgen. Maar hij had niets van dat alles gedaan. Ellis zuchtte onhoorbaar. Haar beide ouders luisterden nog steeds met volle overgave naar de preek. Geluidloos duwde ze een pepermuntje in haar mond en liet het rolletje via Karin langs de rest van de aanwezige familieleden rondgaan. Haar gedachten dwaalden verder naar Oisterwijk, waar dit weekend het optuigen van de kerstbomen stond ingepland. En naar Sjors, die morgenvroeg bij een speciale school voor bijzonder onderwijs was uitgenodigd om daar een theatervoorstelling te geven. Hij moest het deze keer zónder haar medewerking doen. Hij had speciaal voor die kinderen een prachtig kerstverhaal geschreven. Een spannend verhaal met drie nieuwe poppen, herders uit Betlehems veld, die een bijzonder avontuur meemaakten. O, wat had ze toch graag meegedaan. Vanaf de kansel klonk luid het woord 'amen' en Ellis schrok weer op uit haar gedachten. Er volgde nog een lied en de dominee sprak ten slotte de zegenbede uit over de gemeente. Daarna bleef Ellis nog een halfuurtje napraten met allerlei bekenden en vertrok weer met haar familie naar huis voor de gezamenlijke koffie met boterkoek. De dochters van Bella en de zoons van Karin waren weer blij dat ze als vanouds ruim aandacht aan hen besteedde.

Na een poosje dollen en plezier maken werd Ellis betrokken bij het gesprek dat over haar toekomst ging. Niemand had er moeite mee dat ze de vorige avond haar relatie met Tim had verbroken.

„Je hebt weinig steun van hem gehad, is het niet?" stelde Karin vast. „Treur maar niet te lang. Jij verdient beter. Véél beter!"

„Toch jammer dat je geen gebruik wil maken van die aangeboden baan bij De Regenboog," zuchtte Rika met gefronste wenkbrauwen. „Zou je er tóch nog eens over willen nadenken, Ellis? Ik vind het zó jammer, het is zo'n fantastische betrekking."

Henri, die met zijn schoonzoons in debat was over de prediking van die ochtend, mengde zich even in het gesprek toen hij zijn vrouw deze woorden hoorde zeggen.

„Toe Rika, Ellis vindt haar weg wel. Het gaat toch om háár toekomst en háár geluk, daar hebben we gisteravond samen nog over gesproken."

Ellis glimlachte, vader begreep haar beweegredenen. Ze was absoluut zeker van haar beslissing om af te zien van het door meneer Wessel aangeboden baantje. Haar hart lag momenteel in Oisterwijk, bij het werk dat ze daar deed. Ze was erg blij met deze drie vrije dagen, maar ze keek ook weer uit naar dinsdag. Dan moest ze 's morgens de hotelkamers weer op orde brengen en in de namiddag met Sjors en zijn theatervoorstelling op pad. Haar werkovereenkomst bij Vredelust was voor onbepaalde tijd, ze hadden haar de komende tijd nog nodig. En daarna zou ze wel zien. Over een paar maanden zou Sjors naar de kuststreek trekken. Ze was erg benieuwd hoe hij op haar voorstel, om met hem mee te gaan, zou reageren.

De volgende dag belde Ellis naar meneer Wessel voor een afspraak. „Kom nu maar," zei hij blij. „Dan kunnen we alles meteen regelen. De buitenschoolse opvang begint al over enkele weken, na de kerstvakantie. Er is haast bij!" Daarna hing hij onmiddellijk op. Met lood in haar schoenen vertrok Ellis naar zijn kantoor, waar meneer Wessel haar vriendelijk onthaalde en de koffie al klaar stond.

„Alsnog bedankt voor alle handtekeningen, meneer Wessel. Dat heeft me werkelijk heel goed gedaan. En ook voor de baan die u mij namens het bestuur kunt aanbieden. Maar ik…"

„Toen we de ontslagbrief van Carola Klomp ontvingen wees Miranda Westerman ons op de mogelijkheid om u alsnog aan het werk te zetten. Het bestuur heeft dit voorstel ook onmiddellijk ge-accepteerd. Iedereen is inmiddels op de hoogte van uw onschuld en alle roddels zijn de wereld uit geholpen. Dicky en Jochem Kleinveld hebben door middel van een brief dit bijzondere eer-herstel voor u georganiseerd, hoewel zij niet meer betrokken zijn bij De Regenboog. Zij hebben ons wel toegezegd dat hun doch-tertje Erica straks naar de buitenschoolse opvang mag komen mits u daar locatiemanager wordt."

„Echt? Ik vind het een hele eer, maar..." probeerde Ellis te zeg-gen. Meneer Wessel glimlachte van oor tot oor en onderbrak haar.

„Ik hoop dat we vanaf heden een dikke streep onder het verle-den kunnen zetten. U zult zien dat de ouders en hun kinderen u straks weer op handen zullen dragen."

„Ik vind het erg jammer, meneer Wessel. Maar ik... uuuhm... ik kan de functie van locatiemanager helaas niet aannemen. Ik heb andere toekomstplannen."

De ogen van meneer Wessel werden groot als schoteltjes en zijn wenkbrauwen schoten van oprechte verbazing omhoog.

„U kunt de functie niet aannemen? Ach, dat is verschrikkelijk! Met die mogelijkheid heb ik, eerlijk gezegd, geen rekening ge-houden." Ellis zag dat meneer Wessel het meende, hij staarde haar, van zijn stuk gebracht, aan.

„Het is toch niet vanwege Harm Kleijnveld, toen we als bestuur zo ernstig tekort zijn geschoten?"

Ellis schudde krachtig haar hoofd. „Geen sprake van! Ik vind het zelfs een eer dat u me deze baan aanbiedt. Alleen... ik heb andere plannen voor mijn toekomst."

Ze vertelde meneer Wessel in het kort iets over haar huidige werkzaamheden in het hotel en haar actieve deelname aan een poppentheater voor kinderen.

„En met dat poppentheater wil ik in de toekomst graag verder gaan. Ik ben heel enthousiast en heb er grote verwachtingen van. Bij deze wil ik nu officieel mijn ontslag indienen." Meneer Wessel keek even bedenkelijk, maar knikte daarna. „Als u het zeker weet..."

Ze praatten samen nog verder over de situatie waarin Carola

Klomp verzeild was geraakt. Volgens meneer Wessel had Carola zelf haar ontslag bij hem ingediend. Zonder dat ze het zelf besefte was ze met deze daad het bestuur een stapje voor geweest. Het bestuur had Carola namelijk haar ontslag willen aanzeggen zodra ze na haar ziekte weer aan de slag zou gaan.

„Het vertrouwen is weg, ziet u. Niet vanwege Carola's ziekte, maar vanwege alles wat er gebeurd is. Alle ouders nemen het haar nog steeds kwalijk dat ze valse aangifte van kindermishandeling heeft gedaan. Dat zorgt voor veel onrust." zei meneer Wessel. „Hoewel ik zelf heel erg met Carola ben begaan, want ze is door een diep dal gegaan op die PAAZ-afdeling. Tja, jammer dat u niet verder in zee wilt gaan met ons. Dan moet ik nu snel actie ondernemen voor de invulling van Carola's baan. Maar enfin, ik wens u het allerbeste. Veel geluk!"

Ellis stond op en gaf meneer Wessel een hand. „Dank u, voor het vertrouwen," zei ze en haalde opgelucht adem toen ze de buitenlucht instapte.

Thuis vertelde ze haar ouders over het gesprek met meneer Wessel. „Toch jammer," constateerde Rika voor de zoveelste keer toen Ellis uiteindelijk zweeg.

„Mam, u moet wat meer vertrouwen in me hebben. Het komt allemaal goed. Heus!"

Rika legde haar hand op Ellis' arm. „Daar bid ik ook voor, meisje."

Heel even drukte Ellis, zichtbaar ontroerd door moeders woorden, haar wang tegen die hand. Ze besefte maar al te goed dat haar ouders en de rest van de familie evengoed door een diep dal waren gegaan. En dat zij ook alle negatieve publiciteit het hoofd hadden moeten bieden. Zij was immers hun dochter, hun zusje. Ellis hief haar gezicht op, ze glimlachte.

„Kom moedertje, we gaan samen winkelen in het centrum. Dan drinken we daar gezellig een kopje koffie en nemen er iets lekkers bij."

„O, dat vind ik een prima idee." Rika's ogen glinsterden van blijdschap. Ze aaide teder over het donkere haar van Ellis. „Even alleen met jou, voordat je weer naar Oisterwijk vertrekt."

15

Carola was alweer enkele weken thuis. Meneer Wessel had op de dag van haar ontslag van de PAAZ-afdeling voor vervoer gezorgd. Gerda, Alida's gezinsverzorgster, had alle planten tijdens haar verblijf in het ziekenhuis met veel toewijding verzorgd en de post dagelijks mee naar boven genomen en netjes op de tafel gelegd. De eerste dagen moest Carola erg wennen aan de stilte om zich heen. Er waren niet langer andere patiënten aanwezig met wie ze een praatje kon maken, noch verplegend personeel of een psychiater. Ze stond weer op eigen benen en was nu helemaal op zichzelf aangewezen. De dokter had haar naar huis gestuurd met een recept en een nieuwe poliklinische afspraak. Morgen was het zover, dan moest ze zich voor controle opnieuw melden bij van Doorn en hem vertellen of een verbetering in haar ziektebeeld ook daadwerkelijk had doorgezet. Dat was gelukkig het geval, meende Carola. Ze voelde zich, dankzij de medicijnen, veel beter. Het was rustiger in haar hoofd, het gepieker over negatieve zaken was van de baan en tijdens de nachtelijke uren sliep ze vrij goed. Haar auto stond nog steeds onaangeroerd op de parkeerplaats. Het was een opluchting geweest toen ze bij thuiskomst zelf kon zien dat er niets beschadigd was. Voorlopig kon ze echter nog geen gebruik maken van het vervoermiddel, haar dosis medicijnen stond dat namelijk niet toe. Op de bijsluiter werd daar ernstig voor gewaarschuwd.

Daarom had ze voor vandaag een taxi geregeld, zodat deze haar samen met Alida naar het centrum van Culemborg kon brengen. Alida, maar ook Gerda, hadden haar al twee weken aangemoedigd om er toch eens tussenuit te breken. Ze bleef steeds maar binnen zitten, in haar eigen veilige omgeving. Een paar uurtjes winkelen in het centrum van haar woonplaats was uiteindelijk als een uitstekend idee uit de bus gerold. Alida kon dan ook mee in haar rolstoel.

„Het is niet goed voor je om steeds maar thuis te blijven zitten, Carola. Je sluit jezelf op, straks word je nog mensenschuw! Jij hebt juist mensen om je heen nodig. Dat geeft afleiding."

Carola wist dat Gerda gelijk had, maar ze droeg al een poosje van die akelige verborgen angsten bij zich. Binnen de muren van haar eigen appartement voelde ze zich veilig en geborgen. Maar de buitenwereld zag er kil en koud uit, met allemaal boosaardige mensen die geen enkel vertrouwen meer in haar hadden. Daar viel niet tegen te vechten, ze was het vertrouwen in zichzelf ook kwijt. En dat beangstigde haar nog het meest.

Die angst was haar leven binnen geslopen tijdens de laatste vergadering van de medezeggenschapsraad. Miranda en Jenny hadden die gevoelens van angst nog eens extra aangewakkerd toen ze na haar ontslag van de PAAZ afdeling met een bosje bloemen op ziekenbezoek kwamen.

„Leuk, dat jullie er zijn, meiden. Maar ik wil zo snel mogelijk mijn ontslag indienen... ik wil weg bij De Regenboog..." had ze hen bij binnenkomst meteen voorgehouden. En nog vóórdat ze met haar idee op de proppen kon komen om Ellis van Zwieten haar betrekking aan te bieden, had Miranda Westerman dat al gedaan. „Dat verdient Ellis, na al die ellende," had ze er onmiddellijk aan toegevoegd.

Carola had het gevoel gehad dat met die opmerking alle grond onder haar voeten werd weggeslagen. Ze had jarenlang op een leuke, collegiale manier met Miranda samengewerkt en met deze woorden gaf Miranda onomwonden aan dat ze bij De Regenboog blijkbaar héél erg blij waren met haar ontslagaanvraag. Miranda, noch Jenny, drongen er bij haar op aan om nog langer in dienst te blijven. Het ziekenbezoekje was ook van korte duur geweest, meer een beleefdheidsbezoekje!

Nee, bij De Regenboog zouden ze haar zeker niet missen. Diezelfde middag had Carola een keurige brief aan meneer Wessel geschreven. Kort en bondig had ze hem meegedeeld dat ze het roer nu definitief om wilde gooien en naar een andere betrekking uitkeek.

„Misschien kunnen ze bij de gezinsverzorging nog een goede arbeidskracht gebruiken," zei ze tegen Gerda, die de envelop wel voor haar wilde posten. Volgens Gerda zou dat geen probleem opleveren.

„Ze hebben altijd mensen nodig. Gezonde mensen, wel te verstaan! Knap dus maar snel op, Carola."

Carola had geknikt, maar ze was nog dagen van de kaart geweest vanwege Miranda's suggestie om Ellis van Zwieten op háár plekje bij de buitenschoolse opvang te krijgen. Tja, nu het erop aankwam kon ze dat voorstel toch niet zo goed verdragen. Ze was bitter jaloers. Ellis, die de mogelijkheid én het vertrouwen aangereikt kreeg om háár plaats als locatiemanager bij de buitenschoolse opvang in te nemen! Het was de omgekeerde wereld. Ze kon er wel om janken dat alles haar zo ontviel. Meneer Wessel had na een week opgebeld en gezegd dat hij haar besluit om De Regenboog te verlaten respecteerde.

„Dan wens ik u verder veel succes toe voor de toekomst," waren zijn laatste woorden geweest.

Carola schrok op uit haar gedachten. De bel ging. Ze keek uit het raam en zag de taxi beneden voor het appartementencomplex staan. Snel graaide ze naar haar tas, haar jas had ze al aan en Alida zat ook al aangekleed en wel in een rolstoel te wachten. Gerda hielp hen naar beneden. Carola zat te rillen in de auto toen Gerda weer naar boven ging en ze alleen met Alida en de taxichauffeur overbleef.

„Naar het centrum, alstublieft!" gebood ze de chauffeur met trillende stem.

„Gezellig, een paar uurtjes winkelen. Dat is lang geleden," babbelde Alida opgetogen. „Ik wil naar een winkel met kerstartikelen, Carola. Ik heb je advies nodig voor het maken van kerstkransen. Jij hebt zo'n goede kijk op die dingen!"

Carola spitste haar oren. Alida had haar advies nodig, dat ontroerde haar. Ze was uiteindelijk de enige mens in de hele wereld die nog vertrouwen in haar scheen te hebben.

„Natuurlijk help ik je, Alida. Leuk, al die slingers, kaarsen, kerstboomballen en glitterdingetjes! Ik zal er wel voor zorgen dat je een paar mooie kransen kunt maken."

Het praten met Alida en het maken van plannen leidde Carola van haar angsten af. De taxi stopte vlak bij het centrum en de chauffeur hielp hen met uitstappen. Carola duwde vervolgens kwiek Alida's rolstoel vooruit. Ze had ineens zin gekregen in een middagje winkelen. Het was een goed idee geweest van Gerda, dit moest ze vaker doen. Maar de drukte van alle winkelende mensen overweldigde haar op een gegeven moment. Het was voor het eerst sinds lang, dat ze zoveel mensen om zich heen had gezien.

Veel gepraat, gelach, huilende en zeurende kinderen. Het duizelde haar een moment. Wankelend bracht ze een trillende hand naar haar hoofd. Ze dreigde onwel te worden en achter Alida's rolstoel op de grond te vallen. Net toen ze zich dát realiseerde, voelde ze een stevige hand die haar elleboog vastpakte en haar dwong om rechtop te blijven staan. Een stem die ze uit duizenden zou herkennen, zei: „Carola Klomp! Voel jij je soms niet goed? Je ziet zo pips en staat zo wankel op je benen."

„Ja, Carola is ernstig ziek geweest, juffrouw. Heel ernstig!" bemoeide Alida zich er nu mee, terwijl ze zich omdraaide in haar rolstoel en de ombekende vrouw met het donkere haar nieuwsgierig aankeek. Daarna keek ze bezorgd naar Carola.

„Gaat het wel, Carola?"

Carola had geen erg meer in Alida. Haar hart bonkte als een bezetene, de duizeligheid was verdwenen. Ze keek recht in de vragende ogen van Ellis.

„Ellis…" fluisterde ze geschokt. „Dat ik jóu hier moet treffen?"

„Tja, even winkelen met mijn moeder. Net zoals jij. Mijn moeder staat in de rij bij de slager, ze komt zo weer."

„Oooh… maar dit is mijn moeder niet. Dit is mijn buurvrouw Alida Blom," fluisterde Carola, terwijl ze haar ogen niet van Ellis af kon houden. Ellis gaf Alida beleefd een hand.

„Prettig kennis met u te maken, mevrouw."

Carola slikte meerdere malen, het angstzweet stond in haar handen. Ze had gedacht, dat áls ze Ellis ooit weer zou zien, zij haar met verwijten om de oren zou slaan. En dat ze boos zou zijn omdat ze onschuldig op het politiebureau in een arrestantencel had moeten zitten vanwege die valse aangifte. Aan de negatieve publiciteit in de plaatselijke krant durfde Carola niet eens te denken.

Maar er gebeurde niets. Ellis stond heel bedaard voor haar,

om haar mond lag zelfs een vriendelijke glimlach.

„Ik uuuh... ik..." hakkelde Carola nerveus, terwijl ze haar handen tot machteloze vuisten balde. Ze besefte maar al te goed dat ze nu iets positiefs moest zeggen, maar dat kostte haar heel veel moeite. Eigenlijk wist ze niet hóe te beginnen. „Ik ben blij dat jij in mijn plaats dat baantje bij de buitenschoolse opvang krijgt. Een goed idee van meneer Wessel." De woorden klonken bitter.

„Ik doe het niet, Carola. Ik heb die betrekking afgewezen. Ik snap trouwens niet dat jij ermee stopt! Je was toen zo blij met die aanstelling."

Carola transpireerde hevig, ze likte langs haar droge lippen.

„Nee, niet meer. Niet na wat ik allemaal heb veroorzaakt en wat ik jou als collega heb aangedaan. Er is niemand van de medezeggenschapsraad die nog enig vertrouwen in mij heeft. Niemand... zelfs het bestuur niet. En dat is mijn eigen schuld..." Carola ademde diep in. Tranen brandden achter haar oogleden. „Het spijt me, Ellis!" fluisterde ze. „Het was slecht van me. Héél slecht! Ik ben te ver gegaan." Carola voelde haar knieën knikken. Nog even, dan zou ze neervallen en nooit meer overeind komen.

Ze voelde de krachtige hand van Ellis weer.

„Rustig Carola, maak je niet zo druk. Wat gebeurd is, dat is gebeurd. We kunnen de klok niet meer terugdraaien. We moeten verder, jij op jouw weg en ik op de mijne. Ik verheug me in ieder geval weer op de toekomst en wil het verleden achter me laten. Ik probeer ook te vergeten wat er is gebeurd, en... en ... te vergeven wat mij is aangedaan. Dat is mijn opdracht, zie je... Het ga je goed!" Ellis draaide zich onverwacht om en liep snel weg.

Carola keek haar na, totdat ze tussen de mensen verdween.

„Was dát nu die collega, die..." Alida zweeg en keek Carola vragend aan. Carola knikte terwijl er een traan over haar wang biggelde die ze snel wegpinkte.

„Ja, dat was Ellis van Zwieten, ze zei iets over vergeten en vergeven en ze wenste me alle goeds toe. Ik kan m'n oren nauwelijks geloven. Hoe krijgt ze het voor elkaar om me zo vriendelijk te behandelen?"

Carola keek oprecht verbaasd. Ze had Ellis een gemene streek geleverd die haar zoveel nare gevolgen had bezorgd. Toch was het juist Ellis van Zwieten die haar, Carola, hoop gaf. Ze verheugde zich op de toekomst, had ze gezegd. Zou dat ook voor haar gelden, voor de niet geliefde Carola Klomp?

„Blijf dan ook niet langer tobben, Carola," moedigde Alida haar nu ook aan. „Neem de woorden van Ellis serieus. Als zij hoopvol naar de toekomst kan kijken, kan jij dat ook. Je hebt je lesje vast wel geleerd."

Carola haalde opgelucht adem. „Je hebt gelijk, Alida. Ik heb door schade en schande m'n lesje geleerd. Ik ben er zelfs ziek van geworden! Zullen we samen eerst een kopje koffie drinken voordat we naar die kerstartikelen gaan kijken."

Behendig duwde Carola Alida's rolstoel bij een koffiehuis naar binnen. Ze had zich sinds maanden niet meer zo goed gevoeld als nu. Er was een loodzware last van haar schouders gegleden door enkele bevrijdende woorden, die Ellis op het juiste moment had uitgesproken. De toekomst zag er ineens minder donker uit.

Ellis bleef stilstaan bij de slagerij waar haar moeder juist voor het vlees en de vleeswaren afrekende. „'k Had acht klanten voor me," mopperde Rika geagiteerd toen ze naar Ellis liep terwijl ze haar portemonnee in haar tas duwde. „En het duurde zo lang. Ze hadden allemaal zulke grote bestellingen."

„Geeft niet," zei Ellis. „Maar ik ben onderhand wel toe aan een kop sterke koffie."

„Tja, laten we dan eerst maar een zaakje opzoeken waar we iets kunnen drinken." Rika's ogen namen Ellis verhitte gezicht op. „Je ziet er zo opgewonden uit!" Ellis negeerde Rika's opmerking en wees naar een lunchroom.

„We kunnen daar terecht, mam." Toen ze eenmaal zaten kon Ellis het niet langer verzwijgen. „Ik liep net Carola Klomp tegen het lijf toen u bij de slager stond," zei ze. „Ik schrok vreselijk van haar. Ze zag er erg slecht uit. Zo afgetobt en ook sterk vermagerd. Carola is beslist niet in orde."

„Oooh…" Rika fronste haar wenkbrauwen. „Wat naar voor je om haar nu al te ontmoeten. Je bent net twee dagen thuis! Het heeft je geraakt, ik zie het aan je gezicht."

„Mmm, het raakte me inderdaad. Maar het was helemáál niet naar voor me, mam. Het lukte me zelfs om al mijn boosheid weg te duwen. Ondanks alles ziet míjn toekomst er tenminste weer hoopvol uit. Of Carola's toekomst er nu ook zo goed uitziet, betwijfel ik. Ik kreeg zelfs medelijden met haar. Ze heeft erg onder de hele situatie geleden, dat zag ik duidelijk. Ze zei zelfs dat het slecht van haar was en dat ze spijt had van wat ze me allemaal heeft aangedaan. Dat had ik nooit verwacht, mam. Niet van Carola. En dát raakte me nog het meest." Ellis bedankte onderwijl het jonge meisje dat de koffie serveerde. Daarna richtte ze haar blik weer op Rika. „Weet u, dominee sprak gisterochtend over vergeven. Zeven maal zeventig maal."

Rika knikte ontroerd en wierp een suikerklontje in haar kopje.

„Ja, dat herinner ik me. Een mooi onderwerp, maar wel heel moeilijk in de praktijk!"

„Wel, ik denk dat het ook Gods wil is dat ik Carola haar gemene streek vergeef. Anders blijf ik nog jaren met rancuneuze gevoelens rond lopen."

„Tja, Ellis. Dat is nu het evangelie in de dagelijkse praktijk. Het is vaak niet de gemakkelijkste weg, maar wel de beste." Rika glimlachte tevreden.

Ellis dronk van haar koffie. De woede jegens Carola die ze al die tijd zo krampachtig met zich mee gedragen had, was verdwenen. Dat gaf lucht en ontspanning. De nare gebeurtenis bij De Regenboog verloor zo stukje bij beetje zijn greep op haar.

Dicky keek door het raam naar buiten. Ze verwachtte Ellis nu elk moment. De thee stond al op een lichtje te trekken en in de keuken geurde het naar vers gebakken appelflappen. Naast het aquarelleren was bakken en koken sinds kort ook een hobby van haar geworden nu ze niet meer hoefde te werken op de administratie van Jochems meubelbedrijf. Ze had zich sinds jaren niet meer zo goed gevoeld als de laatste maanden omdat ze nu allerlei dingen kon doen die ze leuk vond. Er was tijd in overvloed. Jochem had er zich bij neergelegd. Ze mochten van geluk spreken dat de verkoop van meubelen iets was gestegen, na een moeizaam jaar met veel tegenslag. Dat maakte natuurlijk veel goed en de nieuwe kracht die in haar plaats op de administratie was gekomen, bleek een duizendpoot te zijn. Inzetbaar voor meerdere taken. Ja, Dicky genoot van haar vrijheid en de zeeën van tijd waarover ze nu kon beschikken. Het kwam haar gezin en haarzelf ten goede. Harm zat zoet in de box te spelen met wat blokken. Dicky keek vertederd naar haar kleine zoon. Ze was elke dag nog dankbaar voor zijn gezondheid en ook dat ze nu zoveel van hem kon genieten. De bel deed haar opschrikken. Ze had Ellis niet eens aan zien komen. Ze omhelsden elkaar in de deuropening.

„Ik ben zo blij dat je er nu bent. Kom snel binnen, de thee is klaar." Ellis zag er goed uit, stelde Dicky vast. Haar verblijf in Oisterwijk wierp onmiskenbaar zijn vruchten af, ze had duidelijk afstand kunnen nemen van de stormachtige tijd waar ze doorheen was gegaan. Haar ogen straalden weer als vanouds. In de woonkamer ontdekte Ellis meteen de spelende Harm en tilde hem een moment op uit zijn box.

„Dag jochie," zei ze. Terwijl Ellis Harm knuffelde zag Dicky tranen in haar ogen verschijnen. „Gaat het nog steeds goed met zijn gezondheid?" vroeg ze toen met een benepen stemmetje.

Dicky knikte bevestigend. „Harm is kerngezond!" zei ze.

Harm was het geknuffel snel beu en graaide vanaf Ellis' sterke arm naar zijn blokken in de box. Ellis zette hem weer tussen zijn favoriete speeltjes. Daarna liep ze nieuwsgierig door naar de muur waar de nieuwe aquarellen hingen. Dicky liet Ellis even alleen en haalde een dienblad uit de keuken met de appelflappen erop.

„Thee?" vroeg ze. Ellis wendde haar blik van de schilderijen af.

„Graag," antwoordde ze. „Deze aquarellen doen niet onder voor die anderen, hoor Dicky! Het is een goede keus geweest."

Dicky schonk twee koppen vol. „Ja, ja, ik geniet er elke dag van en ik krijg ook heel wat complimentjes. Die zijn indirect natuurlijk voor Bella bestemd, per slot van rekening heeft zij ze gemaakt. Maar... ga toch zitten, Ellis. Je weet inmiddels al dat Jochem en ik met de kinderen net na Kerst enkele dagen in hotel Vredelust komen logeren. Erica kijkt er erg naar uit. Het is zo'n kindvriendelijk hotel met een mooie bosrijke omgeving. Fantastisch!"

„Ja, leuk dat jullie komen. Ik zag het in ons afsprakenboek staan bij de receptie. De dagen na Kerst heb ik dienst. Ik werk dan 's morgens met de huishoudelijke dienst mee. En 's avonds in de bediening." Ellis nam een gebaksbordje aan met een appelflap erop.

„Dank je, Dicky. Ziet er lekker uit!"

Dicky glimlachte trots. „Mijn nieuwe hobby!" verduidelijkte ze. Daarna keek ze Ellis ernstig aan. „Om even op je werk in dat hotel terug te komen; na Kerst werk je daar nog een paar dagen. Heb ik dat goed begrepen?"

„Hoezo? O, je bedoelt dat ik..."

„Ja," viel Dicky haar in de rede. „Je nieuwe baan bij De Regenboog als locatiemanager voor de buitenschoolse opvang! Je kunt daar in januari, net na de kerstvakantie al beginnen.

Heeft meneer Wessel je dat dan niet verteld?"

Ellis zette haar appelflap op de salontafel, naast het kopje dampende thee. Over haar gezicht gleed een glimlach, ze knikte. „Ik weet er inmiddels alles van. Maar ik heb deze betrekking afgewezen, Dicky."

„Afgewezen?" Dicky keek oprecht verbaasd en ook een beetje geschrokken. „Oooh... dat snap ik niet!"

„Ik wil in de toekomst graag verder met een poppentheater." Dicky hoorde Ellis' verhaal aan, dat ze Sjors Bakker had leren kennen en dat ze betrokken was geraakt bij zijn poppentheater. „Sjors heeft me bij zijn poppenspel betrokken en mij m'n gevoel van eigenwaarde weer teruggegeven. Mijn angst en onzekerheid is helemaal verdwenen. En ik weet nu ook precies wat ik met mijn toekomst wil. Het is namelijk mijn bedoeling om verder te gaan met Sjors en De Schatkist."

„Wat jammer voor De Regenboog," zuchtte Dicky. „Erica zal vast erg teleurgesteld zijn. Als jij bij de buitenschoolse opvang gaat werken, wil Erica er namelijk weer graag naar toe. Dat moest ik haar zelfs beloven. Maar nu... tja, in dit geval zal ze liever elke week een keertje extra met Sanne van Berkel mee gaan. Nienke en Erica zijn inmiddels goede vriendinnen. Toch vind ik het jammer, Ellis. Héél jammer!"

Ellis nam een slokje van haar thee. „Ik vind het zelf ook jammer, begrijp me goed," zei ze met een gefronst voorhoofd. „De brief die ik van meneer Wessel ontving deed mijn hart ook sneller kloppen. Het was alsof ik de hoofdprijs had gewonnen! En ik wil jou ook bedanken voor dit fantastische eerherstel, want ik heb begrepen dat jij hier ook je aandeel in hebt gehad. Maar, Dicky, het leven is na mijn vrijlating verder gegaan en er heeft zich iets moois voorgedaan. Sjors... en ook zijn poppentheater hebben mijn hart veroverd. Dat werk wil ik niet meer missen."

Dicky schoot in de lach. Er werd haar iets duidelijk en Ellis had het in haar onschuld niet eens door.

„Wíe kun je niet missen, Ellis. Sjors, óf het poppentheater?"

Ellis opende haar mond en deed hem daarna weer dicht. Ze haalde haar schouders op.

„Ik... uuuh..." stotterde ze. „Nou ja, het is gewoon fantastisch zoals Sjors omgaat met al die poppen."

„Weet Sjors het al, dat je met hem verder wil werken in zijn poppentheater?"

Eerst schudde Ellis haar hoofd, daarna knikte ze weer. Het werd Dicky duidelijk dat Ellis nog geen pasklaar antwoord op die vraag kon geven. „Ik wilde eerst in Culemborg orde op zaken stellen." Ellis vertelde haar heel vertrouwelijk dat ze de relatie met haar vriend Tim had verbroken omdat hij haar zo in de steek had gelaten. En dat ze haar familie op de hoogte had gebracht van haar toekomstplannen. Vervolgens had ze tijdens een gesprek met meneer Wessel laten weten dat ze niet op het aanbod van het bestuur wilde ingaan. „En een paar uurtjes geleden kwam ik geheel onverwacht Carola Klomp tegen in de stad." Er gleed een warme glimlach over Ellis' gezicht. Dicky spitste haar oren en luisterde aandachtig.

„Ja, 't is vreselijk jammer dat het allemaal zo is gelopen. Carola zou een uitstekende kracht zijn geweest voor de buitenschoolse opvang, maar niemand heeft nog enig vertrouwen in haar. De meeste ouders zijn nog steeds laaiend!," was de reactie van Dicky.

„Iedereen had zo gehoopt dat jij… Ach, meneer Wessel vindt vast wel een andere geschikte kandidaat." Daar was Ellis het volmondig mee eens.

Ze dronken samen hun thee terwijl Ellis enthousiast verder vertelde over haar werk met het poppentheater.

Om half vier stond Dicky op. „Wil jij even bij Harm blijven, Ellis. Dan haal ik Erica van school. 'k Ben binnen tien minuten terug!"

„O nee, laat mij Erica deze keer van school halen." Ellis legde haar hand op Dicky's arm en dwong haar weer in de stoel te gaan zitten. „Dat lijkt me zó leuk. Wat zal Erica opkijken."

„Goed." Dicky straalde. Erica zou de koning te rijk zijn als ze Ellis aan de schoolpoort zag staan. Tien minuten later stond ze met Harm op haar arm voor het raam op de uitkijk. In de verte zag ze Ellis lopen, met haar donkere haar in een staart en een blije glimlach op haar gezicht. Erica hield de hand van Ellis vast. Het meisje huppelde een poosje naast haar en sprong daarna uitgelaten om haar vriendin heen. Jammer, dat Ellis andere toekomstplannen had. Maar Dicky wist het zeker: als ze net na Kerst twee vakantiedagen op Vredelust in Oisterwijk zouden doorbrengen, wilde ze met haar kinderen elke voorstelling van De Schatkist bijwonen. Het idee dat Ellis met dát programma meewerkte maakte haar heel erg nieuwsgierig.

Na het afscheid van haar ouders en de rest van de familie reed Ellis in haar eigen auto terug naar Oisterwijk.

„Kerstfeest vier ik thuis, mam," had ze Rika in haar oor gefluisterd. Moeder liet haar niet graag gaan, wist Ellis. Ze had liever gezien dat ze weer voorgoed thuis kwam wonen en bij De Regenboog zou gaan werken, alsof er niets was gebeurd.

Maar Ellis was blij met haar besluit om iets anders te gaan doen. Of ze alles helemaal rond kreeg zoals ze zich dat voor ogen had gesteld, wist ze nog niet. Ze moest haar plannen bij aankomst meteen met Sjors doornemen, want ze wilde niets liever dan samen met hem in zijn poppentheater blijven werken. Daarnaast kon ze altijd nog in de horeca wat extra werk aanpakken om in haar onderhoud te kunnen voorzien. Ze wilde niet afhankelijk zijn van Sjors. Hij had haar ook al eerder te kennen gegeven dat hij geen salaris kon uitbetalen en dat zijn poppentheater geen winstgevende zaak was zoals Tims bedrijf, 'Duister en Zn.'

Ellis naderde Oisterwijk en reed meteen door naar de rand van het plaatsje waar Vredelust lag. Ze herinnerde zich de eerste keer weer dat ze hier samen met Bella naartoe was gegaan. Wat had ze zich toen toch ellendig gevoeld. Pas op vrije voeten en meteen al op de vlucht. De verpletterende realiteit dat Tim haar aan haar lot had overgelaten bezorgde haar nog steeds koude rillingen. Ze had zich vreselijk eenzaam gevoeld, dat zou ze niet makkelijk kunnen vergeten.

Ellis parkeerde haar auto op het parkeerterrein, vlak bij haar kamer. Ze duwde de herinnering aan Tim van zich af. Dat was geweest. Ondanks de mooie momenten die ze met hem had meegemaakt, wist ze zeker dat een toekomst als mevrouw Duister niet voor haar was weggelegd. Tim zou zijn hele leven blijven proberen om haar in een keurslijf te duwen, zodat ze een acceptabele schoondochter voor zijn ouders zou zijn. Altijd in de weer voor de zaak. Nou, daar paste ze voor! Ze wilde haar aangeboren talenten en kwaliteiten ontwikkelen en die daadwerkelijk benutten door te blijven werken mét en vóór kleine kinderen. Een groter ideaal kon ze zich niet voorstellen. Het was goed dat ze haar relatie met Tim had beëindigd, ze voelde een diepe rust vanbinnen over die beslissing.

Ellis stapte uit en snoof de vochtige boslucht diep in zich op. Enkele spreeuwen schetterden haar vanuit de bomen tegemoet, het was ongewoon zacht voor de tijd van het jaar met druilerige, grijze dagen. Dat betekende in ieder geval geen witte kerst, of er moest snel iets veranderen. Maar de weersvoorspellingen zagen daar niet naar uit. In de tuin schitterden de lampjes in de buitenkerstboom, het hotel lag er vredig en rustig bij. Binnen was het knus en behaaglijk door de open haard die sfeervol brandde. Enkele gasten zaten zich rondom het vuur te warmen na een lange boswandeling. Overal was het versierd met kerstbomen en versierde kransen. In de garderobehal, de bar, het restaurant, de lounge. Het hotel ademde een prettige kerstsfeer uit.

„Hallo Ellis, ook weer terug?," hoorde Ellis aan de andere kant van de lounge een bekende stem roepen. Het was Sietske. „Gelukkig, dan kan ik het vanaf morgen weer wat rustiger aan doen." Sietske grijnsde breed, ze had een dienblad met gebruikte glazen in haar hand.

„Hoi Siets, weet jij soms waar Sjors is?" Ellis keek Sietske onderzoekend aan. Omstreeks deze tijd was Sjors nooit op zijn kamer, dus moest hij ergens in of om het hotel zijn. Ver kon hij niet uit de buurt zijn, er was geen voorstelling geweest vandaag. Morgenmiddag stond er om half vier weer een voorstelling met het theater gepland, hij had voor haar vertrek al om haar mede-werking gevraagd.

„Sjors is onverwachts een paar dagen weg gegaan," antwoordde Sietske, haar brutale ogen keken Ellis uitdagend aan. „De voor-stelling van morgenmiddag heeft hij geannuleerd, vraag het maar aan mijn moeder. Zij weet er alles van."

„Geannuleerd?" Ellis wist niet wat ze hoorde. Wat was er met Sjors aan de hand. Was hij ziek, of was er thuis misschien iets naars met een van zijn familieleden gebeurd? Dat moest wel. Sjors zou een theatervoorstelling niet zomaar annuleren.

Vanuit de keuken kwam Sylvia nu ook op haar toegelopen.

„Dag Ellis, fijn dat je er weer bent. Zeg, heeft Sietske je al ver-teld dat Sjors ons waarschijnlijk gaat verlaten? Nou ja, verlaten is een groot woord. Hij kan volgend jaar af en toe nog een enkel weekendje naar Vredelust komen met zijn Schatkist. Maar het zal straks allemaal anders zijn. Ik hoop maar dat onze klanten tevre-den zullen zijn met een alternatief, we zijn al op zoek naar een geschikte plaatsvervanger. Het liefst weer een poppenspeler, maar een betere als Sjors loopt er volgens mij niet rond."

„Oooh, dat… dat… wist ik niet," hakkelde Ellis met hoogrode wangen. Ze voelde haar hart bonzen in haar keel. Ze slikte. Wat was er allemaal gebeurd tijdens haar afwezigheid? Was Sjors van plan om op te stappen en weg te gaan? Maar dát kon toch niet waar zijn!

En zij dan? Ze had al haar toekomstplannen op het poppentheater van Sjors afgestemd. Met hem én zijn poppen wilde ze graag verder werken. Ze had zelfs een aangeboden baan bij De Regenboog afgewezen om al haar dromen te verwezenlijken.

„Sjors zal het je zelf allemaal wel vertellen als hij weer terug komt. Ik verwacht hem morgenavond," probeerde Sylvia haar gerust te stellen. Ellis glimlachte krampachtig en zuchtte diep.

„Ik ga nu naar mijn kamer, mijn weekendtas opruimen. Dan ben ik morgenvroeg weer van de partij. Klokslag zeven uur in de keuken?" Sylvia knikte. Ellis draaide zich om en liet Sylvia en Sietske achter.

De mededeling dat Sjors weg zou gaan liet Ellis niet met rust. Die nacht sliep ze onrustig. Ze werd meerdere malen wakker en draaide zich om en om. Ze begreep het niet. Sjors had haar niet eerder iets verteld over weggaan of een andere werkkring. Ze had juist de indruk gekregen dat hij het in Oisterwijk en omgeving reuze naar zijn zin had.

De volgende dag verliep de tijd uiterst langzaam. Tijdens haar werkzaamheden bij het ontbijt was ze stil en afwezig. En ook later die ochtend, toen ze het sanitair van de hotelkamers schoonmaakte, moest ze steeds goed nadenken om vooral niets te vergeten. Hotelgasten hadden in de regel snel iets te klagen, dat moest ze zien te voorkomen.

Om negen uur die avond hoorde ze vanuit haar kamer dat Sjors de deur van zijn kamer open draaide. Eindelijk! zuchtte Ellis. Het wachten op zijn thuiskomst had haar alleen maar nog meer onrust bezorgd.

Ze aarzelde. Zou ze meteen op hem afstappen of hem eerst de kans geven om zijn bagage op te ruimen? Ellis besloot om het eerste te doen. Ze had lang genoeg gewacht en in onzekerheid gezeten. Ze wilde weten waar ze aan toe was.

Ellis vergat door de spanning op het belletje naast zijn deur te drukken en bonsde op de deur. „Sjors... ben je daar?"

De deur zwaaide meteen open. Ze keek in zijn vriendelijke gezicht en ze besefte dat ze hem had gemist.

„O, Sjors. Ik..."

„Kom toch binnen, Ellis. Ik moet je dringend spreken." De blik op zijn gezicht werd ernstig. In de kleine woonkamer zag ze een koffer staan, zijn jas hing over de stoel.

„Is het waar, Sjors? Ga je met De Schatkist weg uit Oisterwijk?" Ellis had niet in de gaten dat haar stem vreemd hoog klonk en dat een glans van tranen in haar ogen verscheen.

De ernstige blik week meteen weer van zijn gezicht, alle sproetjes leken op zijn wangen te dansen toen hij glimlachte. Zijn olijke groene ogen observeerden haar, hij knikte.

„Ja, mits jij ermee akkoord gaat. Zonder jou gaat het feest niet door."

„Maar... wat bedoel je dan?"

Sjors nam vrijmoedig haar beide handen in de zijne.

„Er is een nieuwe uitdaging op mijn weg gekomen, Ellis. Een groot kinderziekenhuis heeft een uitgebreid activiteitenprogramma waarbij heel veel begeleiders, vrijwilligers en zelfs Clini-Clowns zijn betrokken. Het hoofd van deze afdeling heeft mij een vaste betrekking aangeboden, zodat ik binnenkort dagelijks met De Schatkist op de kinderafdelingen voor ernstig zieke kinderen mag spelen."

„Een kinderziekenhuis? Toe maar! Geweldig, joh!" Ellis was een en al verbazing. Ze kneep hard in zijn handen, terwijl een traan langs haar wang gleed. Sjors mocht deze geweldige aanbieding niet zomaar laten gaan. Werken in een kinderziekenhuis nog wel! Dáár kon zij alleen maar van dromen. In de periode voorafgaand aan haar werk bij De Regenboog had ze moeite genoeg gedaan om een plaatsje op de kinderafdeling van een ziekenhuis te bemachtigen. Maar er was toen helaas geen plaats geweest. En nu kreeg Sjors zomaar een geweldige aanbieding. Ze was dolblij voor hem, maar vanbinnen borrelde de teleurstelling omhoog. Nu zou ze alles kwijt raken. Sjors en zijn poppen, haar mooie toekomstdromen, de fijne vriendschap waaraan ze zich de laatste maanden had gewarmd.

„Sjors, ik zal je zó vreselijk missen..." Een snik welde op in haar keel en maakte haar het spreken haast onmogelijk. Hij sloeg zijn arm om haar schouders.

„Ach Ellis. Wat jammer nu! Ik had voor mijn sollicitatiegesprek in dat kinderziekenhuis sterk de indruk gekregen dat jij niet in wilde gaan op de aanbieding van De Regenboog. Je was niet zo enthousiast, daarom dacht ik… ik had gehoopt dat je…"

Ellis keek naar de ontgoocheling op zijn gezicht.

„Dat klopt. Ik heb meneer Wessel meegedeeld dat ik niet verder wilde gaan als locatiemanager voor de buitenschoolse opvang. Ik hoopte zó op een samenwerking met jou. Maar nu jij deze pracht-kans krijgt moet je die niet laten schieten voor mij. Ik vind mijn weg wel."

Sjors sloot even zijn ogen en drukte haar toen stevig tegen zich aan.

„Ja, wij vinden sámen onze weg, Ellis. Ik krijg die baan name-lijk alleen als jij met me meegaat. Ik zei je zojuist nog, dat die baan zonder jou niet doorgaat. Het werk vraagt veel creativiteit en ik kan je stem ábsoluut niet meer missen."

„Je bedoelt dat ik met je mee mag naar dat kinderziekenhuis?" Sjors liet haar los, haar ogen werden groot als schoteltjes. Hij knikte. „Volgende week vindt er een tweede gesprek plaats, dan moet je met me mee. Ze hebben op die activiteitenafdeling name-lijk plaats voor twee collega's. Toen ik ze vertelde dat jij als mijn partner eveneens gediplomeerd verpleegkundige was, reageerden ze bijzonder enthousiast. In dat opzicht hebben we zelfs een streepje voor." Ellis was te verrast om iets zinnigs te zeggen. „Ik weet niet wat ik moet zeggen, Sjors. Ik was na mijn terugkeer vre-selijk bang dat we niet meer sámen verder zouden kunnen met De Schatkist."

„Zonder jou kan ik niet verder, Ellis."

„Ik ook niet zonder jou, Sjors."

„En… uuuhm… en Duister en Zn. dan?"

„Dat is definitief voorbij. Verleden tijd. Tim en ik passen niet bij elkaar."

„Daar had ik niet op durven hopen." Sjors sloeg zijn ogen neer en schudde langzaam zijn hoofd. Hij snoof verdacht. Ellis zag hem moeizaam slikken.

„Soms gaat het anders, Sjors. Diep in mijn hart wist ik allang wat ik graag wilde."

Nu was het de beurt aan Sjors om verbaasd te kijken. „Wist je het allang?"

„Toen ik jou voor het eerst met De Schatkist in het bos ontmoette ben ik je gevolgd, weet je dat nog? Ik was zo vreselijk nieuwsgierig naar wat er in die kist zat."

Sjors knikte, hij herinnerde het zich nog als de dag van gister.

Ellis lach schalde plots klaterend door zijn kamer. „Ha, Ha, ik blijf je volgen, Sjors. Je raakt me nóóit meer kwijt. Ik geloof warempel dat ik niet alleen van je poppen houd, maar ook van jou..." Haar wangen kleurden dieprood van verlegenheid. Ze keken elkaar enkele seconden stilzwijgend aan.

Daarna voelde ze dat hij haar optilde en van blijdschap door de kamer zwierde. Hij zette haar vervolgens weer op haar voeten en gaf haar onverwacht een zoen.

„Hier had ik niet op durven hopen, Ellis. Maar het is wederzijds. Ik houd ook van jou."